未来を実装する

テクノロジーで社会を変革する4つの原則

馬田隆明

英治出版

はじめに

「社会実装」という言葉を聞いたことがあるでしょうか。ＡＩの社会実装、ブロックチェーンの社会実装、ＩｏＴの社会実装、自動運転の社会実装、スマートシティの社会実装など、ニュースでも目にすることが増えました。社会実装とは、端的に言えば、新しい技術を社会に普及させることです。

非営利・独立系のシンクタンクである一般財団法人アジア・パシフィック・イニシアティブでは、２０１９年４月から１年半にわたり、テクノロジーの社会実装について、特にこの数十年で大きく存在感を増したデジタル技術の社会実装についての調査・研究を行いました（著者は本プログラムの座長を務めました）。国内外の成功・失敗例を分析するなかで見えてきたのは、**今の日本に必要なのは、注目されがちな「テクノロジー」のイノベーションではなく、むしろ「社会の変え方」のイノベーションではないか**ということでした。いくら新しいテクノロジーが開発されても、それを受け取る社会のほうも変えていかなければ、新しいテクノロジーが活きることはありません。テクノロジーのイノベーションだけを見ていては、社会の中で新しいテクノロジーをどう包摂するかという視点が抜け落ちてしまいます。

たとえば、諸外国ではよく使われているのに、日本ではなかなか広まらないライドシェアの

Uber Taxi。テクノロジー自体は世界共通のはずなのに、なぜ日本では導入が進まないのでしょうか。シェアリングエコノミーという観点では Uber Taxi と同じ、民泊プラットフォームの Airbnb。Airbnb は Uber に比べてなぜ日本でうまく受容が進んだのでしょう。そして２０２０年のコロナ禍において急速に普及が進んだ電子契約・電子署名。２０２０年に電子署名のテクノロジー自体に進展があったわけではないのに、なぜ急速に普及したのでしょうか。

こうした事例を調査してきた中で私たちが見つけたのは、テクノロジーの社会実装プロジェクトの成功者たちは、**よりよい未来をつくることを目的として、社会の仕組みに目を向け、人々とともにプロジェクトを進めていた**という点でした。言い換えれば、彼らはテクノロジーを社会に実装しようとしていたというより、テクノロジーが生み出す新しい社会、つまり**「未来を実装」**しようと努めていたのです。

本書ではそうした事例をもとに、テクノロジーの社会実装の方法論を提示します。その中でも特に重要なのが、未来の理想、言い換えれば「インパクト」を描き、道筋とともに提示することです。理想を定めることで、理想と現状との差が課題や問い――「なぜ今はそうなっていないのだろう」「どうやればそこに辿り着けるのだろう」といった問い――となって見えてきます。つまり、インパクトを描く力は新たな問いを生み出す力でもあり、良い問いを生み出す力は論理的思考やデザイン思考などに加えて、これからのビジネスパーソンに必要とされる能力でもあると考えています。

２０１０年代によく手に取られた『イシューからはじめよ』という書籍にあやかって言えば、これからのビジネスは**「インパクトからはじめよ」**というのが本書に通底するメッセージです。

この本が目指している成果は、デジタル技術を活用して大きな課題を解決しようとする起業家や企業の新規事業担当や技術者の皆さん、そして彼らと協働する行政関係者やソーシャルセクターの皆さんにとってのガイドブックとなり、より多くの社会実装を成功させることです。

本書が類書と異なる点は、いま世界で起こっている数々の社会実装の「What」ではなく、「How」を中心にまとめている点です。テクノロジーによって変わる**社会の未来予測をするのではなく、そうした未来を作るための手法について解説しています。**そして**単なる経験談だけには基づかず、学術的な知の蓄積の活用も心がけながらまとめました。**

また、**未来を作るヒントとして、ソーシャルセクターの知見やツールを取り入れているのも特徴です。**ＳＤＧｓをはじめとした社会的インパクトへの民間企業からの貢献が求められる中、民間企業が未来を実装していくうえで、これまでソーシャルセクターで発展してきた、社会的インパクトを出す方法、規制や政治との関わり方から学べることは多いはずです。

1章と2章では、社会実装の概要とこれまでの背景を説明しています。もし背景は知っているという方は、3章から読み進めてください。私たちが見出した、社会実装を成功させるための4つの原則と1つの前提を、事例とともにご紹介しています。4章から7章では、４つの原則（インパクト、リスク、ガバナンス、センスメイキング）をそれぞれ説明していきます。考え方ではなく、もっと具体的な方法論を知りたい場合は、章末に実践のためのツールを10個紹介しているので、そちらを読んでいただければと思います。

　私はテクノロジーが好きです。人類の知の発展とその結晶であるテクノロジーが未来をより良いものにすると信じています。しかしテクノロジーの進歩だけですべての問題――たとえば気候変動や貧困、格差などの問題――を解決できるとも思っていません。**人類の手によって生まれたテクノロジーをうまく受け入れて活用できる社会が必要です。そのためには社会を理解し、ときには社会を変えていく必要があります**。

　テクノロジーに比べると、社会はゆっくりとしか変わりません。歯がゆいこともあると思います。失敗することも多くあるでしょう。むしろ社会を変えるすべての取り組みは、いくつかの面では失敗します。しかしある面で失敗したとしても、他の面では少しずつ前進していけるはずです。取り返しのつかない失敗でさえなければ、もう一度やり直せます。そうして少しずつでも社会を変えていき、テクノロジーが社会でより活用される環境を作り、すべての人々がテクノロジーによるイノベーションの恩恵を享受できる、そんな未来を作りだすための方法論が、いま語られるべきだと信じています。

　本書が未来を実装する、挑戦者の皆さんの一助になれれば幸いです。

未来を実装する　目次

2

社会実装とは何か

3 成功する社会実装　4つの原則

4 インパクト――理想と道筋を示す

5 リスク——不確実性を飼いならす

7 センスメイキング——納得感を醸成する

社会実装のツールセット

1

総論——テクノロジーで未来を実装する

デジタル技術によるビジネスの大きな変化

デジタル技術と社会

振り返ってみれば、２０１０年代はデジタル技術の時代だったと言えるでしょう。インターネットとスマートフォンが一気に普及し、様々な消費活動や生産活動がデジタルの領域で行われるようになりました。人々はＳＮＳやＥＣサイト、動画サイトで多くの時間を過ごしています。人が時間を過ごす場所には広告が置かれ、インターネット上では広告ビジネスが盛んになりました。また企業向けソフトウェアビジネスも、ソフトウェアを販売するのではなく、徐々にインターネット経由で提供されるＳａａＳへと転換されつつあります。スマートフォンでアプリやスタンプなどのデジタルグッズを買う人も増えました。この10年でデジタルはインフラとしての立場を確固たるものにして、今では道路や電気のように当たり前にあるものとなっています。

製品を開発する生産者の立場に立ってみても、ソフトウェアの開発のための共通部品やフレームワークが揃い、レゴブロックや建築物のように部品を組み合わせて構築できる部分も増えてきました。さらにクラウドの登場によって新しい製品の開発が迅速かつ安価になり、次々とサービスやアプリを立ち上げられるようになっています。開発したサービスやアプリはウェブやアプリストアによって、国境をまたいで数十億人に一瞬で展開でき、成功すれば、ソフトウェアを使った事業はわずか数年で世界に影響を与えられるほどにまで拡大していきます。

ウェブブラウザのネットスケープ・ナビゲーターの開発者であり、今ではベンチャーキャピタリストであるマーク・アンドリーセンが、２０１１年に「Software is eating the world（ソフトウェアが世界を飲み込む）」と唱えたとおり、**ソフトウェアは今、世界を席巻しています。**２０２０年12月現在、マイクロソフト、アップル、グーグル、アマゾンというソフトウェア企業の4社を合計したときの時価総額は、日本の東証一部上場企業の合計時価総額に匹敵します。つまり、東証一部に上場している日本の代表的な企業約２０００社の価値と、たった4社の価値がほぼ同じだと見られているのです。それほどまで、デジタル技術を中心とした産業は世界中で存在感を増しています。

２０２０年代は、**デジタル技術がより社会へと浸透していく年代**になるでしょう。

技術革新と経済の関連性を研究する経済学者にカルロタ・ペリッツ[1]という人がいます。彼女は、すべてのテクノロジーにはインストール（導入）期とデプロイメント（展開）期があることを指摘し、技術革新がSカーブ型に普及していくことを示しました。（図1・1）。インストール期にはテクノロジーが市場に登場し、そのテクノロジーへの期待から投資が行われてインフラが敷設され、デプロイメント期にはそのテクノロジーが社会で広く使われるようになり、その潜在的な価値が発揮されていきます。そしてその境にはバブルと恐慌があると彼女は指摘しています。バブルによる過剰な投機を経ることで、テクノロジーが進歩して、一時的には幻滅されて恐慌を引き起こすものの、

1　彼女の書いた *Technological Revolutions and Financial Capital: The Dynamics of Bubbles and Golden Ages*(Edward Elgar Publishing, 2002) という本はスタートアップへの投資を行うベンチャーキャピタリストにしばしば参照されており、また彼女の技術の普及に関する理論はガートナーのハイプサイクルのもとになったと言われています。

次第にその本質的な価値が見出されて広く受け入れられ始める、というわけです。

例として、自動車と大量生産の時代を見てみましょう。T型フォードが発売されたのは1908年です。翌年の1909年には1万台が生産され、大ヒットとなりました。そしてフォードは大きな需要に応えるため、流れ作業方式という生産方式を確立します。そうすることで、一日あたり1000台もの自動車の生産が可能になりました。そして自動車の急激な広がりにより、国は道路というインフラを敷設し、その利便性を高める動きを見せます。たとえばアメリカ大陸を横断する自動車用幹線道路であるリンカーン・ハイウェイが開通したのは1913年でした。インストール期にはこのように、技術への期待から様々なインフラが整っていきます。こうして物資輸送の効率化と、大量生産の準備が整いました。

そしてアメリカは大量生産による大量消費の時代へと移行します。都市には高層ビルが立ち並ぶようになり、土地バブルが起こります。多くの人が土地や株式への投資を行うようになった結果、株価は史上最高値を更新し続けました。その後、1929年には株価の大暴

図1.1 技術革新のSカーブ

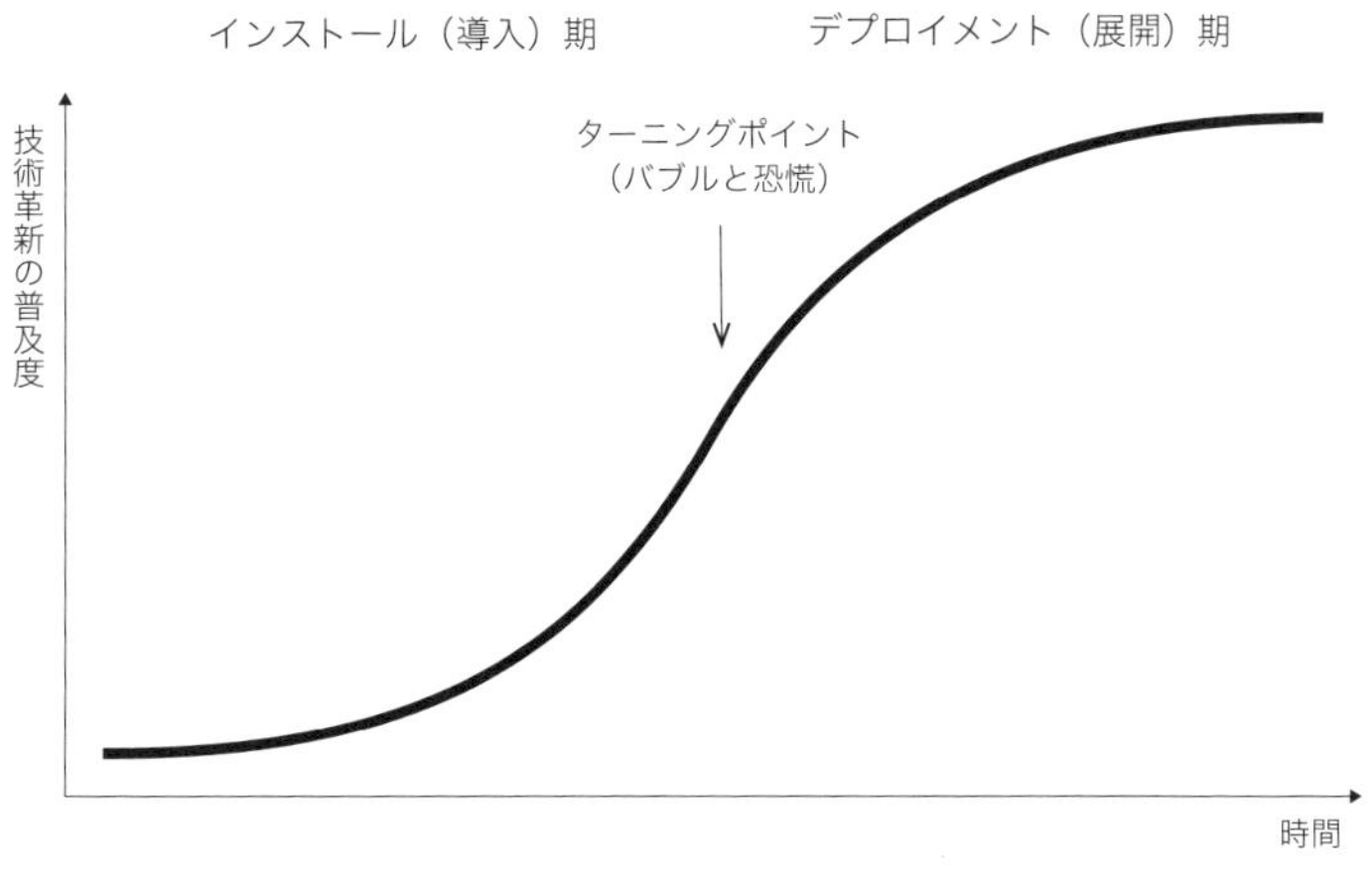

出典：Carlota Perez, *Technological Revolutions and Financial Capital: The Dynamics of Bubbles and Golden Ages*(Edward Elgar Publishing, 2002)

落が起こります。アメリカのみならず、世界を覆った大恐慌が始まりました。これが自動車と大量生産の時代のバブルと恐慌にあたります。

その後、第二次世界大戦が終わってから、デプロイメント期が始まります。人は自動車と整った道路を使って、街から離れて住むこともできるようになりました。職場には自動車通勤をすればいいと割り切って、郊外に広い家を持つ生活スタイルが広がります。さらに多くの個人が車という移動手段を持ったことで、郊外に巨大なショッピングモールを建てて店を集約する、あるいは小さな街の安い土地にウォルマートのようなディスカウントストアを作り都市圏よりも安価に物を売る、というビジネスも成り立つようになりました。

自動車の普及がディスカウントストアという小売ビジネスにつながるとは、おそらくほとんどの人は予想していなかったでしょう。しかしこのようにデプロイメント期には、テクノロジーの初期には思いもつかなかった技術の応用が行われ、想定外の新たなビジネスが生まれることもあります。

図 1.2 情報技術は展開期へ

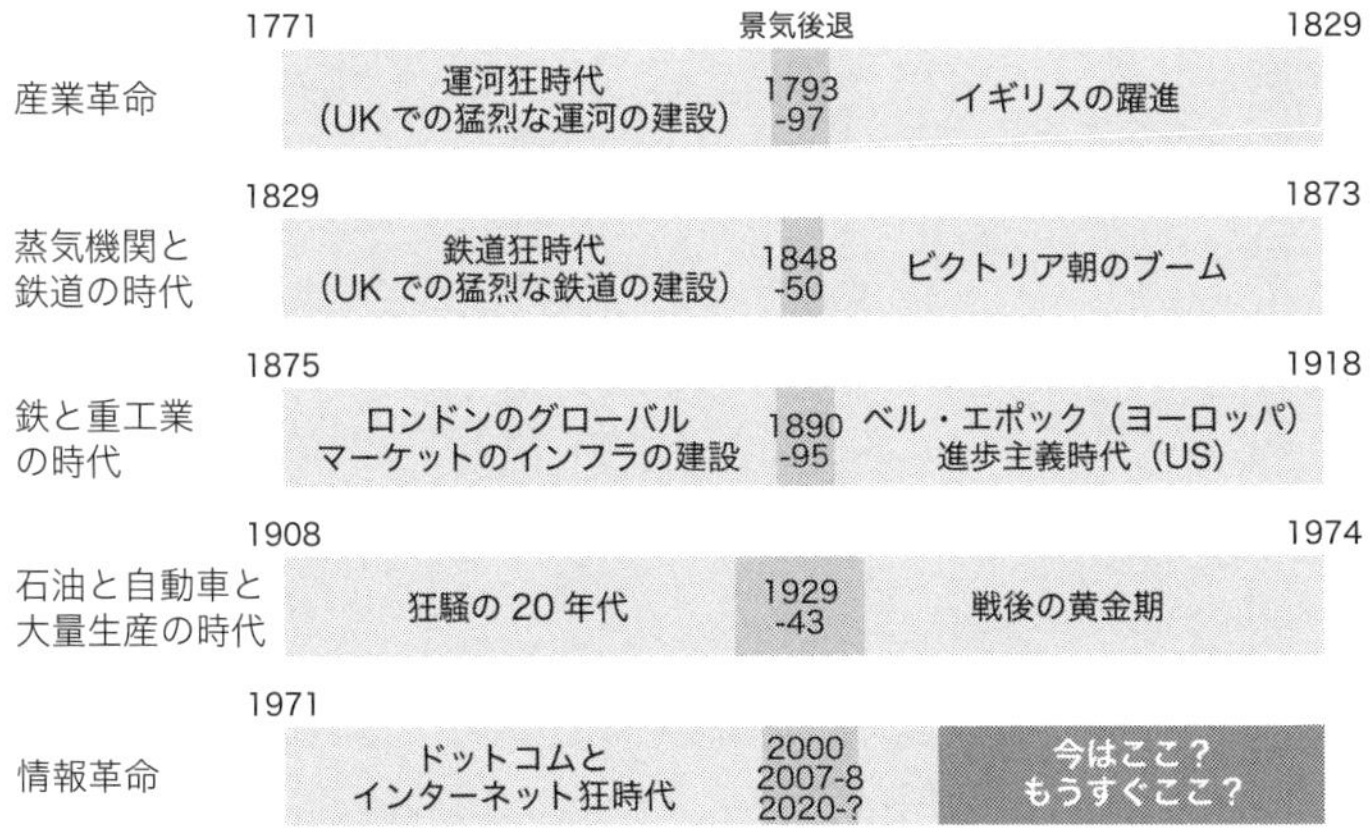

出典:Carlota Perez, *Technological Revolutions and Financial Capital: The Dynamics of Bubbles and Golden Ages*(Edward Elgar Publishing, 2002)

カルロタ・ペリッツによれば、第一の技術革新である産業革命（１７７1年〜）は、織機・紡績機、錬鉄を中心にした革命でした。この革命は１７９３〜97年に恐慌を迎えます。第二の技術革新である蒸気機関と鉄道（１８２９年〜）は１８４８〜50年の恐慌、第三の革命である鉄鋼と電気そして重工業（１８７５年〜）は１８９０〜95年の恐慌、第四の革命である石油と自動車そして大量生産（１９０８年〜）は１９２９〜43年の恐慌を境に広く普及しています。

現在は半導体の発明をきっかけに第五の技術革新、情報革命（１９７1年〜）のフェーズに入っていると言われています。そして２０００年前後のＩＴバブルと２００８年前後の金融危機、２０２０年の新型コロナウィルスのパンデミックによる景気後退などを経て、デジタル技術は２０２０年現在、インストール期とデプロイメント期のターニングポイントにいるのではと指摘されています[2]（図１・２）。

もしそうなのであれば、次に来るのはデプロイメント期です。過去の技術革新ではデプロイメント期が20〜30年程度続いたことを考えると、今後も10年から20年かけて、デジタル技術はより広がって、さらなる価値を生みだしていくことが予想されます。

デジタル技術がデプロイメント（展開）されるにつれて、社会はデジタル技術を無視できなくなってきています。これには三つのポイントがあります。

一つは**純然たるデジタル領域以外でもデジタル技術が使われ始め、デジタル技術によって引き起こされる変化と既存の規制との調整が必要になってくる**ことです。つまり、**デジタル技術が規制領**

Carlota Perez. The Post-Covid 19 crisis is a once-in-a-lifetime opportunity, *Beyond the Technological Revolution*, July 26, 2020
http://beyondthetechrevolution.com/blog/the-post-covid-19-crisis-is-a-once-in-a-lifetime-opportunity/
Carlota Perez. 2013. Unleashing a golden age after the financial collapse: Drawing lessons from history, *Environmental Innovation and Societal Transitions*, Volume 6 (ELSEVIER), p.9-23
https://www.sciencedirect.com/science/article/abs/pii/S2210422412000743?via%3Dihub
Jerry Neumann. The Deployment Age, *Reaction Wheel: Jerry Neumann's Blog*, October 14, 2015

域に深く関わるようになってくるのです。

運輸業界や金融領域、医療といった領域で、デジタル技術の応用が始まっています。金融とデジタル技術を結びつけるFinTechや、ヘルスケア領域にデジタル技術を応用するHealthcareTechといった、既存領域にテクノロジーで新たな仕組みや価値を提供する「xTech」というキーワードが世間をにぎわせています。それに対応するように、様々な業界でデジタルを使ったスタートアップが生まれてきています。たとえばホテル業に近いAirbnbやタクシー業に近いUber、金融の決済領域に挑むStripeをご存じの方も多いのではないでしょうか。

こうした状況は、以前はデジタル領域やインターネット領域で閉じていたデジタル技術の展開が、より広い領域へと応用されている証左です。いずれデジタル技術は電気と同じようにすべての業界で当たり前のように使われることになり、事業の前提にデジタル技術が入り込んでくることになるでしょう。しかし既存の領域には歴史とルールがあります。今後、デジタル技術を主な競争優位性とする事業者がそうした領域で事業を行うことになれば、「素早く動いて物事を壊せ」をモットーに進めてきたデジタル領域での事業とは異なり、既存の法律や社会規範と調和をはかることが必要になってきます。

もう一つは、**デジタル技術自体が規制の対象となる**ということです。デジタル技術がインフラのように広まり、影響力を持つにつれて、必然的にその技術を社会の中で治めるための規制が導入されます。

2 Carlota Perez. 2016. Looking at the future Learning from history: The Golden Age Ahead is Both Digital and Green, *Swiss Telecommunication Summit*
http://www.carlotaperez.org/downloads/media/PEREZ%20ASUT%20Bern%20Final%20CUT.pdf
Carlota Perez. 2011. The direction of innovation after the financial collapse: ICT for green growth and global development, *Triple Helix Conference Stanford*
https://www.slideshare.net/fredwilson/carlota-perez-talk-at

たとえばデジタル技術の力を使ったサイバー攻撃によって、民間企業から大規模なデータ漏洩が発生することもあるでしょう。デジタル技術を用いた国家が市民への監視能力を高めることを企図する可能性もあります。民間事業者の用いるアルゴリズムが、ユーザーに届ける情報を最適化することで、意図しようとしまいと、社会的な分断も起きてくるかもしれません。こうしたリスクや危険性を馴致するために、デジタル技術に対して規制や社会的な約束事が作られていくことは避けられません。たとえば、2020年現在よく議論されているプラットフォーム規制などはその一例です。

そしてさらにもう一つは、**デジタル技術と国際政治との関係が深まる**ということです。

先ほどの規制の話は、国内政治の話が主でした。しかしデジタル産業が大きくなるにつれて、国際的にもその重要性が増してきます。かつて1980年代には日米貿易摩擦が自動車やハイテク産業を中心として起きていましたが、現在の2020年には米中貿易摩擦がデジタル産業を中心に起きています。しかも、その動きは従来の貿易摩擦に比べると、情報というセンシティブなものを取り扱うため、国防的な視点も入りつつあります。

たとえば、デジタル技術の根幹を支える通信分野では、アメリカ政府の意向で一部の国々の通信網から中国通信機器大手のファーウェイの機器が締め出されたほか、同社の機器へのAndroidなどの米国発のOSの提供が見送られました。TikTokというショート動画アプリ事業の運営と売却は、アメリカ政府の方針によって大きく左右されました。デジタル技術は情報を扱うため、国家安全保障と大きく関わる領域です。デジタル技術を扱う事業者は国家レベルでの政治的・地経学的な争いに巻き込まれざるをえない場面が増えてくるでしょう。

こうした趨勢を見ると、デジタル技術を扱う事業者、つまり多くの事業者がより積極的に国内・国際政治や国家のガバナンスの問題に関わらざるを得ない状況が増えてくると考えられます。

業界構造の変化

デジタル技術が既存の業界を侵食するにつれて、既存の業界の再編も起こりつつあります。

先んじて業界の大きな再編が起こっているのは金融業界です。金融業界では現在、デジタル技術を活用したＰ２Ｐレンディング（インターネットを通じ資金の貸し手と借り手をマッチングする仕組み）や資産管理サービス、決済、保険、カード発行などなど、様々なサービスが生まれています。

こうしたサービスはかつて「銀行」や「証券会社」などの金融機関が行っていました。それが規制の変化と情報技術の発展によってインフラが整い、小規模な事業者でもこうしたサービスを個別に始められるようになってきています。つまり、金融機関が行ってきた様々なサービスの一つひとつが切り出されて、独立したサービスとして提供され始めているのです。こうした動きは「アンバンドリング」と呼ばれます。束ねていたもの（bundle）をばらばらにする（un）という意味の言葉です。

そして現在、アンバンドリングされた各種サービスは、簡単に自社のサービスに統合できるようにもなっています。たとえば、Stripeという決済のスタートアップは決済用のAPI（アプリケーション・プログラミング・インタフェース。ソフトウェア同士が情報をやり取りするために使うインタフェースのこと）を提供しており、サービス事業者であればものの数分もあれば、自分たちのウェブサービスやモバイルアプリの中に安全な決済機能を入れることができます。

他の業界を見てみましょう。自動車業界では、ＭａａＳ（モビリティ・アズ・ア・サービス）という言葉が頻繁に出てくるようになりました。車を売るのではなく、移動というサービスを売るのだ、という考え方を基に、自動車業界のビジネスモデルは大きく変わるのではないか、と予想されています。

こうしたＭａａＳのような事業も、かつての産業構造を大きく変えることが予想されています。従来は自動車産業は自動車産業として独立していたものが、「サービスとしての移動」を提供する場合、自動車だけではなく航空、電車、自転車といった様々な乗り物を統合し、すべての移動手段を組み合わせて移動というサービスを提供していくことも考えられます。

それだけではありません。ＭａａＳのサービスを提供する中で、金融業界でアンバンドリングされた決済や保険といった機能を取りこむことも可能になります。Uberの東南アジア版とも呼ばれるライドシェアサービスのGrabは、GrabPayという決済サービスを開始しています。タクシーを呼んで移動するところから決済までを行えるようにしたほか、タクシーの枠を超えてGrabPayを

3　アンジェラ・ストレンジ「すべての企業はFinTech企業になる」FOUNDX REVIEW、2020年2月21日 https://review.foundx.jp/entry/every-company-will-be-a-fintech-company

導入している店舗での支払いを可能にしました。さらにGrabは単なる決済領域にとどまらず、ドライバー向けの運転資金ローンを提供するなど、マイクロ投資を行うサービスを提供し、金融サービス全般を自社のサービスに組み込もうとしています。2020年現在では銀行のライセンス申請を行っており、移動というサービスに付帯する金融機能をさらに組み込むことに意欲を見せています。

こうした様々な機能の統合を「リバンドリング」と呼びます(図1・3)。一度アンバンドリングされた機能が、APIなどを使うことで、従来の業界とは別の何かを軸にしてリバンドリングされ、業界の再編が促されます。これからはすべてのサービスに決済だけではなく、後払いや融資、保険の機能などもついてくるようになるかもしれません。医療サービスを受けたときにお金が足りなければ、その場ですぐに融資を受けられる、といったことも可能になるでしょう。「すべての企業はFinTech企業になる」[3]と言われるほどです。そこまで当たり前になれば、FinTechという言葉も消えていくでしょう。

図1.3 リバンドリング

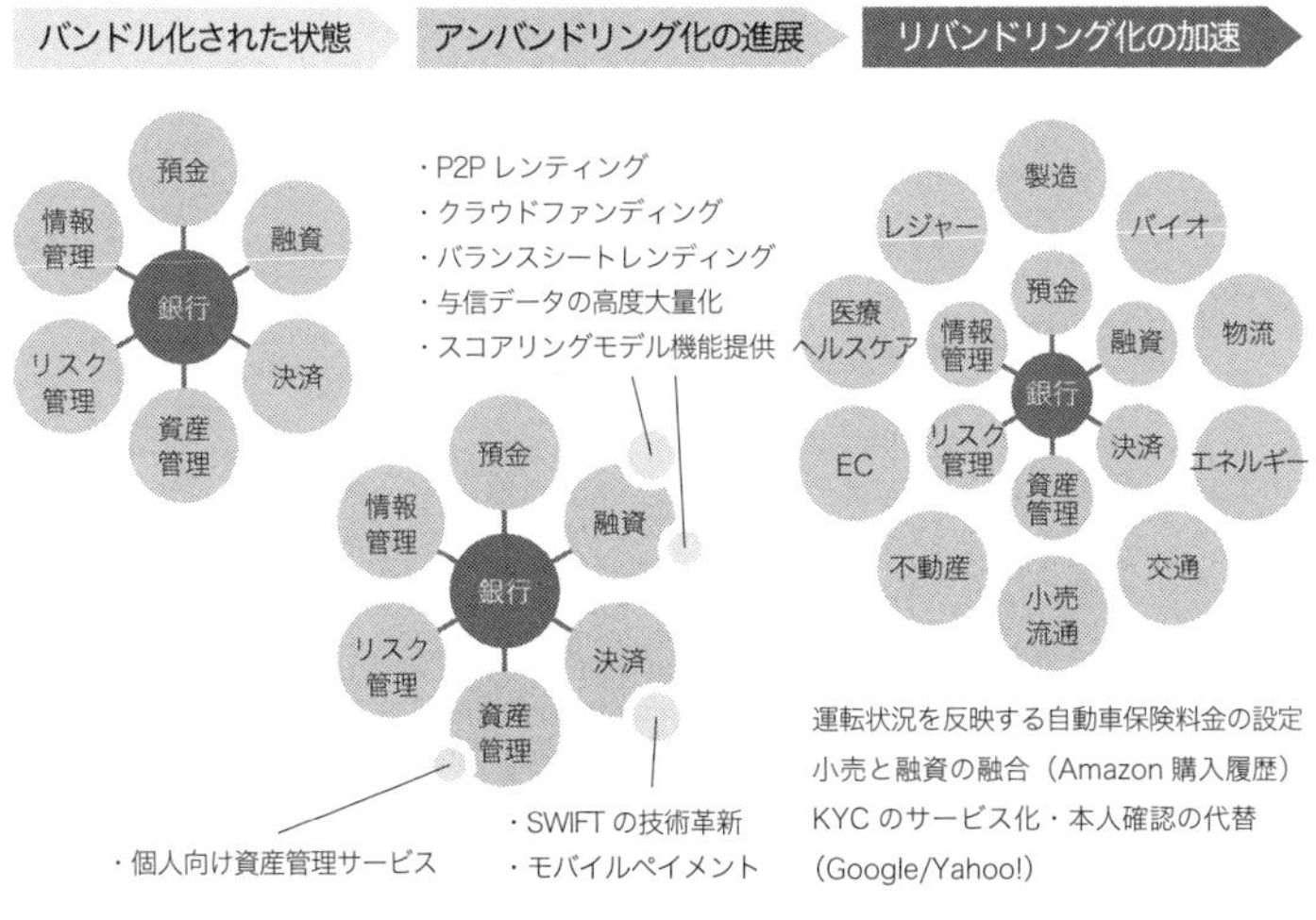

出典：株式会社日立コンサルティング「日立グループが牽引する金融イノベーション FinTechが社会を、暮らしを変える2」
https://www.hitachiconsulting.co.jp/column/dx/02/index2.html

このように産業の構造が変わることで、同時に変わらざるを得ないのが、特定の業種を規制する法律である業法です。現時点で200ほどあると言われている業法は、これまでの業態に合わせて作られていました。しかし上述の通り、業態が今変わりつつあります。そして往々にして、産業の変わり目には業法が足かせとなって、産業をまたぐサービスの実現を阻みます。

たとえば多様なモビリティサービスを組み合わせてパッケージ化し、ドアツードアの便利なサービスを実現させようとしたときには、以下のような日本の法律や業法が制約になるかもしれません。[4]

- 道路運送法
- 貨物自動車運送事業法
- 道路運送車両法
- 道路交通法
- 鉄道事業法
- 鉄道営業法
- 車庫法
- 駐車場法
- 旅行業法

4 日髙洋祐、牧村和彦、井上岳一、井上佳三『Beyond MaaS 日本から始まる新モビリティ革命――移動と都市の未来』(日経BP社、2020)

これらの業法は既存の産業形態に強く結びついています。たとえば道路運送法はバスやタクシー、レンタカー、カーシェアの事業要件等を規定しており、こうした事業をするには許認可が必要になります。また貨物自動車運送事業法は貨物業の事業要件を規定しています。

たとえばタクシーを使って宅配便を運送する、といった空いているリソースを使ったサービスをする場合、道路運送法だけではなく貨物自動車運送事業法の認可が必要です。上述の Grab のような金融機能を含めるとしたら、金融に関する業法も考慮しなければならなくなるでしょう。

こうした業法は事件などが起こるたびに改正や解釈変更などが行われ、業界をよく知る人でなければ解読できないような状況になっています。単に理解するだけでも大変ですが、既存の業法との整合性を取りながら、現在の技術や環境に対応するべくアップデートすることは並大抵の努力ではうまくいきません。さらに既存の業法を変えると損をする人たちが出てくるため、変化への抵抗も大きくなってしまうでしょう。そうなると、政治的な解決が必要になってきます。

既存の業界がデジタル技術によって大きく変わりつつある中で、その技術に合わせて既存の規制をアップデートし、さらにデジタル技術に関連する規制を新たに作りながら、新しい社会を作り上げていくことが求められているのです。

ここまでの議論をまとめると、以下の四つの流れが今起きつつあります。

・デジタル技術が規制領域に踏み込む
・デジタル技術自体が規制対象となる
・デジタル技術の事業と国際政治との関係性が深まる
・デジタル技術が業界再編を促すことで、業法のアップデートが求められ、そこで政治が必要になる

デジタル技術が広がるにつれて、**事業と政治とが近接しつつある**のです。言い換えれば、デジタル技術による変化は、規制などの社会の仕組みを変えたり、新しい社会像を作り上げたりすることを私たちに要請しはじめています。ビジネスの領域にいる人々も、これまで以上に社会と政治に向き合わざるを得ない状況になりつつあるのです。

公共が大きなビジネスになる時代

ビジネスのもう一つの大きな流れとして着目しておきたいのが、かつてであれば政府が取り組んでいたような**公益に利する事業に取り組む**スタートアップが増えてきていることです。

テスラやスペースX、パランティアといった企業が世間をにぎわせています。テスラはエネル

ギーの変化を生み出そうとし、スペースXは宇宙開拓を進めようとしています。パランティアは政府系を中心としたビッグデータ解析を行うスタートアップです。

これらの企業はB2C、B2Bではなく、政府や自治体（ガバメント）にサービス提供を行う「B2G」や、ビジネスを使って公共（パブリック）に貢献する「B2P」とも言える領域でのスタートアップです。この数十年、新自由主義やニューパブリックマネジメント（NPM）の台頭などで政府の機能が次第に小さくなるにつれて、かつて行政が行っていたサービスを民間が徐々に請け負うようになってきています。その結果、公共に近い領域で新しいビジネス機会が生まれています。そしてこうした領域も規制と関わることになるでしょう。

また並行して、**民間企業による社会貢献が、投資家や市民から本格的に求められ始めています。**従来も企業は社会貢献活動をCSR（企業の社会的責任）という文脈で実施していました。しかしそれはビジネスにとっては本流ではない領域での活動が主でした。しかし昨今はESG投資（環境、社会、ガバナンスを考慮した投資）やSDGs（持続可能な開発目標）などの流れを受け、ビジネスの本流において社会貢献が求められ始めています。

ESG投資が盛んになることで大きく変わったことは、企業の価値評価の方法です。かつては財務のみによって行われていた企業の評価が、今では財務だけではなく、SDGs等の社会課題への取り組みや、ESG関連のレポートや評価レポート、NPOやNGOなどの団体からの訴訟を抱えていないかについて調べたうえで、機関投資家が投資対象とするかどうかを決めていく、という流れに変わりつつあります。また利益以外に人と地球環境を考慮する、トリプルボトムラインという企業評価のフレームワークも注目を浴びています。

こうした流れに渋々ながら付き合う企業や、形だけ従うような企業もいるでしょう。しかしこれを新たなビジネス機会だと捉えて動き始めている企業もあります。社会的な課題解決が事業機会につながり、さらにそれが投資を呼び込んで新たな事業機会へとつながっていくという循環が生まれ始めているからです。こうした循環がさらに進めば、社会貢献に熱意を持つ良い人材もその企業に集まり、さらに企業の競争力が高まるという好循環にもつながるでしょう。また２０１１年以降、戦略論で著名なハーバード大学のマイケル・ポーターにより戦略的ＣＳＶ（共有価値創造）の考え方が提唱され、ビジネス領域にも広まったことで、社会に対して良いことをすることが企業の競争力になるという理解も広がっています。

世界最大の機関投資家と言われている日本の年金積立金管理運用独立行政法人（ＧＰＩＦ）では、ＥＳＧ指数に連動したパッシブ運用を行っています。つまり、実際に環境・社会・ガバナンスに優れた企業に、お金が流れ込みつつあるのです。

こうした流れを鑑みるに、かつてはＣＳＲ部門の従業員だけが主流事業の周縁で社会貢献を考えていた状況から、**すべての従業員が本業の中で社会貢献に関わっていく**状況へと変わりつつあると言えるでしょう。

5 「『21 世紀の " 公共 " の設計図』（報告書）をとりまとめました」（経済産業省ニュースリリース、2019 年 8 月 6 日）等に詳しく紹介されています。 https://www.meti.go.jp/press/2019/08/20190806002/20190806002.html

ビジネスと社会貢献を大きな規模で達成する

こうした社会貢献とビジネスの関係については、従来から社会的企業やNPOが行っていました。こうした組織のなかには、社会貢献と営利活動を両立させているところもあります。しかし多くはサービスの提供範囲が小さいままで、大きな社会的インパクトにつながりづらい状況にありました。

今回の変化の大きな特徴は、**社会貢献と営利活動、そして規模の三つを兼ね備えたビジネスが可能になってきている**という点にあります（図1・4）。この背景にも、デジタル技術があります。

デジタル技術の特徴の一つとして、規模拡大の容易さが挙げられます。ソフトウェアはほぼ無料でコピーすることができ、さらには従来の物理的なサービスとは違い、土地や国境を容易に越えてサービスが提供可能です。フェイスブックやLINEのように、成功すれば世界や日本全国にわずか数年で普及させることができます。

またデジタル技術は、データに基づいたパーソナライゼーションによって多様なサービスを展開できるというメリットもあります。[5] かつてはマスにしか発信できなかった情報を、特定の条件を満たす人にスマートフォンで通知

図1.4 社会貢献・営利活動・規模

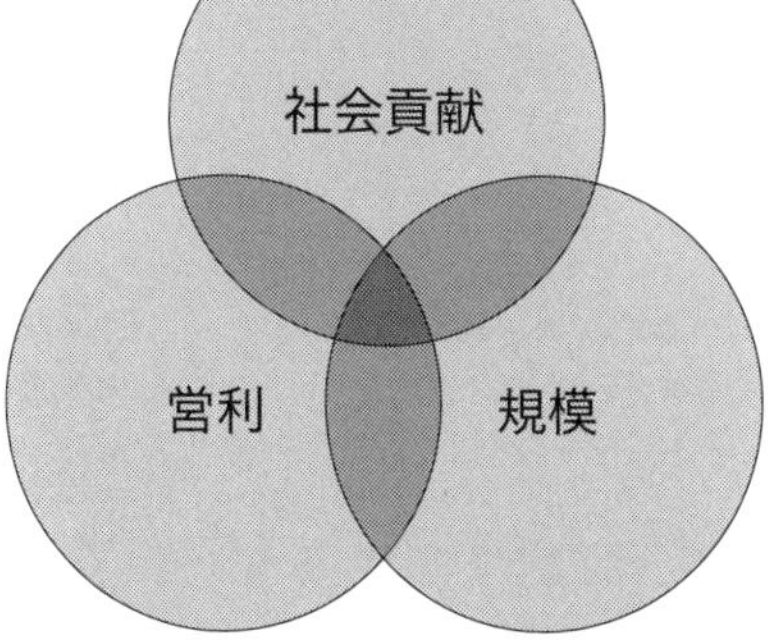

することも可能になりました。これは公共サービスにも適用できます。たとえば給付金を受けられる人だけに通知を送ることもできますし、そのほかの公共サービスについても、必要な人に必要な分だけ届ける、という仕組みが構築可能になりつつあります。

規模を拡大しつつ、個人に適したサービスを提供できるのが、デジタル技術の特徴です。そうした特徴をうまく使えば、これまではローカルにとどまりがちだった社会的企業が、日本全国や全世界に価値のあるサービスを提供可能になるかもしれません。そして、多くの人たちに提供することができれば、十分な利益を稼ぎながら社会貢献できるようになるのです。

つまり、非営利企業と営利企業の境目が徐々に揺らぎつつあるということです。社会的企業の研究者たちは、伝統的な非営利企業と営利企業のハイブリッドとしての社会的企業を、図1・5のように分類しました。この分類で言えば、かつては多くの企業が伝統的非営利組織と伝統的営利組織の両極のいずれかだったものが、今は多くの企業が真ん中に当たる「社会的企業」や「社会的責任を持つ企業」であることが可能になりつつあり、そしてそれが社会から要請されるようになってきているとい

図1.5 伝統的営利と伝統的非営利のハイブリッドとしての社会的企業

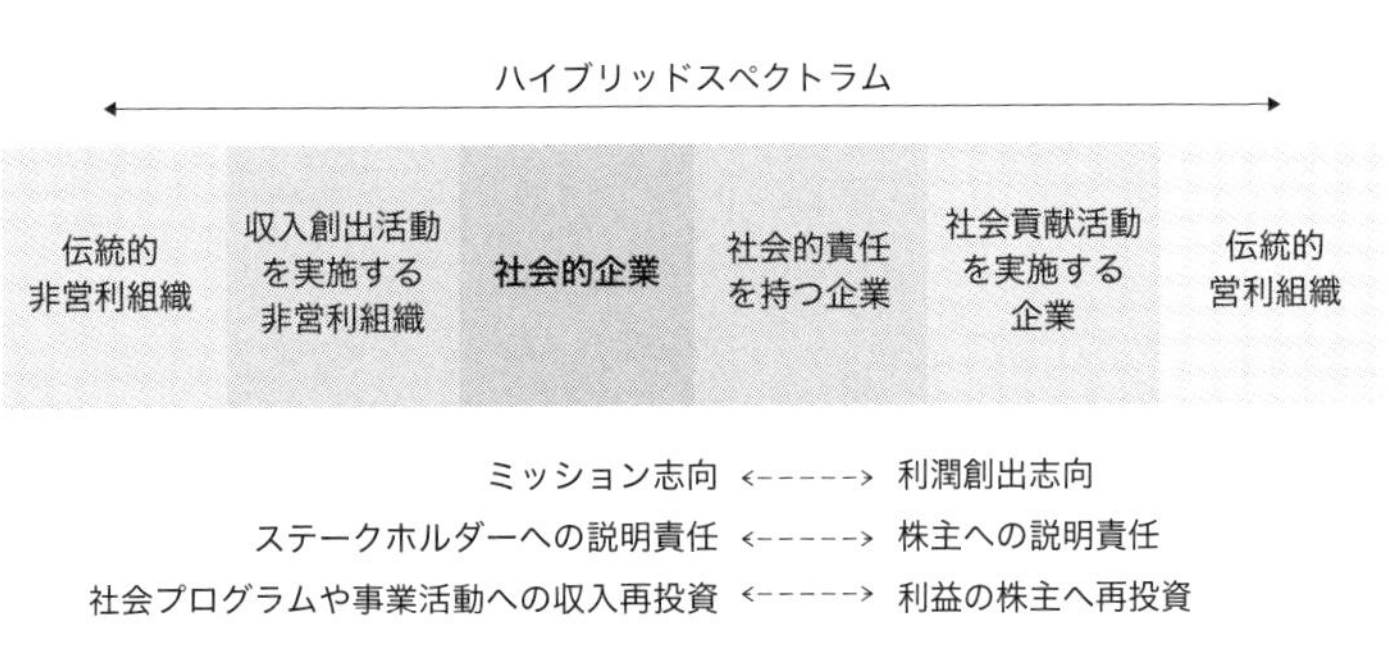

出典：米澤旦「ハイブリッド組織としての社会的企業・再考――対象特定化の困難と対応策」、『大原社会問題研究所雑誌』No. 662（2013年12月）所収
https://oisr-org.ws.hosei.ac.jp/images/oz/contents/662-05.pdf

うことです。

イシューからインパクトへ

　こうして民間事業者（プライベートセクター）と政府（パブリックセクター）、社会的企業（ソーシャルセクター）の、三つのセクターの接近が進む中で、三者の連携も重要性を増しつつあります。そして、**すべてのセクターに共通するキーワードとして注目されているのが、「インパクト」という言葉です。**このインパクトの考え方は、ビジネスパーソンにとっても重要になってきています。

　その背景には、ビジネスパーソンに求められるスキルの変遷があります。

　1990年代後半から2000年代にかけて、コンサルティングファーム出身者によって書かれたロジカルシンキングの書籍がよく読まれました。上司やクライアントから与えられた問いや、市場ですでに顕在化している課題を受けて、問いや課題への解の質を上げていくための手法として、ロジックツリーやMECE等をはじめとするロジカルシンキングの手法や仮説思考は広く受け入れられました。こうしてコンサルティングファームの方法論が、一般に広まっていきました。

　2010年代はデザイン思考の本がよく手に取られました。目の前の顧客の潜在的な課題を、顧客への共感とものづくりを通して解決しようとするデザイン思考の方法論は、ユーザーに寄り添う形の問題解決の方法として広まりつつあります。

これらの方法論が広まることで、多くの人たちが問題解決のための武器を手に入れました。逆に言えば、「課題を解決する」「問いに応える」だけでは差別化ができなくなりつつあります。そこで次に求められている能力が、「良い課題」や「良い問い」を見つけることです。

2010年に出版された『イシューからはじめよ』でも、解の質より先に取り組むべきなのは、課題（イシュー）や問いの質を上げることだと指摘されています。[6] では良い課題や問いを見つけるにはどうすればよいでしょうか。

最近では良い問いを生み出すために、アート的な考え方をビジネスの文脈に応用することが検討されています。アートは、常識とは異なる見方や物事の新しい意味、新しい価値観を提示することを通して、未来への想像力をかき立て、新たな問いを生み出してくれるでしょう。一方で、アートに正解はない、自分だけの答えを見つけよう、などと言われるように、アートは多くの場合、新たな選択肢としての問いを生み出すことに留まりがちかもしれません。

ビジネスを進めていくうえでは、選択肢を生み出すだけでは不十分です。複数の選択肢の中からいくつかを選んで、その未来を実現させるためにコミットしなければなりません。さらにその選択肢の実現には人々を巻き込む必要が出てきます。新たな選択肢を提示して人々を巻き込みながらその実現に向かって追い求めていくもの、それが**「理想」**です。

そもそも課題とは、現状と理想のギャップです。理想がなければ、課題は見つかりません。逆に、良い理想があれば、良い課題や良い問いが生まれます。つまり、課題や問いを見つけるためには、

6　安宅和人『イシューからはじめよ――知的生産の「シンプルな本質」』（英治出版、2010）

理想を定める必要があります。良い問いを「見つける」というよりも、**優れた理想を設定することで、良い問いを「生み出し」、理想を「提示する」ことで人々を巻き込む**のです。そしてこの理想が、今注目される**「インパクト」**と呼ばれるものです。

これまでのビジネスであれば、理想は上司やクライアントなどが提示してくれていたのでしょう。営利というわかりやすい一つの目的があったため、利益最大化以外のことを考える必要もなかったのかもしれません。そのような背景もあってか、インパクトを定める方法はそれほど多く議論されてきませんでした。

しかし、２０２０年代を生きる私たちは日々ＳＤＧｓや気候変動の問題や、地域の社会課題に向き合っていく必要性が高まっています。そうした環境では、そもそも私たちの社会は何を目指すのかという理想像、つまり社会的インパクトを定めることがこれまで以上に求められます。これまで解説してきた通り、ビジネス活動においても、そうした社会的インパクトを求められる傾向が高まりつつあります。

つまり今、ビジネスや社会実装の文脈でも、ロジカルシンキングやデザイン思考に加えて、**インパクト（理想）を設定し、理想と現状のギャップによって新たなイシュー（課題、問い）を生み出し、インパクトを提示することで人々を巻き込みながらそのイシューを解決していく**——いわば**インパクト思考**が求められつつあるのです。そこで本書では「イシューからはじめよ」にあやかって、「インパクトからはじめよ」と主張したいと思います。

社会の変え方のイノベーション

この本のテーマである未来の実装、テクノロジーの社会実装も、まさに「インパクトからはじめよ」という考え方で進めることで、様々な障害が乗り越えられるようになる、と考えています。

本書の母体となったワーキンググループでの調査では、**「日本の社会実装に足りなかったのは、テクノロジーのイノベーションではなく、社会の変え方のイノベーションだった」**という結論に辿り着きました。そして、社会を変えるうえでインパクトを志向することが、社会実装の成功に大きく寄与する一つの要因だったのです。

「テクノロジーの社会実装」というとき、私たちはついテクノロジーのほうに視点を向けてしまいがちです。イノベーションといえば技術的な進歩であると考えてしまうようにです。もちろんテクノロジーを改善していくことはとても大事なことであり、これまでの社会実装はその考え方でよかったのかもしれません。しかし上述した規制の話は、まさに社会の仕組みの話です。そして社会の仕組みを変えなければ、新しい技術が社会に受容されることはありません。特にデプロイメント期において、その傾向は強まります。

私たちが調査してきた事例を見てみると、テクノロジーに重点を置いて、テクノロジーを社会へ実装していく、という発想で行ったプロジェクトは失敗しやすい傾向にありました。一方、成功している事例では、テクノロジーをあくまで手段として捉えたうえで、社会の課題やニーズを把握しながら、むしろテクノロジーではなく社会を変えるような動きをしていました。そして、私たちがインタビューを行った社会実装の担い手の皆さんは、いかに社会を良くしていくかを考え、社会との共同作業としての社会実装という観点を重視しながら進めてきたかということを何度も話していました。つまり彼ら・彼女らは、テクノロジーの社会実装というときに、「テクノロジーの社会実装」とテクノロジーの変化そのものに重点を置くのではなく、「テクノロジーの社会実装」と社会を変えることのほうに重点を置いて話す傾向が強くありました。そして自社の事業の社会的インパクトを強調していました。

「テクノロジーの社会実装」を言葉の表面的な意味を捉えるだけでは、テクノロジーと社会とを別々のものとして捉え、あとから接合すればいい、という考え方になりがちです。もしくはテクノロジーのほうに重点を置いて考えてしまう傾向にあります。しかしこれから変化を起こす人たちは、単にテクノロジーを使った製品やサービス開発方法だけを知るのではなく、社会を中心に考え、**社会とテクノロジーを調和する方法を学ぶ**必要が出てくると考えます。

つまり、テクノロジーの社会実装を考えるとき、私たちはテクノロジーの「社会への実装」という観点から「社会との実装」という認識に変えなければならない節目に来ています。テクノロジーの社会実装とは、社会との共同作業であり、決して実装する主体となる人たちだけの営為ではありません。社会との対話や共同作業を通して、はじめて実現していくものです。

そのときに参考になるのが、ソーシャルセクターの方法論です。

ソーシャルセクターの手法を民間に逆輸入する

これまで話してきたビジネスにおける三つの変化、（1）規制や政治への関わりが増えること、（2）社会的インパクトが重視されるようになっていること、そして（3）社会との調和的な社会実装が求められるようになっていること、という変化が起こる中で、民間企業がソーシャルセクターに学べる点は大きく二つあります。一つ目は社会的インパクトを出す方法、二つ目は規制や政治との関わり方です。

この数十年間、NPO（非営利組織）は営利企業のやり方を多く学んできました。1990年代以降、欧米のビジネススクールではNPOのマネジメント方法が教えられ、ビジネスを学んだ人たちがNPOを運営し始めています。しかし、営利企業の考え方をそのまま非営利組織で使えるわけではありません。非営利組織でビジネス的な手法を用いる際、ソーシャルセクターに合うような様々なカスタマイズが行われており、それは次第に理論化・ツール化されてきました。そして社会的インパクトをより出しやすい方法論が編み出されつつあります。

さらに非営利組織は社会問題に取り組むことが多かったため、政府機関や自治体、そして市民と付き合うことも多く、彼らとの上手な付き合い方についても、数十年の蓄積を経て身につけてきています。こうした積み重ねの結果、非営利組織の運営手法は独自の発展を遂げてきています。

非営利組織による社会的インパクトの達成手法が発展する一方で、今度は民間企業側が非営利組織が行っていた領域へと踏み込みつつあります。ＳＤＧｓへの貢献や社会的コミュニティへの貢献、環境問題への対応など、企業に対する社会からの要請という面だけではありません。前述の通り、戦略的ＣＳＶやＥＳＧ投資など、社会的要請というよりもむしろ企業の経営戦略や競争優位性の観点から、公共性や社会的なインパクトを目指すことがビジネス上重要になってきているのです。

しかし営利を中心に追い求めていた民間企業は、そうした社会的インパクトを達成するノウハウを多く持っていません。

優れたインパクト（理想）を設定することで良い問いを「生み出し」、インパクトを「提示する」ことで人を巻き込むのが、インパクト思考だと書きましたが、非営利組織はまさにそうした活動をこれまで実施してきました。そして、社会的インパクトを達成するための試行錯誤をこれまで続けてきた蓄積があります。だからこそ**民間企業は非営利組織のやり方を学ぶことで、社会的インパクトを生み出す方法をより効率的に学べる**はずです。さらに民間企業と政府、ソーシャルセクターの三者が同じツールセットを持つことで、お互いがより連携しやすくなり、ともに社会への価値を提供できるようになるのではないかと思います。

そして、規制や政治を動かすという点においても、民間企業はソーシャルセクターに学べる点があります。

政治学者のジョン・キングダンは、政策を提案する人を「政策起業家」と呼んでいます。政策起業家とは「社会課題等の解決手段となる特定政策を実現するために、情熱・時間・資金・人脈、そして革新的なアイデアと専門性といった自らの資源を注ぎ込み、多様な利害関心層の議論を主宰し、その力や利害を糾合することで、当該政策の実現に対し影響力を与える意思を持つ個人（または集団）」とされています。[7] これに呼応して、近年「政策起業力」という言葉も、日本で流通しつつあります。

ソーシャルセクターでは、彼らの社会的インパクトをより広げていくときに、政策や規制の変更が必要とされる場面がありました。たとえば、NPOが実施してきたサービスは主に、公的なサービスでは手が回らずに零れ落ちてしまっている課題である、貧困、教育、保育などの領域に関するものです。NPOのそうしたサービスは、小規模であれば手弁当でやり続けることもできるでしょう。しかし大きな社会的インパクトを出そうとすると、自分たちが成功させたモデルを他の地域にも拡大させていき、より多くの人にサービスを届ける仕組みが必要になります。そのときに取れる一つの有効な手が、政府や自治体にその仕組みを取り入れてもらうことです。つまり「行政ではカバーできていない部分でこうした大きな問題があり、私たちはこう解決することができました」と訴えて、国や自治体の政策の中に自分たちの作ったサービスを取り入れてもらったり、行政に自分たちのサービスのやり方を真似してもらったりすることでした。そのために、NPOは政治との関わり方、そして政策の動かし方を学ぶ必要がありました。

そうした背景から、ソーシャルセクターの一部では政策起業力が培われてきています。いわば、

7 PEP(政策起業家プラットフォーム) のウェブサイト記載の定義などを参照。
http://peplatform.org/point/

ソーシャルセクターにおいて**ゼロを1にすることが社会起業であり、1から10への規模拡大の際に必要とされる力が政策起業力**だと言えるでしょう。

今、ビジネスの領域でも同じことが起こりつつあります。ゼロから1に至るまでは従来の起業の方法論を使ってサービスを立ち上げられるものの、そのサービスを1から10、10から100へと規模拡大するときには、ビジネス側でも政策や規制を動かすことが必要な事業が増えてきています。つまり、民間企業でも政策起業力が必要になってきているのです。特にテクノロジーを広く社会実装することを目指す起業家・企業内起業家は、**従来の起業家としての力と同時に、この政策起業家としての力**が求められます。

民間企業やこれからの起業家は、政策や規制を動かすことで社会を大きく変える方法をソーシャルセクターから学べるはずです。そうすれば、**ビジネスによって社会を変えるだけではなく、社会を変えることによって新たなビジネスを生み出す**ことも可能になるでしょう。

本書が目指すこと

詳しくはこのあとの章で述べていきますが、本書では、読書前と読書後で、以下のような認識の変化を読者の皆さんに起こすことを目指しています。

・問いを解決するだけではなく、理想を社会に提示することで、良い問いを生み出す
・技術というサプライサイドだけではなく、市民や消費者などの受益者のデマンドサイドにも目を向ける
・解決策や社会実装といった手段だけではなく、インパクトやアウトカムについても議論する
・社会実装の良い面だけではなく、悪い面やリスクについても十分以上に気を払う
・個々のプロジェクトのマネジメントの方法だけではなく、社会とのガバナンスの方法にも着目する
・デシジョンメイキングの方法ではなく、センスメイキングの方法を考える
・「社会への実装」ではなく、「社会との実装」を目指す
・従来の起業の手法だけではなく、政策起業の手法も身につける

それぞれ文の前半が一般的な考え方、後半が本書が提案する考え方になっています。つまり皆さんの認識が読後に前半から後半に変われば、本書が示す「社会実装の方法論」をうまく社会実装できたと言えるでしょう。

本書では調査の中で得た、社会実装の方法論を整理して見通しを良くすることで、今後より多く

の人たちが社会実装をより進めやすくなる環境を作りたいと思っています。また、政府に対して陳情するだけではなく、ただ文句を言うのでもなく、ビジネスに関わる人たちが社会のことを一緒に考えていくための方法を示すことを目指しています。

対象読者層は、若手の事業家というよりも、中堅層以上の方々を想定しています。すでにビジネスの基礎や技術的な素養を身につけたうえで、スタートアップや社内の新規事業として社会を変えていくための取り組みを行いたい、という方々です。また、ちょっとした起業をして自分に財産を築ければいい、という人向けではなく、「次のテスラを作る」「気候変動の問題を解決する」「社会課題を解決する大きな企業を作る」といったような野望を持つ人たちに向けて情報を提供するための本です。

イーロン・マスクも何度かの起業や事業経験をした後に、テスラやスペースXを起業しました。彼のように大きな理想を描いて、大きな社会変革を成し遂げる事業家が日本でも増えつつある機運を、スタートアップ支援の現場では日々感じています。

著者の前著である『逆説のスタートアップ思考』[8]で紹介した、スタートアップにしばしば見られる逆説の一つに、「難しい課題の方が簡単になる」というものがあります。難しい課題を選んだスタートアップのほうが、より優秀な人材が集まってくるから、結果的にその起業は簡単になる、という逆説です。この逆説は私の周りでもしばしば見られます。難しい課題に取り組んでいるスタートアップのほうが注目を集め、そして支援してくれる人も多く、そして本人たちもやりがいを持っ

8　馬田隆明『逆説のスタートアップ思考』（中央公論新社、2017）

て事業に取り組んでいます。しかし同時に、難しい問題はもちろん解決が難しいのです。

だからこそ、そうした人たちに少しでも武器を提供したいと思っています。難しい課題は誰にでも解決できることではありませんが、天才でなければできないというわけではありません。幸いにしてスタートアップへのリスクマネーは年々増加していて、その結果、スタートアップであっても気候変動やエネルギーといった大きな社会課題に取り組めるようになりつつあります。大きな挑戦をする人を市場が求め始めているのです。本書がそうした大きな挑戦をする事業家を助け、大きな社会変革を起こすための一助になれば幸いです。

また、この本が技術を持つ人たちと社会問題に取り組む人たちの懸け橋になってほしいと思っています。日本では、社会問題の分野で、技術的なバックグラウンドを持っていない人が多く活動しています。一方で、社会実装の文脈では、最新技術の開発や応用に取り組む人たちが大勢います。本書がソーシャルセクターで発展してきた方法論を技術者や研究者に紹介し、両者の懸け橋となれば、それぞれの領域で活動してきた人たちの協働が進むのでは、と考えています。

テクノロジーの社会実装は社会との営みです。新しいテクノロジーを積極的に受け入れる人たちがたくさんいて、初めてテクノロジーの社会実装が進みます。もし仮に社会実装力というものがあるとすれば、それは一個人だけに宿る力ではなく、集団や社会に宿る力だと言えるでしょう。社会実装の方法論を多くの人が共有することで、テクノロジーをより早く、より調和的に社会に実装し、多くの人が便益を得られるような社会になっていけるはずです。

そうした社会に少しでも早く辿り着けるよう、本書が少しでも役に立つことを願っています。

COLUMN

社会実装とスタートアップ

著者である馬田は、これまでスタートアップと呼ばれる新興企業を支援してきました。

スタートアップは**短期間での急成長**を目指す企業です。スタートアップを始める起業家の多くは「なぜ今なら急成長できるのか」について考えます。そして多くの場合、その答えは「テクノロジー」となります。新しいテクノロジーが開発されたから、特定のテクノロジーが急激に安くなったから、特定のテクノロジーが一気に普及し始めているから……といった理由で起業家は機会を見つけ、スタートアップが始まります。

この10年と少しの間、スタートアップにとって、デジタル技術の発展が大きな機会となっていました。

2010年前後のデジタルの領域、特にスマートフォンの市場は急成長するフロンティアであり、先行者がまだほとんど誰もいないホワイトスペースでした。産業としても拡大するかどうかはまだわかっておらず、大企業の進出もまばらでした。そうした状況では、スタートアップのような小さな企業が素早く動き、自由なホワイトスペースで様々な試みをすることで、新たな市場ニーズや技術の応用可能性を見つけることができます。さらにスマートフォンの市場自体の成長とともに、スタートアップも大きく成長することができました。

そのころはある程度の事業の方向性さえ合っていれば、あとは「リーン・スタートアップ」[1]のようなシリコンバレー流の迅速な仮説検証や繰り返しの方法論を適用して、スピード勝負で開発を繰り返せば、いつか「当たりくじ」を引くことができる、という希少な時代だったといえます。そしてシリコンバレー流の急速な拡大をする

1　エリック・リース『リーンスタートアップ』（井口耕二訳、日経BP社、2012）

「ブリッツスケーリング」[2]のような方法論を適用することで、一気に世界へと拡大することもできました。

しかしこれからの10年は、スタートアップにとってまた少し異なる様相を示すと思っています。

かつてホワイトスペースだったスマートフォンやウェブの領域はすでに一部のグローバル企業によって寡占状態にあります。しかも寡占している企業群は、ＧＡＦＡＭなどの世界の時価総額ランキングでトップを走っている企業群です。数十年前まではスタートアップに適していたデジタル領域が、「少し前まではスタートアップと呼ばれていた大企業」による寡占やロビイング、競争環境を作らせないための早期の事業買収によって、むしろイノベーションが起こりづらくなっています。

もちろん、これからもピュアなデジタル領域でのスタートアップは増えていくでしょう。ＳａａＳなどを中心にしたデジタル技術による各産業の効率化も必要とされています。しかしこれまでのように、短期間で世界規模になるデジタル特化の企業が多く生まれてくるような状況では、残念ながらなくなってしまったように思えます。

だからこそ、これからは純然たるデジタル領域ではなく、物理的な世界が関わったり、従来の産業をデジタル技術で変えていったりするような、そんなスタートアップが増えてくると思っています。その領域は、食糧であったり、建築であったり、金融、ヘルスケア、エネルギー、宇宙といった領域などでしょう。

そうした領域は「ブリッツスケーリング」のような急拡大が難しい領域でもあります。もちろんその領域全体が急拡大している場合や、新興国の市場を狙う場合は急拡大ができるかもしれません。しかし多くの国では、既存の規制が成長を阻んだり、既存の団体との折衝が必要になったりします。

もしそうであれば、スタートアップはこれまでのやり方を考え直さなければなりません。かつてスタートアップの領域では「破壊（ディスラプト）する」という単語がしばしば使われていましたが、新しく狙いが定められるであろう

2　リード・ホフマン、クリス・イェ『ブリッツスケーリング――苦難を乗り越え、圧倒的な成果を出す武器を共有しよう』（滑川海彦、高橋信夫訳、日経BP社、2020）

領域では、より慎重なアプローチが必要となります。たとえば事業を進める中で社会やルールを変えていくような取り組みや、市民の理解を得るための活動、官庁や自治体との連携も増えてくるでしょう。

そこでは**かつての破壊型のモデルではなく、調和型（ハーモニー）モデルのほうがうまく進む**のではないかと考えています。

また、かつてあったホワイトスペースが小さくなっている今、スタートアップに新たな機会があるとするなら、それは新たなマーケットを作ることです。社会を動かし、規制を良い方向に変えること、つまり社会や市場の構造を変えて新しいホワイトスペースを作り出すことが、短期間に急成長していくための有効な選択肢となりつつあります。つまり、構造的な問題を把握し、構造自体を変えて問題解決を行うのです。そのときにもまた、政策と連携しながら行う必要があります。

マクロな観点ではビジョンや予測ありきで社会の構造を変えつつ、ミクロなサイクルでは従来のリーンスタートアップなどの方法論を使って顧客のデマンドの仮説検証のサイクルを回しながら現実に適応していく。この両輪を回していくのがこれからのスタートアップの必要な動きとなっていくのではないかと思います。これは、顧客のデマンドだけに特化したスタートアップよりも難しい取り組みとなるでしょう。それに自分たちが作り上げたホワイトスペースで自社が勝つとは限りません。しかし社会を良い方向に変えることができれば、自分を含めた多くの人がその変化によって生まれた便益を享受できます。

社会を変える取り組みを先導するには情熱が必要です。そうしたことができるのは、スタートアップを始めるような、情熱を持つ人たちではないでしょうか。そして今、そんな人たちの手によって社会が変わることが、多くの人たちから望まれているように思います。

2

社会実装とは何か

ＡＩの社会実装、ブロックチェーンの社会実装、ＩｏＴの社会実装、自動運転の社会実装、スマートシティの社会実装など、「社会実装」という言葉をビジネスや研究、行政の文脈でよく聞くようになりました。

「社会実装」という言葉は、新しい技術をうまく社会に普及させていくための活動を指して使われることが多いようです。

本書を手に取っていただいた方の中には、事業会社にお勤めで「どうやれば自社の先進的な技術やサービスが社会にもっと受け入れられ、ビジネスになるのか」といった悩みを持っている方も多くいらっしゃるのではないかと思います。「なぜ日本では他国に比べてテクノロジーの社会実装が進んでいないのか」といった歯がゆさや、Uberなどの先進的なサービスが他国では導入されているのにもかかわらず、なぜ日本では導入されていないのかと、もどかしさを感じていらっしゃる方もいるでしょう。

私自身、読者の皆さんと同じ疑問から、２０１９年に社会実装に関するワーキンググループに参加し、どのように事業を進めれば社会実装を成し遂げられるのか、インタビューや事例の分析などを通して1年以上かけて議論をしてきました。

こうした調査を進めていくうえでは諸外国の動きも気になるところです。調べてみると、そもそも社会実装という言葉は海外では流通していないことがわかります。社会実装を直訳するとSocial Implementation やSocietal Implementationという言葉になりますが、こうした言葉を使っている文献はほとんどありません。海外の方々に聞いてみても、首をかしげられることが多く、説明してようやくその言葉の意味をわかってもらえるような状況でした。

どうやら社会実装という言葉は日本オリジナルのもののようです。調べてみると、社会実装という単語は、もともと文部科学省の外郭団体である国立研究開発法人科学技術振興機構（ＪＳＴ）が使い始めた言葉だと言われています。より正確に言えば、２００７年にはじまったＪＳＴ社会技術研究開発センター（ＲＩＳＴＥＸ）の「研究開発成果実装支援プログラム」という助成プログラムがその発祥です。

その出自がアカデミアにあることから、科学者や工学者たちが自分たちの研究や技術をいかに社会に還元して価値を出していくか、という観点から発明された言葉だと言ってもいいでしょう。そのため「社会実装」という言葉は多くの場合、「〇〇の社会実装」というかたちで使われるようです。〇〇に入るのは特定の技術や技術関係の単語で、たとえば「ＡＩの社会実装」「ブロックチェーンの社会実装」など、社会実装の枕詞には新技術の名前がつくのが一般的です。

しかし社会実装という言葉には、それほどきちんとした定義があるわけではないようです。社会実装とは何なのか、自分たちで独自に考えて進めていく必要がありそうです。そのために、社会実装の事例を一つ見てみるところから始めてみましょう。

みなさんが日々使っている「電気の社会実装」の事例です。

電気の社会実装

近年、日本ではＤＸ（デジタル・トランスフォーメーション）という言葉が頻繁に言及されています。「あらゆる企業がデジタル企業になる」とも言われる中、デジタル技術を事業戦略や日々のオペレーションに取り入れようとする動きが広まっています。経済産業省なども、ＤＸ推進のためのレポートや施策を講じ、日本企業のＤＸを進めようとしています。[1]

１００年前の人類も同様に新技術をうまく採用しなければならない状況でした。その新技術というのが電気です。「あらゆる企業が電気（を使う）企業になる」と言われると、今ではあまりに当然すぎて、とてもおかしく聞こえるのではないでしょうか。しかし１００年前の人たちは蒸気機関から電力への移行に、真っ向から取り組んで試行錯誤していました。では先人たちはどのようにＥＸ――エレクトリック（電気）・トランスフォーメーションを成し遂げたのでしょうか？　つまり、電気の社会実装はどのように行われたのでしょうか？

ＥＸについての興味深い解説として、スタンフォード大学のポール・デービッドの「ダイナモとコンピュータ」[2]、エリック・ブリニョルフソンらによる『ザ・セカンド・マシン・エイジ』[3]、ＢＣＣのティム・ハーフォードの記事[4]などがあります。これらの解説をもとに、第二次産業革命における電気というテクノロジーがどのように受容されていったかを見てみましょう。

1　経済産業省「産業界におけるデジタルトランスフォーメーションの推進」
https://www.meti.go.jp/policy/it_policy/dx/dx.html

2　Paul A. David .1990. The Dynamo and the Computer: An Historical Perspective on the Modern Productivity Paradox, *The American Economic Review*, Vol. 80 No. 2, p.355-61
https://www.jstor.org/stable/2006600

3　エリック・ブリニョルフソン、アンドリュー マカフィー『ザ・セカンド・マシン・エイジ』（村井章子訳、日経 BP 社、2015）

4　Tim Harford, Why didn't electricity immediately change manufacturing?, *BBC*, August 20, 2017
https://www.bbc.com/news/business-40673694

電気が科学から産業になるまで

第一次産業革命は蒸気機関の登場を受けて、1700年代後半から1800年代前半にかけて起こったと言われています。その約100年後、第二次産業革命は1800年代後半から1900年代前半にかけて、化学、石油、鉄鋼、そして電気の技術発展によって起こりました。

ここでは電気に焦点を当てて、それがどのように社会に採用されていったかを見てみましょう。

科学者たちによる電気の性質の解明は、第二次産業革命以前、1800年代前半から始まっています。オームの法則が発見されたのは1827年、ファラデーが電磁誘導現象を見つけたのは1831年、マクスウェルが『電気と磁気』を発表したのが1873年です。

その後、電気が本格的に産業に応用され始めたのは1880年代になってからです。エジソンによる白熱電球の発明は1879年とされています。エジソンは続いて1880年に直流電力の発電機を発明し、1881年には電気生成工場を作りました。それから約1年後に電気の供給が開始され、そして工場を稼働させるための電気モーターの販売が始まります。わずか数年で、あっという間に電気を応用する様々な技術が開発されたのです。

しかしそれから20年後、1900年の時点でも電気モーターで動くアメリカの工場は5％以下にとどまっていました。どうやら約140年前の人々も、電気の登場からしばらくの間、電気をうまく事業で扱えていなかったようです。そこには今の企業とデジタル技術との関係の類似性が見えます。当時の最新の技術である電気が社会実装に至っていなかったのはなぜなのでしょう?

その背景を知るには、電気が登場する以前の、蒸気機関の時代の工場を知る必要があります。

電気が当たり前になるまで、工場は蒸気機関で動いていました。蒸気機関で動く工場は蒸気エンジンが動力源です。蒸気エンジンは一つの工場につきおおよそ一つで、すべての動力をまかなっていました。

蒸気エンジンで生まれた動力はベルトとギアを通して、ハンマーやパンチ、プレスなどのすべての機械に伝わるようになっていました。しかしベルトとギアを使うと、摩擦によって動力のロスが発生してしまいます。遠くまで力を伝えようとするとロスも大きくなるので、工場を大きくすることもできません。

蒸気エンジンの位置も問題でした。蒸気エンジンの場所を工場の中央にしなければならないという制約があったのです。遠くになれば遠くになるほど、ベルトを通して摩擦が発生し、その分ロスが大きくなってしまうため、効率的に力を伝えること

図 2.1 1875 年の蒸気機関による機械工場の様子

出典：https://commons.wikimedia.org/wiki/File:Bild_Maschinenhalle_Escher_Wyss_1875.jpg

ができません。なので、最も多くの動力を必要とする機械を一番近くに置く必要もありました。蒸気エンジンが工場のレイアウトを決めていたと言ってもいいでしょう。そのため加工プロセスとは異なる順番で機械は置かれ、加工物は移動を繰り返す必要がありました。

蒸気エンジンで稼働する工場の内部は危険極まりないものでした。勢いよく回るベルトに作業者が挟まって、引き込まれてしまう危険性が常にありました。メンテナンスも大変です。蒸気エンジンは停止させると再起動が大変なため、常に石炭を供給する必要がありました。

蒸気エンジンは便利だったものの、それ相応の制約があったのです。

電気による工場の変化

では電気で稼働する工場はどうでしょうか。

動力という観点では、電気モーターは蒸気機関の代替品と見ることができます。実際、最初の電気モーターは蒸気機関の代替としての役目を期待されていた部分が大きかったようです。しかし技術的にまだ成熟していない初期の電気モーターは、安定して稼働できませんでした。素材や要素技術の課題も解決する必要があり、動力という観点だけでは蒸気機関の下位互換程度のものだったようです。

ではなぜ下位互換にしかすぎない電気モーターを蒸気機関と置き換えるに至ったのでしょうか。

それは電気モーターが動力以外の様々なメリットを有していることが、電気の社会実装の取り組みを通して徐々にわかってきたからです。

小型の蒸気エンジンは、原理上とても非効率的です。そのため先述のとおり、蒸気機関で動く工場では、中央に大きな蒸気エンジンを一つ置いて、そこからベルトを通して動力を伝えていました。一方、小型の電気モーターは蒸気エンジンに比べて何倍も効率的に動きます。そのため電化された工場には小さな電気モーターを複数設置するほうが効果的になりました。作業台に電気さえ通っていれば、すべての作業台に電気モーターを置くことができるようになったのです。

さらに電気モーターの場合、蒸気機関と違ってエネルギー消費量の多い機械を動力源の近くに置く必要もなくなりました。その結果、従来の蒸気エンジンを中心に考える工場と比べて、全く異なる配置の工場設計ができるようになりました。これによって「流れ作業方式」と呼ばれる大量生産のやり方が確立したのです。ヘンリー・フォードは「機械を作業順に置くことができるようになり、作業の効率が2倍になった」と述べています。[5]

電気のメリットは他にもあります。蒸気機関は常に動いていなければなりませんでしたが、電気は蒸気機関のように常時稼働する必要はなく、必要なときに電源をオンにして稼働することができるようになりました。また、蒸気機関では必要だった石炭などが不要になったため、電化された工場で働く作業員はよりクリーンな環境で働くことができるようになりました。ベルトに巻き込まれることもなくなり、事故も少なくなってより安全にもなりました。今では信じがたいことですが、

5 Henry Ford, Samuel Crowther. 1930. Edison as I Know Him. *New York: Cosmopolitan Book Company*, p.15 (on line edition).

蒸気機関で動く工場は電灯がないため暗く、稼働時間も昼間に制限されていました。曇りや雨の日には作業効率も落ちたことでしょう。一方、電気が通じることで電灯を設置できるようになり、工場は明るくなって、夜も工場を稼働することができるようになりました。

さらに1920年代になると、ウェスティングハウスの中央発電所が登場し、インフラとしての送電網が敷設されました。その背景には、1880年代後半にニコラ・テスラが交流発電・送電システムを発明し、電力のロスを減らしながらより遠くに送電できるようになったという技術的な進歩があります。蒸気エンジンの動力は遠くまで伝えることはできませんが、電力は遠くまで送電できるため、中央発電所で発電した電力を送電網を通して広範に伝えることが実現可能になったのです。それまでは各工場で電気を生み出して、それを工場内で使うという形でしたが、工場内で動力や電気を生成する必要がなくなり、さらに電気を安定的に得ることができるようになりました。これは蒸気機関では実現しえなかったことです。

図 2.2 1930 年のフォードの電化された製造工場

出典：https://commons.wikimedia.org/wiki/File:LongBeachFord.jpg

こうした変化が積み重なった結果、1920年代に入って工場の生産性が劇的に向上し、大量生産ができるようになった、と言われています。

電気という新しい技術は、実は単なる蒸気機関の代替ではありませんでした。しかし電気が出てきた当初、人々は電気という技術の可能性を見誤っていたため、多くの工場ではできるだけ大型の電動モーターを導入し、単純に蒸気機関の代わりに据え付けようとしただけでした。その結果、生産性の向上にはつながりませんでした。

電気という技術の社会実装の取り組みの中で、「配置のしやすさ」「危険性の低さ」「明るさ」「遠くで作って配電できる便利さ」といった電気の秘めたるポテンシャルが徐々に見えてきました。そしてそのポテンシャルを最大限活かすには、工場の設計そのものを変えていかなければならなかったのです。**電気という新たな技術に合わせて工場の統治（ガバナンス）の在り方を変えること、さらにこれまでと異なるビジネスモデル（大量生産など）へと変化を遂げることによって、電気の真価がようやく発揮されました。**

この第二次産業革命における電気の社会実装の場合、1880年前後に発電の技術が開発されてから産業の基盤となっていくまで、実に約50年の年月を要しています。

社会における電気の法制度や慣習の変化

電気という技術の社会実装の過程を見ていくと、それが単に技術の成熟度の問題だけではないことに気づきます。ウェスティングハウスの中央発電所や送電網等のインフラの設置をはじめ、それに合わせた法制度や教育システム、雇用慣習などを含めた**「社会の形」も同時に変わっていかなければ、その技術のポテンシャルを活かすことができませんでした。**

ここで日本での電気の受容を見てみましょう。

東京電力の前身である、日本初の電力会社、東京電燈株式会社が生まれたのは１８８３年です。１８８６年に営業を開始、１８８７年に電力の送電が開始されました。今では公的な色合いの強い事業ですが、まずは民間企業として始まりました。

１８９１年、漏電が原因と思われる国会仮議事堂の焼失によって、電気事業の保安管理の必要性が認識されるようになったことから、逓信省が電気技術の監督責任を負うようになりました。そして１９１１年にいわゆる旧電気事業法が制定されました。

つまり、事件が起こったことで、電気という技術へのリスクの認識が高まりました。それに合わせて電気をうまく統治するための法律が徐々に制定されていきました。その結果、電気というテクノロジーの安全性も高まり、電気が広く使われる土台が整えられていったのです。

教育面での発展も見てみましょう。東京電燈が企業活動を始める13年前、１８７３年に工部省工学寮電信科（東京大学工学部電気系学科の前身）が創設されました。「電（electric）」の字を冠する世界最古の電気系学科だったと言われています。[6] イギリスから招聘されたエアトン教授が最初の5年間

6　一般社団法人電気学会「工部省工学寮電信科とW.E. エアトン」
http://www2.iee.or.jp/ver2/honbu/30-foundation/data02/ishi-06/ishi-1213.pdf

の教鞭をとり、教え子の中には、電気学会を創設した志田林三郎や、東京電燈や東芝の創業者の一人に数えられる藤岡市助もいました。

その後1886年に工部省所轄の工部大学校が統合され、帝国大学工科大学（東京大学工学部の前身）が生まれました。最初にできた7学科の中には電気工学科もあり、電気工学が日本で正式な学位として提供され始めました。その後、電気主任技術者という資格が生まれたのは1896年です。このときは試験などはなく、学識経験者が選出されていたそうです。そして1911年の旧電気事業法と同時に、資格も試験制度が導入され、学歴を持たない人も電気主任技術者になれるようになりました。こうした資格制度ができることで電気工事ができる人も増え、電気を社会へ普及させていく後押しとなったのです。

1930年代には戦争の影響で東京電燈は国策会社となっていきます。そして第二次世界大戦後に東京電力となりました。

ここまで見てきたように、電気という今ではありふれている技術ですら、このように数十年の時を経て、ようやくそのポテンシャルを発揮できるようになりました。テクノロジーの進歩や最適化に加えて、テクノロジーの周辺にある法や教育といった社会制度が整い、そして人々が技術に対する教育を受け慣習を変え、テクノロジーを安全に扱えるようになることで、電気という新しいテクノロジーは社会実装されたのです。

テクノロジーの社会実装のためには、社会も変わらなければならない

電気の事例に見られるように、テクノロジーの社会実装は、テクノロジーそのものだけではなく、テクノロジーと社会とをどう接合させていくかを考えなければうまくはいきません。テクノロジーは確かに社会の姿を変えますが、それと同時に、**社会がうまく変わらなければテクノロジーをうまく受容できない**のです。

しかし、テクノロジーの発展のスピードよりも、社会が変わるスピードのほうがえてして遅くなりがちです。

かつて「生産性のパラドックス」もしくは「ソローのコンピュータ・パラドックス」と呼ばれるパラドックスが話題になりました。情報技術に投資しても、生産性が上がるどころか伸び悩む状況を指し示す言葉です。これは電気の例で見てきたのと同様のことが起こっていると言えるでしょう。テクノロジーのポテンシャルを最大限活かすには、会社や社会の仕組みを変えていかなければなりません。電気による生産性の向上は、電気が工場に導入されてから20年以上も後になって現れてきました。新しいテクノロジーを既存の仕組みの中に導入するとたちまちに生産性が向上する、というわけではないのです。

テクノロジーは非技術的な要因によって、大きく規定されることがあります。これを**「補完的**

イノベーション」という言葉で指摘したのが、『機械との競争』『ザ・セカンド・マシン・エイジ』などで有名なエリック・ブリニョルフソンらです。彼らは仕事のやり方や組織の在り方が変わって技術が適切に活用されるようになるまで、つまり補完的イノベーションが出現するまでには、技術が登場してから数年から数十年ほどのタイムラグがあると指摘しています。[7]

　ブリニョルフソンらの補完的イノベーションの議論は、組織内のことが中心に語られていますが、おそらく社会にも同じことが言えるでしょう。新しいテクノロジーというイノベーションが現れたとき、法制度や慣習といった社会的な仕組みにおいて補完的イノベーションが起こらなければ、新しいテクノロジーは潜在力を発揮できません。

　たとえば自動車が出てきたときのことを考えてみましょう。当時、自動車を縛る法はほとんどありませんでした。しかし次第に車による被害や恐れなどが広まるにつれ、法が生まれました。地域によっては「馬より速く走ってはいけない」という条例が定められたところもあったそうです。[8]これは社会が車という新技術を妨害しようとしたわけではなく、当時は主に馬が道を走っており、自動車が速く走ると馬が怖がって事故が増えるから、という背景もあったのでしょう。

　安価な自動車が販売されるようになり多くの人にいきわたると、自動車を無意味に縛る法は徐々に姿を消しました。ただし、単に安価になったから自動車は普及したわけではありません。自動車のための適切な法を作り、車検の制度を整えることで安全性を担保し、保険の仕組みを作ることでリスクを減らすような社会が設計され、自動車の活用を支える仕組みができたからこそ、自動車は

7　エリック・ブリニョルフソン、アンドリュー マカフィー『機械との競争』（村井章子訳、日経 BP 社、2013）
前掲 エリック『ザ・セカンド・マシン・エイジ』

8　Bill Loomis, 1900-1930: The years of driving dangerously, *The Detroit News*, April 26, 2015 https://www.detroitnews.com/story/news/local/michigan-history/2015/04/26/auto-traffic-history-detroit/26312107/

より多くの人たちに受容されました。

そうした仕組みのない世界、たとえば道路交通法や速度制限、信号機がない車社会を考えてみてください。家から一歩外に出たときに、時速150キロメートルの車が目の前を走るような都市に住みたいと思う人はほとんどいないでしょう。信号機のない道路や交差点は自由かもしれませんが、他の自動車が横から来たときには、その運転手と目を合わせて、どちらが先に行くかをいちいち決めなければなりません。

法や習慣などのルールがあり、人間と自動車との共生が適切にできるからこそ、私たちは自動車というものを便利に使いこなせています。

法や習慣によって車の性能を最大限活かすのではなく、逆に法や習慣によって車の能力の制限を行うことで、より良い社会を実現することもできます。

たとえば現在のパリは、自動車の制限を行い、人重視の街づくりへと転換しつつあります。1年に1度「車のない日」が実施され、パリ市内のほぼ全域で自動車は通行禁止となります。これは都市の大気汚染を抑え、また市民に大気汚染の問題や、自転車等ほかの交通手段を認識してもらうことを目的とした取り組みです。

パリではそうした取り組みと並行して、交差点を歩行者優先のものに再設計したり自転車レーンを増設したりするなど、自動車がなくても移動できる街へと変化させようという動きもあります。その結果、パリ市内の幹線道路の平均交通量は2001年に1時間平均2100台だったのが、

2015年には1400台と、劇的に減っています。[9] これは自動車という技術を、制度という社会の仕組みであえて制限することによって、人重視の街づくりという目的を達成しようとした例です。

つまり、私たちは技術以外の要因としての社会をうまく使うことで、単に技術のポテンシャルを最大限引き出すだけではなく、技術を目的に合わせて適切に社会実装することもできるのです。ゼロか1かでテクノロジーを採用するのではなく、目的に応じてテクノロジーのポテンシャルを引き出したり、あるいは抑制することで、テクノロジーをうまく治めていったりすることができます。それが本来の意味での「テクノロジーの社会実装」ができている状態と言えるでしょう。

社会実装とは何か

テクノロジーの社会実装のためには、テクノロジーそのもののイノベーションだけではなく、組織や法制度、慣習といった社会的な仕組みにもイノベーションが必要だということが、おわかりいただけたのではないかと思います。そしてこれまで見てきたように、そのような社会的な仕組みのイノベーションとしての法整備や教育システムも、私たちの意思で作り上げていくことが可能なのです。

9　株式会社地域・交通計画研究所「パリにおける道路空間再編等の動向と欧米の自動運転化への取組み」
http://www.rtp.co.jp/topics/Paris.html

ルンバのようなロボット掃除機もある面では同じです。ロボット掃除機を家の中でうまく稼働させるためには、まず床に散らばる物を片付けて、ロボット掃除機が通りやすいようにしておく必要があります。そうしておかないと、もしかすると電源コードに引っかかって、そのコードの先にある電子機器が机や棚から落ちてしまうかもしれません。このように、テクノロジーの周りにある物や仕組みを整えておかなければ、その真価が発揮できないどころか、新たな危険すら生んでしまうのです。

ロボット掃除機はほんの小さな例ですが、本書ではその発想のスケールを広げて、**テクノロジーの社会実装のためには、新しいテクノロジーの真価が発揮されるような社会が必要である**と考えます。つまり、**テクノロジーの社会実装とは、テクノロジーの力によって社会を変えようとする営みであると同時に、社会の仕組みを変えることによってテクノロジーが活用される社会を作り出す営みです。**

これまでの多くの社会実装に関する議論、特にデジタル技術の社会実装に関する議論は、テクノロジー自体や技術的なイノベーション自体に焦点が当たりすぎていたように思います。そこで本書ではこれまで欠けていた**テクノロジーを最大限活用するための、社会を変える手段**についての知見をまとめたいと思います。

本書で扱う「社会実装ができている状態」とは、いわゆるキャズムを超えて普及した状態、もしくは超えつつある状態を示しています。キャズムとは、ジェフリー・ムーアが提唱した、製品やサービスがアーリーアダプター以降の人々に広まらない現象や段階のことを指します。つまり本書では、社会実装ができた段階は、少なくともアーリーマジョリティの人たちがその製品やサービスを使い始めた段階とします。

一方、特定のテクノロジーのデモンストレーションや実証実験レベルのものは、本書では社会実装として扱いません。なぜならそれは社会にまだ大きな影響を与えておらず、社会に実装されているとは言い難いからです。また実証実験に至るまでの方法論と、その先の普及までを見据える方法論とでは大きく異なります。たとえば多くの人を巻き込んだり法を変えたりすることについての議論は、実証実験に至るまでの方法論では出てこないでしょう。

本書では社会実装という言葉を「社会の多くの人が利用する」という段階、つまりキャズムを超えて普及する段階を指すものとして考えます。

なので、たとえば「研究の社会実装を行った」というときに、それがまだプロトタイプであったり、少人数に対して試験的に行ったものであったりする場合、それをもって「社会実装された」とは本書では見なしません。ただし、そうした実証実験に意味がないというわけではありません。本書のなかでもＰｏＣ（Proof of Concept：概念実証）やリビングラボなど、実証実験の事例も取り上げますが、それらを行うこと自体は本書の目指す社会

図2.3 キャズム

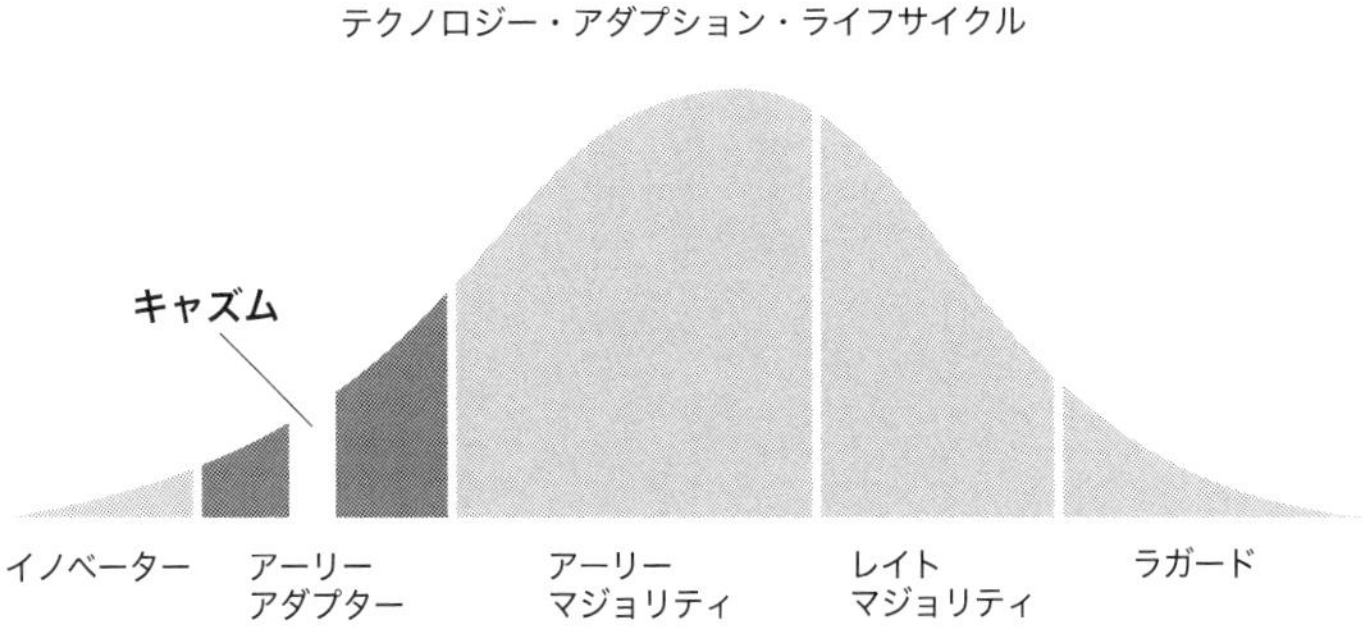

出典：https://commons.wikimedia.org/wiki/File:Technology-Adoption-Lifecycle.png

実装ではなく、あくまでその後の広い社会実装をしていくための一つの手段として捉えています。

なぜ社会実装が重要か――エンパワーメント

そもそも、なぜテクノロジーの社会実装が重要なのでしょうか。社会実装を進めると何が良いのでしょうか。私は、テクノロジーを社会に普及させると、**テクノロジーによって様々な人がエンパワーメントされる**からだと考えています。

たとえば車椅子を社会実装することで、これまで一人では歩きづらかった人たちの移動範囲が広がります。眼鏡が普及することで、かつては障害とも言われていた近眼の人たちが日常生活を送れるようになりました。こうした不自由さからの解放は一つのエンパワーメントです。

また水道や洗濯機が導入されたことで、家事の負担が一部軽減され、教育や仕事に時間を使えるようになったこともエンパワーメントの事例と言えるでしょう[10]。水道がない国では、生きている時間のほとんどを水汲みに費やす人もいます。洗濯機やガスがなければ、人は生活のほとんどの時間を炊事洗濯に使わざるをえません。そして時間がなければ教育もろくに受けられず、スキルを磨くこともできません。その結果、ずっと時間が不十分なままになってしまいます。

10 ただしルース・シュウォーツ・コーワン『お母さんは忙しくなるばかり――家事労働とテクノロジーの社会史』(高橋雄造訳、法政大学出版局、2010)で指摘されるように、単に技術の導入では家事が減らないこともあります。

マット・リドレーは『繁栄』[11]の中で「人々の進歩は新たに生まれた時間によって測られる」と述べています。この言葉のとおり、私たちはテクノロジーの力によって、これまで生きるために行っていた仕事を減らしたり、なくしたりすることができてきています。それが社会実装による人のエンパワーメントの結果です。

そしてテクノロジーが社会に普及するにつれて、多くの人がテクノロジーによるエンパワーメントを受けることができ、その結果、より多くの人たちのウェルビーイングが向上するようになってきたと言えるでしょう。

社会実装はなぜ課題になったのか――成熟社会の難しさ

そのような視点から歴史を少し振り返ってみると、第二次世界大戦後の大量生産の時代を通して、私たちの生活には様々なテクノロジーが実装され、私たちは様々な面でエンパワーメントされてきたことがわかります。たとえば「三種の神器」と言われた洗濯機、冷蔵庫、掃除機によって、生活はぐっと楽になりました。そして「新三種の神器」と言われている全自動洗濯乾燥機、食洗器、ロボット掃除機などは、現在徐々に社会実装が進んでいるテクノロジーだと言えます。

11 マット・リドレー『繁栄――明日を切り拓くための人類10万年史』(大田直子、鍛原多惠子、柴田裕之訳、早川書房、2013)

電気や洗濯機の事例などを振り返ってみると、社会実装という言葉が出てくる前から、テクノロジーの社会実装という言葉が指し示す現象自体はありました。人類はこれまでこの社会に多くのテクノロジーを実装してきたと言えるでしょう。日本はある意味、１９６０年代の高度成長期は社会実装の先進国だったとも考えられます。

ではなぜ当時は社会実装という言葉がなく、現在になって社会実装という言葉が出てきたのでしょうか。それは従来のようにスムーズに技術が導入されないと感じる人が増えたからではないでしょうか。なんだかうまく社会に実装できていない、そこには大きなハードルがあるという感覚があるからこそ、社会実装という言葉が頻繁に使われるようになったのではないでしょうか。

そして、こうした感覚が強くなっている理由は、日本が成熟社会に入ったからだと考えます。成熟社会の定義は様々ですが、本書では経済や政治が発展し、必要なものやサービスがある程度満たされているものの、成長が少なくなった社会、としておきましょう。そうした社会では必然的に新たなテクノロジーの社会実装が遅くなるのです。ここではその背景を解説します。

そもそも課題が少ない

成熟社会で社会実装が進まない背景として、まず何よりも、成熟社会では**多くの課題がすでにある程度解決されている**ことが挙げられます。

水道や電気などのインフラは張り巡らされ、法制度も整えられているため、人々の基本的な欲求は満たされています。それに加えて、基本的な家電や生活家具は安価に買うことができ、それらを配送するネットワークも張り巡らされています。そして食事からエンターテインメントに至るまで、多様なニーズにこたえる、多様なサービスが提供されています。

もちろん、課題や問題がまったくないわけではありません。しかしまだ発展の途上にある国に比べると、生活水準は高く、多くの人にとって生活しやすい環境となっていることは事実です。大きな不満が解決され、理想的な状態に近づいていること自体は良いことでしょう。

理想が描きづらい

課題が少ないのは、単に理想に近づいたからだけではありません。**さらなる理想を描きづらくなった**のも、課題が少ない一つの要因です。課題というのは、理想と現状のギャップです。理想がなければギャップは生まれず、その結果、課題も生まれません。

かつての日本は「追いつく」ことで発展するモデルでした。一つの理想として欧米諸国の姿が提示されており、現状との差分が理解しやすかったと言えます。その理想を達成できたのは、日本の戦略が良かったのか、あるいは人口増の恩恵を受けたのかはわかりませんが、少なくとも理想としていた欧米と肩を並べるに至ったことは間違いありません。見本となる国がなくなったことは、理想が描けなくなった一つの要因でしょう。

さらに日本が他国に比べて低成長に留まっていることも、理想の描きづらさにつながっています。日本の一人当たりＧＤＰは１９８８年には世界2位でした。しかし２０１８年には26位まで下がっています。その背景に人口動態上の変化があることは間違いないでしょう。その他の先進国でも例の少ない、少子高齢化社会となり、日本は課題先進国などと呼ばれるようになりました。つまり、諸外国とは異なり、諸外国の参考になるような理想形を自分たちで描いていく必要に迫られています。

「今より良い社会」というものが想像しづらくなっているとも言えます。実際、内閣府の調査によれば、日本は他国に比べて将来への希望を持っている人が明らかに少ないことが示唆されています（図2・4）。

便益が少ない

さらに成熟社会においては、仮に課題があって、それが新技術で

図2.4 将来への希望

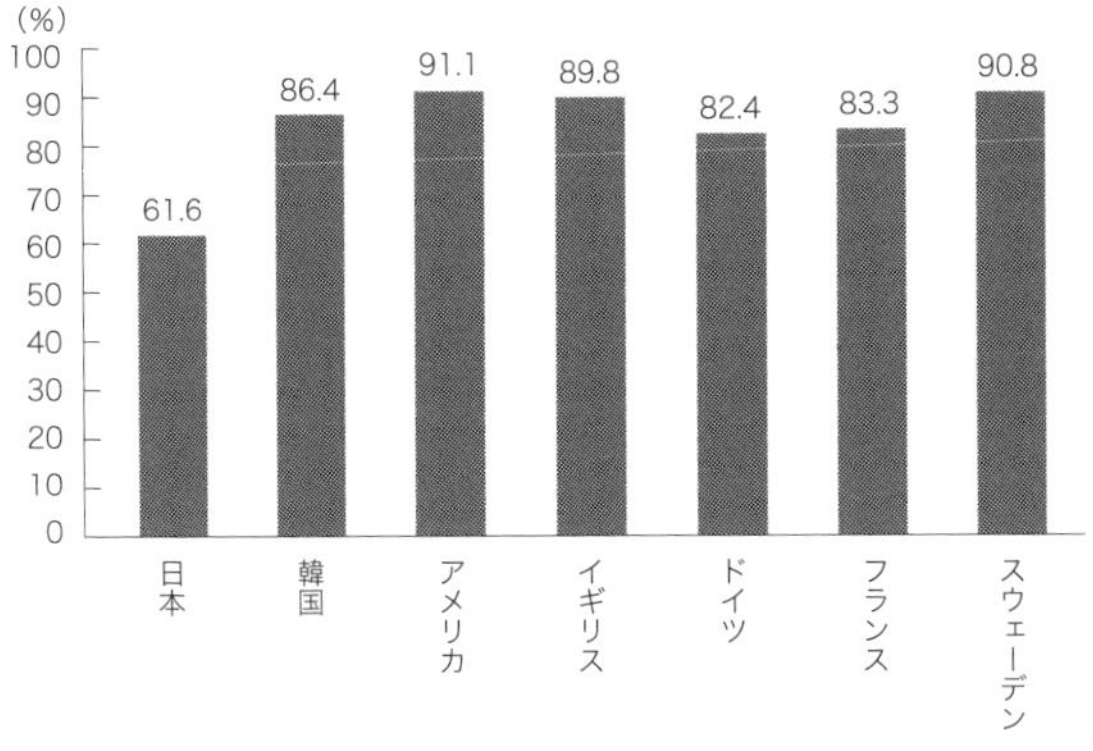

※「あなたは、自分の将来について明るい希望を持っていますか。」との問いに対し、「希望がある」「どちらかといえば希望がある」と回答した者の合計。

出典：内閣府『平成26年版子ども・若者白書（概要版）』「特集　今を生きる若者の意識〜国際比較からみえてくるもの〜」
https://www8.cao.go.jp/youth/whitepaper/h26gaiyou/tokushu.html

解決可能でも、**新技術の導入による便益が比較的少ない**傾向にあります。すでに古い技術が適切に導入されていると、次に導入される新しい技術によって得られる便益が小さくなるからです。つまり、すでにある成熟した技術が、未成熟な新技術の導入を阻むのです。

たとえば、やり玉にあがりやすい行政の書類業務のデジタル化一つを取ってみても、FAXや紙のままでもミスが少なく、それなりの精度で業務が回っているからこそ、なかなかデジタル化が進まない面があるでしょう。これはデジタルリテラシーが低くとどまる一方、基本的な読み書きのリテラシー教育が行われていて、ルールに順応することができる日本の教育の成果と言ってもいいかもしれません。

さらに既存の業務は、FAXや紙での効率化を最大化するために、それらの技術に最適化された形で構築されています。組織もFAXや紙を前提とした組織設計が行われています。その結果、一部の業務をデジタル化したとしてもそれほど効率化は見込めません。業務全体のプロセスや組織の在り方を変えないと生産性は上がらないのです。電気の事例で、電気モーターを蒸気エンジンへ単に置き換えるだけではなく、工場の設計や統治の在り方、ビジネスモデルを大きく変えないと電気を活かせなかったように、業務全体のプロセスや組織の在り方を変えないと生産性は上がらないのです。

変化を起こそうにも、デジタル化に順応しづらい高齢者層や低所得者層などに公共サービスを提供できなくなるかもしれない、という不平等が起こる可能性もあります。かといって、デジタル化と紙の両立をしようとすると、両方の結果を突き合わせるような作業が増えたり、デジタルの導入にかかるコストとデジタルに対応できない層へのサポートのコスト、両方のコストが増してしまったりする、という問題も出てきます。

こうした状況では、新世代の技術を導入しても、旧世代の技術を使っていたときと比べて、さほど便益が得られないであろう、という結論が導かれてしまいます。デジタル技術を使ったスマートシティの議論が各自治体でなされていますが、**アナログでも十分にスマートな社会**が実現されていると、デジタル技術による効率化にそれほどメリットを感じられないのです。

一方、一部の発展途上国は少し様相が異なります。既存の社会インフラが整備されていない国で、新しい技術やサービスが一足飛びに導入されることをリープフロッグ現象と呼びます。発展途上国でこうした現象が起こるのは、すでに先進国ではある程度解決されている課題が、まだ解決されずに残っているからです。たとえばリープフロッグの例としてよく挙げられるのが、中国のアリペイやウィーチャット・ペイ、ケニアのエムペサなど、モバイル決済の急速な拡大です。

その背景には、それぞれ国の固有の事情があります。たとえばエムペサが普及した当時のケニアでは、街へ出稼ぎに来ている人たちが多く、そうした人たちはまだ銀行口座を持っていませんでした。また出稼ぎであるがゆえに、街で稼いだお金を村の家族に送金するニーズもあったようです。しかし既存の銀行での新規口座開設の手続きが煩雑だったり、銀行間の送金手数料が高いといった課題がありました。一方、現金を持ち帰ろうとすると帰省の際に大金を持ち運ぶ必要がありますが、当時のケニアはまだ盗難のリスクが高く、大金を手で運ぶのは危険です。そんな中で携帯電話が普及し始め、モバイル決済はそうした様々な課題を解決するものとして劇的なスピードで受け入れられました。

中国の場合は別の事情があります。中国では銀行口座自動振替の仕組みが未普及で、光熱費や水道料金を毎月支払わなければならないといった面倒臭さがありました。それをモバイル決済による簡便な決済で解決できたことが普及の一つの要因だったと言われています。[12] その後、ＱＲコードを使ったオフラインでのモバイル決済が普及し、モバイル決済を前提としたサイクルシェアなどの便利なサービスが次々に出現したことで、モバイル決済の地位は盤石となりました。

そうした利便性の面において、日本にはモバイル決済導入のインセンティブとなるような大きな課題がなかったと言えます。日本では各都市に銀行網が張り巡らされており、口座開設や送金もそこまで不便というわけではありません。口座自動振替による公共料金の支払いも多くの人がすでに行っているため、毎月、銀行振込をしなければならない、という煩わしさもない状況でした。さらにスイカやエディをはじめとした便利な決済手段がすでに乱立していたため、モバイル決済を導入することの便益はそれほど大きくなかったと言えるでしょう。

つまり、新しいデジタル技術の社会実装が進まないのは、新たな技術による便益があまり多くない、という合理的な判断の帰結だとも言えます。

12 西村友作「中国社会から見るキャッシュレスの利点と欠点」日経ビジネス、2019 年 4 月 10 日
https://business.nikkei.com/atcl/seminar/19/00109/00005/

新技術導入によって損をする人たちの存在

変化が起こることで明らかに損をする人たちが出てくるのも、成熟社会ならではの課題だと言えます。

先述の通り、社会が成熟するにつれて既存の仕組みがそれなりに出来上がり、最適化されていきます。たとえば電気技術を扱える電気工事士などの認証システムや、タクシーの運転手の資格などは、従来の技術の潜在性を最大限使えるよう仕組みを改善した結果現れてきたものです。そこでもし新しい社会実装が既存の仕組みを壊してしまうとしたら、これまでの仕組みから恩恵を受けてきた人たちは、明らかに損をすることになります。

たとえばUberやAirbnbのようなサービスは、デジタル技術の力を使ったプラットフォームを運営することで、サービス提供をする個人の信用を担保して、個人間の取引を可能にしています。従来のサービスでは資格などでその信用を担保しており、資格を取得するのには個人もコストを支払う必要がありました。そのコストを払ってきた人たちにとっては、これまでに支払ったコストが無効化されることになり、損をするように感じるでしょう。その仕事の価値や、自分自身の価値自体を否定されるように感じるかもしれません。

プログラミング教育を地方で進めるという、一見すると何も損がないように聞こえるケースでも、一部の人たちにとっては損と捉えられる場合があります。プログラミング教育は若者たちにとっては職業訓練としてとてもありがたいことでしょう。しかしプログラミング教育を地方で実施した場合、地方にプログラミング技術が必要とされる職がなければ、必然的に就職先は都会になってしまいます。そうすると、子どもには地元に残ってほしいと思っている親や家族には、子どもに対して積極的にプログラミング教育を提供してほしくない、というインセンティブが働きます。

産業構造の転換が起こるときには、こうした不利益を受ける層が発生するのは避けられません。第一次産業から第二次産業へと移行するときも、農村部から工業地帯へと人口が移動しました。過去の日本のように、経済成長をしている社会であれば、そうした損をする層、いわゆる既得権益層とも呼ばれる層に対して手厚い補償をすることで、同意を得ることもできました。

しかし経済の縮小が予想されている今の日本では、そうした取り組みも難しくなりつつあります。2010年には1億2806万人だった日本の総人口は、2040年には1億728万人と、約2000万人減る見通しです。生産年齢人口にいたっては、2010年に8103万人だったのが、2040年には5978万人と、約3000万人減る見通しとなっています。日本は輸出大国と言われ、確かに輸出総額は世界的に見てもトップランクに位置しますが、日本のGDPのほとんどは内需によるものであり、人口減によって国内の総需要が減ると目される中で、大きな変化に伴う損失の補償をできるほどの財源はなくなりつつあります。

従来の技術の恩恵を受けている側は、新しい技術に対して「新しいものはリスクがある、安心安全ではない」というメッセージを打ち出しやすいこともあります。新しいサービスや製品には、新しいがゆえにどういう影響が出てくるのかわからないといったリスクがつきものであり、まだデータもないため、安全であると言いきることができない場合も多いからです。安心や安全を最優先にすると、多くの新製品はその壁に阻まれて、なかなか導入されません。

消費者向けサービスの場合も厄介な問題になりがちです。新しい社会実装によって得をするサービス受益者としての消費者は薄く広く得をすることになりますが、一方で既存のサービス提供者たちは狭く深く損をしてしまいます。たとえば、Uberが日本に導入されれば消費者は薄く広く便利になりますが、タクシー業界の損失は計り知れないものになるでしょう。そのため、損をする人たちは少数であるもののデメリットが明確なので団結しやすく、ロビイングなどの政治活動を行います。一方、得をする人たちは多いものの、薄く広く利益を得る傾向にあるので団結しづらく、ロビイングを行うような動きにはなかなか至りません。

つまり図2・5のように、リープフロッグの起こる社会では得られる便益が大きいのに対して、成熟社会では得られる便益が少ないのに加え、損をする人たちがいるため、新技術導入による相対的な便益がかなり小さくなってしまうのです。これも成熟社会において新技術導入を阻む大きな理由の一つです。

図2.5 得られる便益の違い

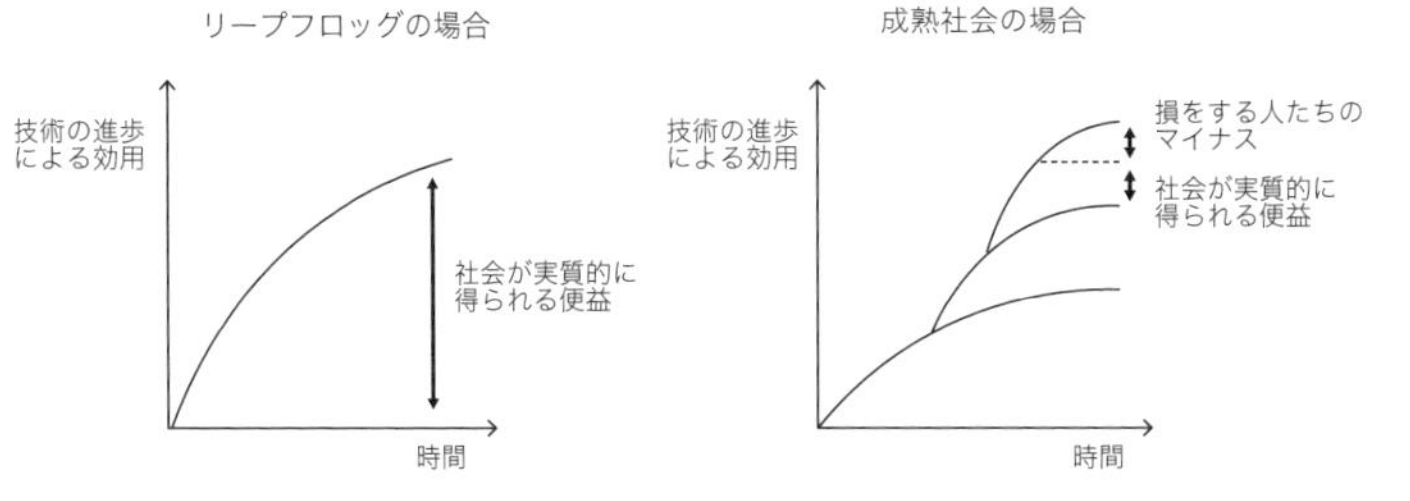

既存制度の存在

成熟社会にはこうして積み重なってきた過去があり、その過去に応じた制度があります。この**過去に作られた制度の変えづらさ**も、社会実装を阻みます。

制度は構築に大きな初期費用がかかります。さらに制度に沿った形で人々が技能や信念を形成するために切り替えが困難です。前述したように、すでに制度に適応した人たちもいて反発が起こるため、変更が難しくなりがちです[13]。こうした状態を「制度的ロックイン」と呼ぶことがあります。制度がなければ技術のポテンシャルを活かすことができない一方で、一度制度を作ってしまうとそれを変えるのはとても難しく、それが新しいテクノロジーの導入をより難しくする傾向にある、ということです。

えてして技術の進歩は制度や習慣の変化よりも早く訪れます。社会学者のオグバーンが「文化的遅滞」という言葉で指摘するように、技術の進歩による物質的変化に比べて、制度や習慣などの非物質的な文化は変化が遅れる傾向にあるのです。

また、ゼロからではなく、既存の制度を基礎にしながら新たに制度を構築しなければならないことも変化をより難しくしています。制度には経路依存性があることも指摘されています。経路依存性とは、経済学で用いられる概念です。少しだけ説明しましょう。

13 飯田高「危機対応がなぜ社会科学の問題となるのか」、東大社研、玄田有史、飯田高編『危機対応の社会科学（上）想定外を超えて』（東京大学出版会、2019）所収一般的に、新古典派経済学では、最も優れた技術や商品が広く受け入れられるとされます。ですが実際の経済ではそうしたことは起こっていません。そこで経路依存性という概念が登場します。経路依存性では、小さな出来事やスタート地点、偶然が結果に対して大きな影響を持ち、その積み重ねによってバランスの取れる点へと収束することが示唆されます。言い換えると、人や組織の決定は、過去の決定によって制約を受ける、ということです。

エスカレーターを左右のどちらで歩いて、どちらで止まるかは地方によって異なります。これは左右のどちらかで止まることに合理的な理由があったわけではありません。人々の過去の行動と、それに基づく予想、そして今の行動が繰り返し行われ、次第に左右のどちらで止まるべきかのバランスが取れたことで、安定的な文化的制度が作られた例だと言えます。

この経路依存性は政策にも存在することが指摘されています。[14] アメリカの政治学者のジェイコブ・ハッカーは、アメリカの医療政策にも経路依存性があることを検証で明らかにしました。テクノロジーの周りにある制度も同じでしょう。そこには経路依存性があり、新しいテクノロジーにとって最も良い制度が選ばれるわけではなく、過去にどのような制度があるかが今の制度設計に大きな影響を与えます。なので、新しく生まれたテクノロジーにとっての最善の制度を今すぐ作ることができるかといえば、多くの場合は難しく、過去の制度や状況に基づいて作っていかざるを得ません。

14 Jacob S. Hacker, *The Divided Welfare State: The Battle over Public and Private Social Benefits in the United States* (Cambridge University Press, 2002)

ニーズの多様化と合意の難しさ

成熟社会の難しさはまだまだあります。一つは**社会の成熟が深まるにつれて、一様なニーズではなく、多様なニーズに対応することが要求されるようになる**ことです。生き方の多様性が認められることで、生きやすくなる人たちが増えることは素晴らしいことです。一方でニーズや生き方が多様になることによる新たな壁も出てきます。

まず多様性が増してくると、一つの物事を進めていくうえで調整する相手も多様になります。たとえば数十年前であれば、経団連がそれなりに経済界を代表していたり、農協が農家の集団を代表していたりしました。そのため、政策担当者が政策を決める際にも経団連や農協と調整をしておけばよかったと言われています。しかし現在は、一つの取り組みに対して関係者が多くなってきています。政策担当者からも、どこの誰と調整をすればそれなりの合意が得られるのか、関係者が多すぎて見えなくなっている、という悩みをしばしば聞きます。そして多様な関係者は、それぞれ要求するものが異なり、合意に至るのも難しくなります。また先述の通り、多様な関係者のなかには、新しい技術の社会実装によって損をする人々がいることが、さらにその調整を難しくします。特に価値観をめぐる合意形成は容易ではない傾向にあります。

多様なニーズが満たされる社会のほうが好ましいことはほとんど間違いありません。しかし多様性が高まることによって生まれる障害は確かにあり、それを乗り越える手段がなければ、新しい技術の実装は難しくなる一方でしょう。

合意形成という観点からはさらにもう一つ、**日本が縮減社会に突入しつつある**という点が合意形成をより難しくしています。

人口増加や経済成長が見込める社会においては、成長に伴って得られた財や利益をどう分け合うかや、税金の分配が主な争点でした。一方、人口減少や経済縮小の社会においては、負の配分の問題が多くなります。たとえば持ち主のわからない廃屋の撤去費用を誰が負担するのか、水道などのインフラをどこまで縮退させて街を整理していくのかといった議論です。このような負の配分の議論のときには「何もしない」や「より少なくする」などの消極的な合意に至りやすい傾向にあります。しかし、積極的に何かをやめなければ新しいことを始める余裕も生まれません。現在の日本においては、かつての日本社会とは異なる合意形成の方法論を模索していく必要があるのでしょう。

技術に対する懸念の増大

技術の導入に対して、良い面だけではなく悪い面を考えるようになることも、成熟社会の特徴です。

日本でも高度成長期は技術に対する信頼があったようです。技術によって生活水準が大きく上がったことで、人々の間で技術を導入することによる期待が高まっていました。そのころは、技術が導入されれば暮らしぶりが良くなることを、実感として感じられていたのです。

しかし技術が進展するにつれて、技術によって引き起こされるマイナス面も明らかになっていきます。たとえば日本で１９６０年代以降続出したのが公害問題です。当時の最新テクノロジーが人々の健康を明らかに害した事例が多数出てきました。現在の発展途上国でも、高度成長期の中盤以降には、経済活動を優先するあまりに市民の生活が脅かされる公害は問題になっています。中国やインドでのＰＭ２・５による大気汚染はその例だと言えるでしょう。国が成長するにしたがって、テクノロジーに対しての不信感は高まっていく傾向にあります。

そうなってくると、新たな技術の導入に慎重になる風潮が生まれてきます。近年でもＧＡＦＡなどのデジタルプラットフォーム企業の寡占の問題やプライバシーの問題などが話題になりました。社会が成熟するにつれて、こうした新しい技術が引き起こす新しい社会問題に対して人々は敏感に反応するようになります。その結果、新しい技術の導入をする前に入念な議論を行い、社会的な合意を得てから技術が導入されるようになるのです。

成熟社会における社会実装の課題のまとめ

ここまで成熟社会における社会実装の課題をいくつも挙げてきました。どの要因も極めて難しいものばかりです。

振り返ってみれば、高度経済成長期の日本では、以下のような背景があったために、新たな技術の社会実装が進みやすかったと考えられます。

・開発された技術は主に漸進的な進歩をもたらす技術だった。開発された技術の多くは採用され、経済的な価値を生み、生活の質を向上させていた。
・新たな技術によって得られる便益が大きかったため、技術全般に対する市民の信頼が高かった。その結果、新技術の導入について反論が少なかった。
・ニーズは比較的一様であり、合意がとりやすく、大量生産によってニーズを満たすことができた。

一方で、成熟社会にある現在は異なります。

社会実装における関係者が増え、多様になり、また新しい社会実装によって不利益を被る人も増えました。社会実装や科学技術が引き起こすリスクもよく知られるようになり、新しい技術の導入を諸手を挙げて賛成する機運もなくなりました。またすでに十分に生活の質は良くなっており、少しだけの改善では便益を得ることも難しくなっています。このような背景を考えると、日本ではかつてに比べて社会実装が難しくなっているというのは頷けるところでしょう（図2・6）。

図 2.6　社会実装を取り巻く状況の違い

状況	かつての日本社会	成熟した日本社会
課題の量	多い	少ない
理想の提示	見本があるため、容易	難しい
技術への信頼	高い	両面
ニーズの多様性	低い	高い
新システムから得られる便益	比較的高い	比較的低い
新システムで損をする関係者	少ない	多い

扱う範囲の限定

現代の社会実装には様々な困難があることを見てきましたが、だからといって、社会実装を諦めるべきだ、というわけではありません。**こうした困難を踏まえたうえで、どうやって困難を乗り越えていくかを考えること、つまり新しい社会における社会実装の方法論を模索していくこと**が本書の目的です。

ただしテクノロジーの社会実装全般を扱うと、どうしても範囲が広くなってしまいます。そこで以後の議論に進む前に、本書で取り扱う社会実装について、ある程度の限定をしたうえで議論を進めたいと思います。

デジタル技術の社会実装

本書ではテクノロジーとして、デジタル技術を中心に取り扱います。この理由は、第四次産業革命やソサエティ5・0と呼ばれる社会的な変化が、デジタル技術を中心に起こっているからです。そしてデジタル技術は過去数十年とこれからの数十年において、もっとも変化が激しく、影響力の大きい領域だと目されているので、まずはこの領域に絞って考えたいと思います。

なお、本書で提案するフレームワークや知見はバイオテクノロジーなど、ほかの分野でも使えるものも含まれていると思いますが、すべての領域でそのまま使えるわけではありません。ガバナンスの在り方については領域ごとに異なると考えたほうが良いことは付記しておきます。[15]

技術以外の要素

テクノロジーの社会実装を進めていくうえでは、テクノロジーの進歩や発展は欠かせません。しかし本書での議論は、テクノロジーそのものではなく、社会科学や政治の話を中心にしています。

というのも、テクノロジーを広めていくためにはこうした社会科学や政治の知見も必要だからです。これは工学の定義の中でも触れられており、1996年に8大学工学部長会議の下に設置された「工学における教育プログラムに関する検討委員会」では、工学（エンジニアリング）をこう定義しています。

「数学と自然科学を基礎とし、ときには人文社会科学の知見を用いて、公共の安全、健康、福祉のために有用な事物や快適な環境を構築することを目的とする学問である」

工学とは、決して技術だけにとどまるものではありません。テクノロジーを真に広めていき、社会でそのテクノロジーを使ってもらうためには、「社会との実装」という人文社会科学的な視点が必要になってきます。工学を扱うエンジニアも、技術を取り扱うビジネスパーソンも、自分たちの

15 城山英明『科学技術と政治』（ミネルヴァ書房、2018）

技術を広めるためには技術以外の視点も必要なのです。本書では主にそうした技術以外の話題を扱います。

日本での社会実装

また、デジタル領域において、個人情報などを含むデータの問題はグローバルアジェンダとして多くの行政機関で議論されています。こうした領域では、各国政府が足並みをそろえて社会実装をしていくことがビジネス的にも公的にも必要とされています。ただ、こうしたグローバルアジェンダは趨勢がまだ見えておらず、カバーする範囲も広大になってしまい、一冊の書籍では捉えきれません。

そこで本書ではグローバルアジェンダの日本展開ではなく、日本ローカルの社会実装のための議論を行うことに的を絞ります。グローバルでの議論を各国にどのように実装するのかについては、第四次産業革命センター（C４ＩＲ）などの組織が行っているので、そちらを参照してください。なお、本書の主な対象は国内での社会実装としつつも、比較をするために国外の事例も参照することがあります。

民主主義を前提

また本書では民主主義社会での社会実装を前提として、その手法を探っていきます。中国のような専制国家では、トップが決めれば実装は素早く進む傾向にあります。もちろんすべての事例においてそうだとは限りませんし、実際には中国でもボトムアップでの社会実装が進んでいる事例も多々ありますが、ある程度普及しそうなサービスを国として強く支援したり、逆に国の意向に反する企業やサービスには制裁を課したりと、トップダウンの傾向は民主主義国家に比べて強いと言えるでしょう。

そうした社会と比べて、日本をはじめとした民主主義国家では新技術の導入が遅れているように見えることもあります。確かにトップダウンで物事を進めるとスピーディーに社会実装を行っていけるかもしれません。しかし、強いトップダウンの体制では、トップが間違うと国民全体に大きな苦痛を伴うことは、先の戦争を見ていても明らかです。哲学者のカール・ポパーが第二次世界大戦中に執筆した『開かれた社会とその敵』で指摘するように、悪と不正を最小限に抑え、間違ったときに正せるような制度を維持していくためには、専制国家よりも民主主義を維持していくべきだと考えます。[16]

そこで本書では、社会体制を変えるべきだという立場を取るのではなく、民主主義国家において、多様なステークホルダーとともに社会実装をどのように進めていくべきかについての議論と洞察の

16 カール・ポパー『開かれた社会とその敵 第２部――予言の大潮 ヘーゲル，マルクスとその余波』（内田詔夫、小河原誠訳、未来社、1980）

提供を行います。

小さな社会実装

社会実装については様々な大きさのものがあります。本書では便宜的に「**大きな社会実装**」と「**小さな社会実装**」に分別して考えます。

たとえば「スマートシティの社会実装」を考えるとき、多くの人は5GやMaaSといった華々しい技術が活用された、理想の都市計画を想像するでしょう。メディアが取り上げるのも、そうした大々的な社会実装です。これを大きな社会実装と呼びます。大きな社会実装の例としては、原発やリニアモーターカーなど、インフラに近いものもあります。

一方で、市民の日々の生活における都市へのニーズは、コミュニティセンターの利用がインターネットで予約できることや、子育て支援の仕組みが簡単に検索可能になることであり、これこそが本来の意味でのスマートシティの社会実装だ、というような議論もあります。小さな進歩ではありますが、これらも確かに社会実装だと言えそうです。こういったものを小さな社会実装と呼ぶことにします。

大きな社会実装と小さな社会実装という二つの区分けで考えてみると、「スマートシティの社会実装」という同じ言葉でも、大きな社会実装としてのスマートシティと小さな社会実装としてのスマートシティとの両方が、語られていることに気づきます。ほかにも、「配送ロボットの社会実装」という言葉一つを取ってみても、「公道における自動運転による配送」という大きな社会実装から、「私道におけるみかん運搬用のロボット」などの比較的すぐに始められそうな小さな社会実装まであります。

それぞれの社会実装は方法論における力点が少し異なります。原発やリニアモーターカーの社会実装の方法論と、コミュニティセンターのオンライン予約の方法論とは大きく異なるのは容易に想像がつくでしょう。

本書では主に小さな社会実装の方法論を解説します。これは小さな社会実装から始めて、徐々に大きな社会実装をしていくという道筋のほうが、多くの民間企業はやりやすいと考えるからです。スマートシティのような一見大きな社会実装も、実は小さな社会実装の積み重ねによって実現される、というものも多いと考えています。

こうした前提を踏まえたうえで、次の章からは成功する社会実装の共通項を事例をもとに見ていきたいと思います。

COLUMN

実装への注目と理論の発展

「実装」という言葉は、科学の領域でも注目されています。

主に医療や教育の領域で、「実装研究（Implementation Research）」や「実装科学（Implementation Science）」、「普及と実装科学（Dissemination and Implementation Science）」という研究分野が、この10年で勢いを増してきました。科学的な研究成果と実装のギャップを埋めるために何をすればよいのかを研究し、その知見を共有するものです。

この背景には、科学的な知見がうまく現場に実装されていない、というもどかしさがあるようです。

「エビデンスに基づく○○」という言葉を聞いたことがある方は多いのではないでしょうか。１９９０年代から「エビデンスに基づく医療（ＥＢＭ）」の機運が高まり、２０００年代以降には「エビデンスに基づく政策立案（ＥＢＰＭ）」や「エビデンスに基づく教育（ＥＢＥ）」も注目されるようになってきています。たとえば「手術前にチェックリストを使うことで衛生状態が高まる」というエビデンスに基づいて、ＷＨＯは手術時のチェックリスト[1]を用意して医療機関への普及を試みています。

しかし一方で、これらのエビデンスや理論が十分に活用されているとは言い難い状況でもあります。たとえば手術前のチェックリストについては、その効果を説く『アナタはなぜチェックリストを使わないのか？[2]』が世界的にもベストセラーになり、チェックリストの利用がＷＨＯの推奨になったにもかかわらず、まだ現場には十分浸透して

1　WHO "Safe surgery"　https://www.who.int/patientsafety/safesurgery/checklist/en/
2　アトゥール・ガワンデ『アナタはなぜチェックリストを使わないのか？――重大な局面で“正しい決断”をする方法』（吉田竜訳、晋遊舎、2011）

いないと報告されています。[3]

医療以外の科学研究でも同様の現象が見られます。経済学の一分野であるマーケットデザインで有名なゲール＝シャプレーのアルゴリズムは、1962年に提唱された理論で、アメリカの研修医マッチング制度ではそれ以前から類似のやり方が使われていました。それにもかかわらず、日本での研修医マッチングにこのアルゴリズムが採用されたのは2004年度からでした。また、東京大学での進学振り分けでこのアルゴリズムの応用が始まったのは、理論が提唱されてから56年を経た2018年度からでした。

これらは、理論や実績ではほぼ実証されているのに、一部の現場を除いて「社会実装」されていない理論だと言えます。「技術はほぼ実証されているのに、現場では実装されていない」というのは、まさに本文で見てきたテクノロジーの社会実装でしばしば見られるのと同様の現象ではないでしょうか。

これらに共通していることは「より効果的、効率的になるというエビデンスがあるにもかかわらず、現場ではそれがうまく使われていない」、つまり実装されていない、ということです。エビデンス・プラクティス・ギャップ（evidence-practice gap）とも呼ばれるこの現象は、技術の社会実装と類似の問題だと言えるでしょう。

それぞれの実装が進まない理由は、領域によって異なります。たとえばエビデンスに基づく政策の導入は、「間違ってはいけない」とされる官僚機構との相性が悪く、十分に活用されているとは言えないことが指摘されています。[4] 医療の現場や教育の現場でもおそらくそれぞれに特有の理由があるのでしょう。

様々な領域で時を同じくして「実装」の問題が議論されているということは、決して悪いことではありません。これからおそらく多くの分野で様々な知見が生まれてくるということです。そのとき、それぞれの社会実装の方法を相互参照

3　Divya Jain, Ridhima Sharma, Seran Reddy. 2018. WHO safe surgery checklist: Barriers to universal acceptance, *J Anaesthesiol Clin Pharmacol*, Jan-Mar; 34(1): 7–10.
https://www.ncbi.nlm.nih.gov/pmc/articles/PMC5885453

4　鈴木亘「EBPMに対する温度差の意味するところ」、『医療経済学会雑誌医療経済研究機構機関紙』30(1), 1-4(2018) 所収
https://ci.nii.ac.jp/naid/40021760749/

しあうことで、お互いに実装に関する知見が深まっていく可能性も十分にあるでしょう。たとえば、実装科学の分野で頻繁に参照されている理論[5]である「実装研究のための統合フレームワーク（Consolidated Framework for Implementation Research）」や「RE-AIM評価モデル（RE-AIMはReach、Effectiveness、Adoption、Implementation、Maintenanceの略）」などは、テクノロジーの社会実装にも示唆を与えてくれます。

「実装」のフェーズはどの分野でもまだ難しいようです。だからこそ、私たちは一歩一歩、その方法を磨き上げていく必要があります。そして複数の領域で「実装」の課題が注目されている今はまさにそのタイミングなのです。

5　Sarah A. Birken, Byron J. Powell, Christopher M. Shea, Emily R. Haines, M. Alexis Kirk, Jennifer Leeman, Catherine Rohweder, Laura Damschroder, Justin Presseau. 2017. Criteria for selecting implementation science theories and frameworks: results from an international survey, *Implementation Science*, volume 12, Article number: 124
https://implementationscience.biomedcentral.com/articles/10.1186/s13012-017-0656-y

INTERVIEW

研究と社会実装

川原　圭博

東京大学　大学院工学系研究科　教授。2000年東京大学工学部電子情報工学科卒業、2002年に大学院工学系研究科修士課程、2005年に大学院情報理工学系研究科博士課程修了、博士（情報理工学）。2005年大学院情報理工学系研究科助手、助教を経て、2010年同講師、2013年同准教授、2019年より東京大学大学院工学系研究科教授。同年、東京大学インクルーシブ工学連携研究機構（RIISE）の初代機構長に就任。2011年から2013年にジョージア工科大学客員研究員およびMITメディアラボ客員教員を兼任。

RIISEについて教えてください

東京大学インクルーシブ工学連携研究機構（RIISE）のビジョンは「誰もが技術革新の恩恵を受けられる包摂的な社会の実現」です。そのビジョンを実現するために、コアとなる技術を東京大学の複数の部局から持ち寄って、教育・研究に取り組むための機構として立ち上げました。

RIISEの活動範囲は教育・研究だけではありません。大きく社会を変えるような解決策に取り組む社会連携を促進する機構でもあります。様々な分野の研究者たちと、民間企業が一緒になって未来のビジョンを実現するために、東京大学の中での「ワンストップ組織」として設計されています。

RIISEや川原先生の研究室で行われている研究についで教えてください

RIISEではメルカリと「価値交換工学」の社会連携研究を始めています。その研究の一つとして、風船構造のパーソナルモビリティpoimo（ポイモ）というものを開発しました。車体や車輪が風船構造で作られているため、空気を抜いて折りたたむことができます。折りたたむとカバンの中にも入るぐらいの大きさになり、かつ軽くて柔らかいので持ち運びも簡単です。

最近では、レンタル式の電動キックボードという選択肢もあります。しかし乗り捨てられたものが邪魔になったり、回収して充電するコストが大きくなったりしがちです。ポイモは持ち運べるので邪魔になりませんし、回収する必要もありません。また、柔らかいので、事故が起きても人がケガをする可能性も低くなると考えています。風船型のボディはカスタマイズ性が高いので、運転者の体型や好みの運転姿勢に合わせた設計が可能です。こうした研究が社会実装されることで、移動や輸送の自由度が高まれば、多様な人たちが文化活動や経済活動に参画できるようになり、包摂的な社会に一歩近づけます。

また無線給電の研究もしています。IoTをはじめ、私たちの身の回りには電子機器が増えつつありますが、機器が増えるにつれて給電のための配線や電池交換や充電の煩雑さも増えています。すでに私たちの身の回りでは、Qi（チー）のように置くだけで充電できる仕組みも使われ始めていますが、今の規格では1センチ離れると充電できません。

そこで私たちの無線給電システムでは、部屋に入るだけで充電が始まるような伝送距離を実現しています。私たちを給電や充電から解放するシステムです。IoT機器が増えても充電の煩雑さが増えることはありませんし、もしかするとバッテリーレスな端末も生まれるかもしれません。電源コードがなくなって部屋の中がすっきりすると、部屋の使い方もどんどん変わってくるでしょう。

実はポイモにも無線給電の技術を応用しています。将来的に、都市全体に無線給電インフラが設置されれば、バッテリーなしでの走行も可能になるかもしれません。

こうした研究の社会実装を行う上での課題は何でしょうか？

研究には新規性が求められる一方で、新規性があるがゆえに法がまだ整備されていなかったり、新しいものは怖いものとして認識されて、リスクを過大に見積もられて怖がられたりする点でしょうか。

たとえば無線給電の場合、電波という公共資源を利用するため、法制度を整えていく必要があります。また国際標準化などにも取り組んでいかなければなりません。利用者に安全性や安心面について理解をいただくことも課題です。私たちの無線給電の実験も、国際非電離放射線防護委員会（ＩＣＮＩＲＰ）のガイドラインの範囲内で実験を行っており、理論的には安全性は担保しているのですが、とはいえそれで安心してもらえるわけではないと思っています。そこで私たちは実験部屋を公開して、実際に一般の方々に体験してもらうことで、安全性や便利さを実感してもらう取り組みを行っています。

ポイモも東京都のロボット実証事業に採択され、実証実験を行っています。法的な側面で言えば、ポイモの場合、道路交通法上、ナンバープレートやバックミラーがなければ公道は走れません。しかし、そうしたものを付けてしまうと、折りたためるメリットなどが失われてしまうかもしれません。最初は空港の中やキャンパス内で使われるイメージですが、もし公道で走れるようにするとなると、そうした法制度と折り合いをつけていくことは今後必要になってくると思います。

研究の社会実装は今後どういう流れになるでしょうか？

工学系や情報系特有かもしれませんが、プロトタイピングのコストが下がってきたため、研究と実用化の境目がなくなってきており、社会実装の事例は増えてくるのではないかと考えています。そうした具体的な活用事例から新たな発見や研究が生まれることもあります。社会からも大学が社会実装に貢献することも求められているので、今後は自らの手で社会実装を行う研究者は増えてくるのではないでしょうか。一方で、研究者の役割というのは次のブームの種になるよう技術を開発していくことでもあり、バランスが難しいところですね。

ただ、足元の状況として、大学の公的な研究費がどんどん減っています。それを補うために、特に工学系の研究では、民間企業との共同研究や社会実装を行うなど、資金の供給源もこれまでと異なるところに作らなければならない、という面もあると思います。

今後はステークホルダーを実験に巻き込みながら、その社会実装は意味のあることなのか、ニーズがあるのかを探ることも必要だと思っています。テクノロジーを適切に活用すれば、経済的な格差、地理的な格差を解消することもできると思います。RIISEでの産学連携を通して、より公平で、より住みやすい、すべての人が活躍できるような、インクルーシブな社会を創っていければと思っています。

INTERVIEW

政治と社会実装

小林　史明

衆議院議員（広島7区）。「テクノロジーの社会実装により、多様でフェアな社会を実現する」を政治信条に、規制改革、特にデジタル規制改革に注力。自由民主党でデジタル社会推進本部事務総長を務める。第3次安倍改造内閣・第4次安倍内閣においては、総務大臣政務官兼内閣府大臣政務官として、電波・放送・通信関連の規制改革を推進し、楽天の新規参入、携帯キャリアのいわゆる2年縛りの是正など、政策面から通信業界の健全な競争環境作りを実現した。また、自民党行革推進本部規制改革チーム座長としても漁業改革、公務員制度改革などをもたらす提言をまとめた。

はじめに小林さんについて教えてください。

最初に就職したのはNTTドコモでした。しかしそこで様々な規制とぶつかりました。人の作ったルールの中で生きていくか、ルールを変える側に回るのか早く決めなければならないと思い、ルールを変える側に回ろうと思いました。

その後、2012年に衆議院議員総選挙で広島7区に自由民主党から出馬し、初当選、衆議院議員になりました。

どのような思いでテクノロジーの社会実装を進められているのでしょうか？

NTTドコモに5年半勤めて感じたことは、テクノロジーや通信を使うとフェアな世界が作れるということでした。たとえばこれまでの金融機関であれば、企業の規模、資本金、事業年数などで融資の調査をしていました。しかし今であれば、開店したばかりのラーメン屋さんであってもクラウド会計ソフトを入れていれば、毎日の売上や仕入れがすべてわかります。そうすれば、1か月程度運用すれば貸し出しすべきかどうかが判断できる、という時代になってきています。テクノロジーをうまく使うことで、努力が報われたり、実力が評価されたりする。そんなフェアな社会を作れる可能性があると信じています。

何年か政治活動をする中で、政治家は何をやっているのかよくわからないと言われることがあり、問題だと感じました。そこで自身のミッションを「テクノロジーの社会実装で、個人を自由に、フェアな社会を創造する」と掲げて、これに政治人生をかけることにしました。

政治を通してどのようにテクノロジーの社会実装を行っているのですか？

仮説に基づいて東京で大きな議論をまずして、その実態を地元で確かめる、ということをしています。そして地元で出てきた個別具体的な問題を抽象化して、日本全土でも起こっている問題についての仮説を東京に持って帰り、さらに議論をして解決策を政策として考案します。

東京で作った政策を自ら地域で実装していくことでフィードバックが得られ、修正点が見つかったり、より良い仮説が生まれたりします。そうして、地元と東京での二重生活を送ることで、大きな議論と現場とのフィードバックのループを回しています。

地方における社会実装の課題は何でしょうか？

何か新しいことをやろうとして、テクノロジーをそのまま持ってくると、地域は混乱してしまうという点ですね。新しいことをするときには、地域の合意形成を図ったり、この街にはこれが必要ではないかという提案をしたりする人が必要です。そういうことをするコーディネーターがいれば、技術は地域に実装されていくという実感があります。

議員はそのコーディネーターの一人です。議員としてテクノロジーによる新しい価値を提案する。そして賛同を得るために様々な情報を提供する。あるいは必要な資源をマッチングする。こうしたことを地域レベルでやることで、その地域に新しい産業が生まれますし、新しいテクノロジーが使われていくようになります。

また、地域に何らかの問題意識を抱えている人たちもコーディネーター候補になると思っています。コーディネーターにはテクノロジーの知識と信頼関係の両方が必要ですが、私はテクノロジーを知っている人を地域に送り込むのではなく、地域の課題を抱えている人たちにテクノロジーを後からインプットして考えてもらったほうがいいと考えています。テクノロジーはスキルや知識で、簡単なものであれば時間をかけずに学ぶことが可能です。一方で、信頼関係の醸成には時間が必要です。なので地域で信頼を持っている人を先に見つけ、そこに知識をインプットする方がよいのではないかと思っています。

地元にそうしたコーディネーターが見つからないという場合もあると思います。そんなときは新しいものを投げ込むためのフォーラムや実証実験をやると、徐々に感度の高い人が浮き上がってくる傾向にあります。そうした人たちを巻き込んでいくことで、徐々に物事が進んでいきます。

私自身、地元で地域活動の社団を立ち上げて、こうした実践を地域で行っています。これは政治活動とは別個でやっている活動です。

うまく社会実装を進めるためのコツは何でしょうか?

都市と地方との間の情報格差を解消することです。東京では当たり前のことが地方では全く知られていない、ということがときどきあります。

そんなときでも、少し情報を提供するだけで状況は変わります。たとえば地元では、女性だけを集めてインスタグラム活用のスクールをやりました。写真の加工やストーリーのポスト、ハッシュタグをつける——こうしたことは、東京では当然のように情報があり、当たり前に知られているかもしれませんが、地方ではそれを学ぶ機会がなかなかありません。でも、一度スクールをやってみると女性が集まってきて、どんどん街の情報をアップするようになりました。中長期的に見れば、街のブランドが上がっていくことにつながります。こうした些細なことでも、社会は大きく変わっていきます。

　改革は社会に実装しないと意味がありません。そのためには、まず国民の利便性を上げることが第一歩です。いきなり50億円をかけてスマートシティを作るよりも、公民館全部がスマートフォン経由で借りられて、さらにスマートロックで解錠・施錠できたり、LINEを通して行政手続きができるようになったりした方が、国民の皆さんは利便性を感じられるのではないでしょうか。スマートロックにすれば、災害が起きたときに誰でも避難所を開けられることができるようになり、単なる公民館の利便性の向上以上のものも提供できます。

　こうして地道に新しいテクノロジーを体験してもらって、人々に意識と行動の変容を促していく。一方で置いてきぼりを作らない。置いてきぼりになっている人を見落とすと、最後はその人にブレーキを踏まれることがあります。改革は国民と一緒に前進することが重要です。難しいものを説明せずに放っておくといつかそれがしこりになって出てきてしまいます。こうした人々の意識変容の部分をどうやって起こしていくかという観点も入れることで、社会実装の方法もクリアになっていくのではないでしょうか。

3
成功する社会実装　４つの原則

数々の社会実装事例の分析やインタビューを進めていくと、成功する社会実装には、いくつかの共通項があることに気づきました。本章では、事例を見ていきながら、成功する社会実装からの学びをまとめていきたいと思います。

社会実装の事例

Uber

一つ目の事例として取り上げるのがUber Taxiです。この数年、アメリカなど外国へ行ったときにUberを使って、その便利さに驚いたことがある人は大勢いるのではないでしょうか。

Uberのアプリを立ち上げ、来てほしい場所と行ってほしい場所を指定すると、すぐに車が目の前まで来てくれて、しかも正確に行きたい場所に送り届けてくれます。運転手はその土地に詳しくないかもしれませんが、道に迷うこともほとんどありません。なぜならスマートフォン上に地図があるからです。決済もアプリ上で行われるので、降りるときのお金のやり取りもありません。距離に応じて事前に支払い料金も決まっており、料金を高く取られる心配もないでしょう。移動中、運転手と車内で楽しい会話をして、良い体験をしたと思ったら、運転手の評価をアップすることができます。逆に悪い体験をしてしまったら、降車後にアプリ上で運転手の評価を下げることもできます。

一方、日本のタクシーの体験は日々改善されているものの、Uberのようなスムーズな体験はまだ実現できていません。たとえば迎車には追加料金が発生するためか、多くの人は道路に出て流しのタクシーを捕まえようとします。搭乗後も運転手の方に行き先を伝えてからカーナビに入力する時間が発生します。場合によってはカーナビはあるものの、カーナビを使わず、道に迷ってしまう運転手と遭遇したことがある人も多いはずです。目的地についても料金支払いにもたついたり、クレジットカードでの支払いを受け付けてくれなかったりと、Uberに比べるとスマートではない体験をしたことがある人も多いのではないでしょうか。

サービス面ではUberが日本のタクシーよりも上回る体験を提供しているとしましょう。そしてそのコアとなる乗客と配車のマッチング技術やスマートフォンアプリ、決済システムは日本でも展開可能です。

ではなぜ日本で普及していないのでしょうか。

しばしば指摘されるのは規制の問題です。Uberが日本で実施できず普及しないのは、白タク規制と呼ばれる規制があるからだと言われることがあります。少しだけ解説しましょう。

日本でタクシーは国からの許可を得た事業用の登録自動車として、緑色のナンバープレートをつけて走行しています。一方、個人の車は白色のナンバープレートです。個人が緑色のナンバープレートを取得せずに、白色のナンバープレートの車でお金を取って送迎することを規制するのが白タク規制です。もし許可なくタクシー業を営んだ場合、道路運送法により3年以下の懲役または300万円以下の罰金という罰則が科せられます。このような規制があるので、Uberが欧米で行っている、個人の自家用車を使ったタクシーサービスは日本ではそのまま展開できません。

しかしこうしたことはUber側も承知で、諸外国ではロビイングを行って、類似の規制を変えてきた経験があります。それではなぜ日本ではそれがうまくいかなかったのでしょうか。

Uberの戦略と日本の風土が合わなかった、という説があります。[1] Uberは基本的には「市場を押さえて既成事実化し、既成事実を持って国や自治体を動かしていく」という方針だと言われています。Uberのようなサービスは、利用者が増えれば増えるほど運転手も稼ぎやすくなるので運転手が増え、運転手が増えると利用者も車を捕まえやすくなり利用者も増える、という好循環が働きます。このように、利用者が増えることでサービスの価値も高まるネットワーク効果が働きやすいサービスの場合、先に市場を取るほうが競争優位性が得やすくなるため、先に市場を押さえる戦略は合理的にも映ります。しかし、日本ではよりマイルドな、調整型のやり方のほうが受け入れられやすかったのではないかと言われています。ここで日本でUberがどのように展開していったか振り返ってみましょう。

日本にUberが進出したのは2013年です。最初は日本の法規制に合わせた形でビジネス展開

1　Uber Japanで政府渉外公共政策部長を努めた安永氏らによる振り返りの論文で、詳しく述べられています。
安永修章、根来龍之「Uberの日本参入戦略はなぜ遅れをとったのか～ロビイングを含めた競争ダイナミクスの事例研究～」、『早稲田大学IT戦略研究所ワーキングペーパーシリーズ』No.61（2020）所収
https://www.waseda.jp/prj-riim/paper/814/

する予定だったそうですが、アメリカ本社側の意向で、白色のナンバープレートの個人の車と乗客をマッチングする「ライドシェア」を、法律に反してでも進めるという方向性になりました。その結果、本社側と日本支社は衝突し、日本のUberの初代社長は退職します。

２０１４年には合法な範囲内での個人タクシーのサービスを開始しましたが、その後のライドシェアを見据えているのではないかと規制当局や業界団体から懸念の声が上がりました。さらに業界団体との調整のないままサービスを開始したことは、Uberに対する信用という観点において後まで尾を引くことになります。２０１５年には福岡でライドシェア検証プロジェクト「みんなのUber」を開始したところ、国土交通省から行政指導を受けることになります。以下がそのときの国土交通省幹部の見解です。この時期の前後まで、Uberは日本政府や業界団体との調整をほとんどしていなかったようです。

- 国交省としては、2月5日の実験開始時点から、Uber側に「きちんと法令を守っているのか」「どのような実験プロジェクトになっているのか」ということについて再三、説明を求めてきたが、なかなか返答は得られなかった。
- 開始の2日前の夜に初めて説明を受けたが一番最初は「無償」との説明だった。こちらから質問する中でドライバーにデータ取得の対価を払うとの説明があった。口頭の説明だったため実験内容の詳細についての資料を求めたが翌日にも提出がなく、重ねて求めていた。

・Uber側から実験プロジェクトについての概要が示された契約書が提出されたのは2月の最終週。実験が始まってから半月以上が経過してからの事だった。加えて、契約書を確認したところ、問題と思える点が多々あった。[2]

規制、日本のビジネス文化、業界団体や規制当局との調整の薄さなど、様々な原因があり、日本でUberはなかなか広まりませんでした。しかしUberが普及しなかったのには、こうした理由も影響しているものの、そもそも市場に大きなニーズがなかったから、というのが私たちの調査の結果です。

日本の都市部は公共交通網が発達しているところが多く、東京では常にタクシーが道路を走っています。アプリを使わずとも、少し歩いて大通りに出れば、それなりの確率ですぐにタクシーに乗ることができます。都市部以外では多くの人々は自家用車を持っていますし、事前に呼んでおけばタクシーが迎えに来てくれます。それに日本のタクシーは他国に比べて安全であり、会計でぼったくられることもそうそうありません。確かに料金支払いで時間がかかったり、ときには道に迷ったりもしますが、ほとんどの場合、日本のタクシーは消費者の期待するサービスレベルに合ったサービスを提供してくれています。こうした環境下では、Uberのようなサービスを消費者が強く要望することはないでしょう。実際、日本の白タク規制に該当しない形のビジネスモデルを作り、規制の監督省庁も認める形で日本独自のライドシェア事業を行っている企業も数社いますが、２０２０

2 「国交省幹部が語る『Uberに行政指導を下した本当の理由』」NewsPicks、2015年3月10日 https://newspicks.com/news/866792

年現在、いずれの企業もビジネス展開に苦戦しています。[3]

他国でUberが流行っていない地域を見てみると、ほかの類似サービスがあります。たとえばフランス発祥のBlaBlaCarというサービスです。BlaBlaCarはヒッチハイクのネット版とも呼ばれており、Uberが始まる以前の２００６年からＥＵ諸国を中心に、主に長距離の移動手段として親しまれてきています。現在ではＥＵ圏を中心に20か国以上で使えるサービスとなっています。BlaBlaCarが流行した背景の一つとして、ＥＵ圏で長距離を移動しようとしたとき、電車網がそこまで張り巡らされているわけではなかったから、という理由がしばしば挙げられます。長距離を移動するには主に飛行機か長距離バスしか移動手段がなく、都市間の移動手段としてBlaBlaCarが選択されるケースが多いそうです。

このBlaBlarCarのある地域では、Uberは苦戦しています。それは、BlaBlarCarという別のサービスによって課題がすでに解決されているからでしょう。日本でも同様に、既存のタクシー業界がすでに基本的な課題を解決しているから、Uberを求める声がそれほど強くならないのではないかと思います。

たしかにUberのビジネスモデルやマッチングアルゴリズムなどのデジタル技術は優れたものなのでしょう。しかし上記で見てきたように、技術やビジネスモデル単独だけでそのサービスが普及するかどうかが決まるわけではありません。その技術やビジネスモデルを社会の中にどのように位置付けるかがその価値を決めるのです。

3 「『日本版ライドシェア』運営会社の厳しい実態」
東洋経済オンライン、2020年11月21日
https://toyokeizai.net/articles/-/390317

もちろん、社会から比較的独立して発展してきた技術領域もあります。たとえばインターネットという領域が商用利用に開放されたのは1990年代と歴史が浅く、その後の十数年はどの国においても既存のプレイヤーはそう多くいませんでした。その結果、一つの国のモデルをほかの国に応用していくことは比較的容易で、グーグルやフェイスブックなどは全世界に広がったと考えられます。

しかし移動やその他の産業は、国土の在り方や都市計画なども関わりながら、それぞれの国で独特な発達を遂げています。こうした領域では、純粋なインターネット企業がこれまでやってきたやり方を踏襲できるわけではありません。そしてUberのようなシェアリングエコノミー型のサービスは、既存の規制と関わる部分が多く、社会と調和しながら進めていくことが重要な領域だったと言えるでしょう。

なお2020年現在、日本でのUberはUber Eatsという別のサービスを主力にしながら、タクシーサービスについては日の丸リムジン、東京エムケイ、エコシステムと連携してタクシー配車を実現しており、アメリカとは異なる形で展開しています。

Airbnb

もう一つ、シェアリングエコノミーに大きな影響を与えた企業としてAirbnbを事例として取り上げてみましょう。

２００８年に設立されたAirbnbは「Belong Anywhere（どこにでも居場所がある）」という言葉を掲げ、従来のホテルでの宿泊とは異なり、人々とのふれあいやつながりを旅先で感じることができる体験をマッチングプラットフォームを介して提供しています。従来のホテルや旅館と異なる特徴として、Airbnb自身は宿泊施設を所有・運営しておらず、ホストと呼ばれる自宅や空室を提供するユーザーが宿泊施設を所有・運営しています。

Airbnbはアメリカで始まりましたが、ビジネス展開は世界中に広がり、多くの海外旅行客が利用しています。ＵＮＷＴＯ（国連世界観光機関）によれば、１９９５年に約5億人だった海外旅行者総数は、２０１８年には約14億人となりました。新型コロナウィルスの流行が始まるまで、２０１０年代の海外旅行者総数は全世界で年率約４％の成長率で増えており、こうした観光についての国際的なニーズの高まりがAirbnbの成長を後押ししたと言えるでしょう。

Airbnbのビジネスモデルや技術はそれほど難しいものではありません。ただしAirbnbのビジネスを行うには宿泊施設を提供するホストが各国の法律に準拠する必要があります。各国で旅館営業のための法律が異なるため（たとえば日本のように旅館業のライセンス規制という国もあれば、都市計画の規制という国もあります）、それぞれの国や地域で折衝を行いながら拡大を目指さなければなりません。もしくはそうした法を無視して既成事実を作ってしまうかです。

Airbnbの日本への進出当初からこれまでの動きを振り返ってみましょう。まず２０１４年、

Airbnbは、営業許可の取得を利用者である宿泊施設のホストの自己責任としてゆだねる形でスタートしました。

　通常、民宿などの宿泊施設の運営には自治体の許可が必要で、旅館業法や建築基準法、そして自治体の条例がある場合には条例の定めによる防火・防災設備を用意しなければなりません。旅館業のライセンスは厳しく、建築基準法や消防法の定めによる耐震基準やスプリンクラーの設置、非常口の数の確保など、おおよそ一般人には難しい設備投資をしなければライセンスの取得はできません。

　２０１５年、政府が外国人観光客による経済振興の方針を出したことを受けて、民泊を後押しする法整備が行われました。特区法に基づく民泊特区の指定です。その特区においては認定を受ければ、年間営業日数の制限を受けることのない民泊の運営が可能となりました。この特区民泊の認定には旅館業の許可よりも手間やコストがかからず、「最低宿泊日数は2泊3日以上」という制限を守りさえすれば営業日数の制限もないため、ビジネスとしての民泊の運営に採算が取れると見込む個人や事業者が増えました。

　ただこれは、特区として指定された地域にかぎられたものです。それ以外の地域で無許可で民泊を営む個人や事業者も多数おり、そうした民泊での騒音問題やゴミの散乱などの問題が多発したため、ルールの明確化が求められるようになりました。

　これを受けて、２０１８年に住宅宿泊事業法（民泊新法）が施行されました。この民泊新法に準ずると、申請は比較的簡単になるものの、年間で最大180日しか営業できないという制限がかかります。つまり、宿泊施設としての部屋の稼働率が最大50％になる、ということです。個人の邸宅の一部を貸す形でやっているのであれば、この法律が施行されてもほとんど問題がなかったでしょう。しかし民泊を事業として行っている事業者は、180日しか稼働できない部屋を持つことになり、この法律の施行後には、採算が合わないと判断して Airbnb から撤退する事業者もいました。

こうして民泊に関する法整備が進む中、Airbnb は早くから日本の行政との折衝を行ってきています。

たとえば京都市では、2018年に「京都市旅館業法の施行及び旅館業の適正な運営を確保するための措置に関する条例」が施行されました。新しい条例は主に小規模宿泊施設に対して適用されるもので、宿泊施設内にスタッフが24時間常駐することが義務付けられました。

しかしその条件では事業の継続が難しいホストも出てきたため、Airbnb は京都市に働きかけます。その結果、「施設外玄関帳場に人がいる」こと、ならびに「10分以内・800メートル以内にいて駆け付けられる」ことで、24時間常駐と同じような安全性を担保して継続できることになりました。2020年3月末までは経過期間とされ、新しい条例に基づいた運営は2020年4月から求められる、という措置も行われています。

Airbnb は2019年から条例に関するコミュニケーションをホスト側に対して行い始め、勉強会の実施やヒアリングを通してホスト側の懸念を吸い上げました。勉強会では京都市の担当者も説明を行い、届け出を行うための行政書士との相談会などの場もAirbnb側が提供しました。さらに運営している宿泊施設が改正条例への対応が必要かどうかを照会するための新制度を設けてもらい、Airbnb側がその照会の代行をするなどの支援を行いました。そして新条例に適応した施設以外はプラットフォーム上から予約ができなくなるなどの対応も取っています。つまり、Airbnbの取ったアプローチは行政とユーザの両方を調和させるようなものでした。

また宿泊税についても課題がありました。Airbnbを使う観光客はその自治体の有する観光資産を見に来ているのであって、そのために民泊を利用しています。自治体はホテルや旅館から宿泊税を取ることで、その税金を自治体の資産の価値向上に充て、さらにその自治体の魅力を増したり、観光客のごみの処理などに充てたりもしています。こうした税金を望むのは自治体にとっても、旅館業者にとってもフェアな取引と言えるでしょう。しかし個人で民泊をするとなると、その税金を払いたくないと思い、実際に税金を滞納してしまう人も出てくるかもしれません。こうした行政側の懸念に対して、Airbnbは各地方自治体と連携してホストから宿泊税の徴収をしたり、税金の処理を代行したりしています。

居住区に見知らぬ旅人が入ってくるのを嫌がるマンションもあります。この問題への対応策として、日本のAirbnbは宿泊情報の掲載前に、ホストにマンションの管理組合の許可証をとれているかどうかを一つひとつ確認する、という手段を取りました。許可証が正しく発行されているかを確認することを通じて、マンションの管理組合の意思決定を尊重できます。このようにAirbnbはホストの法令遵守を助ける取り組みを丁寧に行うことで、地域やマンションの管理組合と共生をしようとしたのです。

ここまで見てきたように、Airbnbは行政や管理組合などのステークホルダーとユーザーとの調和的な取り組みに積極的でした。その中で繰り返されていた言葉は、Airbnbのミッションである「Belong Anywhere（どこでも居場所がある）」です。この理想を実現するために、無理を押し通して周りから嫌われるのではなく、そこに住む人たちの理解を得ることで、旅をする人たちに本当に良い体験を提供しようという努力があったのです。

Airbnbは彼らのミッションをホストやゲストに丁寧に伝え、そしてAirbnbのローカルでの展開をホストやゲストに手伝ってもらっていることで知られています。それは彼らが目指す「Belong Anywhere」というミッションが、従業員だけではなくユーザーの心をも打つものだからでしょう。そうした広く受け入れられる、人々が良いと思うミッションに支えられた事業は、様々な面で強くなることができる好例です。

マネーフォワード

これまでの事例は、すでに国外で需要が確認されているサービスをどうやって他の国で展開するか、というものでした。外国の一部ではすでにニーズがある中で、他国に展開するときに社会との折衝でうまくいった例としての Airbnb、参入初期に失敗した例としての Uber を挙げました。

ここからは日本のスタートアップの例として、マネーフォワード社を取り上げたいと思います。

マネーフォワード社は2012年に設立されたスタートアップです。「お金を前へ。人生をもっと前へ」をミッションに、「すべての人の、『お金のプラットフォーム』になる」をビジョンに設定し、家計簿アプリのマネーフォワードMEなどを提供しています。

お金を扱うアプリともなると、信用されるかどうかが大きな問題となります。しかしスタートアップ企業は実績がないため、なかなか信用されません。

そこで彼らが取ったアプローチは、本当に地道なものでした。たとえばウェブページに役員が顔と経歴を出し、会社のビジョンを載せて、怪しい人たちではないというのをアピールしたそうです。また週刊メールを定期的に発信したり、株主に信用度の高い人を揃えたりすることで、信用を獲得しようと動きました。取り組みの中には、アプリのレビューに対してすぐにコメントを返すなど、きめ細かなものもあります。

また全国銀行協会が出していたガイドラインに沿った活動を行い、業界の慣習にも沿うようにしました。スタートアップといえば、既存の仕組みを壊して新しいことをする、というのが定石のようにも思えます。しかしマネーフォワード社はもっと堅実な道を歩んでいくことで、着実に実績を重ねていきました。

2013年からは自社の公式ブログで FinTech に関する情報発信を始め、会社設立からわずか

3年後の2015年にFinTech研究所を設立、FinTechに関する中立的な情報発信を行っていきます。活動内容は、研究会の開催、資料や調査の公表、ニュースレターの配信などです。[4] こうしたブログでの情報発信や地銀との業務資本提携を始めることで、様々な研究会や勉強会に呼ばれるようになっていったそうです。

ここから徐々に政策関係者との関わりが増えてきます。FinTechに関するブログを機に、官庁での研究会などに呼ばれるようにもなりました。そういった場でも、自社への利益誘導ではなく、ユーザーや公益に利する発言をすることを徹底したそうです。そしてビジネスとして自社の事業を行いながらも、企業としての意見を積極的に社会に発信し、社会への貢献活動を実践していくことを繰り返す中で、政府の議論にも参加するようになりました。そうした努力が実り、2017年には銀行法の改正にも貢献しています。

マネーフォワード社がこうした政策の議論に入っていった背景には、自社の事業の中で法律的にグレーゾーンにあたるかもしれない領域をどうにかする、という目的もありました。設立当初、マネーフォワードMEのサービスは、ユーザーの金融機関への登録IDやパスワードを預かり、ウェブスクレイピングという手法を用いてユーザーの代わりに口座の残高情報などを参照していました。この方法については全国銀行協会がガイドラインを出しており、ガイドラインには反してはいませんでした。しかし、リスクがあると指摘される可能性があったそうです。[5] サービスのユーザーが100万人を突破して、次の成長を見据えたときに、そのグレーゾーンと見られるかもしれない

4　「『マネーフォワード Fintech 研究所』設立のお知らせ」株式会社マネーフォワードプレスリリース、2015年7月20日
https://corp.moneyforward.com/news/release/corp/20150720-fintech-lab/

5　「ユーザーの信頼を得て、"FinTechの顔"へ――マネーフォワードのパブリックアフェアーズ－前編」Public Affairs JP、2020年6月25日
https://publicaffairs.jp/interview_toshiotaki_20

領域をはっきりさせる必要がありました。そこで自社事業のリスクを緩和しながら、事業を拡大していくためにも、銀行法をアップデートする取り組みに力を入れていったのです。その結果か、2016年、2017年と2年連続で銀行法が改正され、より安全な形でユーザーの情報にアクセスできるようになる銀行API公開の努力義務が、銀行に課せられるようになりました。

Airbnbと同じく、マネーフォワードもミッションにこだわっています。同社の事業活動に通底する「お金を前へ」というミッションは創業当初から変わっていません。そしてそのミッションが公益に利するものでもあるからこそ、銀行や政府といったいわゆる「お堅い」人たちも巻き込んでいけたのではないでしょうか。

自治体——加古川市の見守りカメラ

ここまでは事業者による取り組みが中心でした。次に自治体の取り組みとして、兵庫県加古川市の事例を見てみましょう。

加古川市では、小学校の通学路や学校周辺を中心に、見守りカメラというカメラが設置されています。単なるビデオカメラではなく、見守りカメラにはBLEビーコンタグ検知器（ブルートゥースを使って位置情報の検知を行う機器）が内蔵されており、子どもや認知症で行方不明になる恐れのある方々がビーコンタグを持っておくことで、位置情報の履歴を家族に知らせるサービスを展開しています。こうしたサービスは技術者であれば多くの人が思いつくものですが、それでも自治体のほとんどでは導入されていません。

加古川市はこのサービスの運用のために、年間約1億円のコストを支払っていると言われています。加古川市の年間予算は約800億円と言われており、その中から1億円のコストを支払うのは相当大きな投資だと言えるでしょう。市民の理解を得るのはなかなか大変なはずです。

それではこの社会実装を行うために、加古川市はどのようなことを行ってきたのでしょうか。まず、加古川市はそもそも「犯罪率が比較的高い」という課題を、行政も市民も認識していました。その中でどうやって「子どもたちの安全」を守るかという課題は、特に重要であると思われていたようです。

そこで加古川市は見守りカメラという案を進めていきます。まず町内会をベースに、市内12会場で説明会を実施。それぞれの説明会では、市長が出向いて説明を行いました。さらに広報誌やホームページを通して市民アンケートを実施し、862名から回答を集め、98・6%の賛同を得ています。

設置場所については、学校周辺や通学路、犯罪の発生状況などを加味して約1500カ所の設置場所を選定したうえで、警察や町内会、PTAからの意見を聴取して設置個所を絞りました。つまり、単に「こう決まりました」ということを市民に伝えるのではなく、市民と一緒にこのプロジェクトを進めていこうと努力したのです。

カメラといえば気になるのは個人情報です。マスメディアからは監視ではないかと批判されることもありました。ただ加古川市は、施策を進めるなかで並行して、加古川市情報公開・個人情報保護審査会への報告や、住民の意見を集めるパブリックコメントの実施を随時行っています。住民の不安を和らげるために、映像を特定の用途以外には使えないようにする条例も制定しました。またプライバシーへの配慮から、玄関や窓がカメラに写りこむ場合、特定の個所を黒く塗りつぶして撮影しない、といった対策もなされています。

周知にもコストをかけています。電柱広告などを用いながら、民間企業の広告主と協働して見守りカメラの設置について市内外に広くＰＲを行うことで、周知徹底に努めました。

カメラは今や新しい技術というわけではありませんし、カメラを設置すること自体は私有地や企業内であれば簡単にできます。しかし広く社会が関わる場合、その技術の社会実装には地道な調整が必要です。そして加古川市では、自治体の首長自らが動き、自治体の職員一人ひとりが丁寧に説明を行い、公的なプロセスを経ながら市民に参画してもらうことで、合意形成をうまく行っていったと考えられます。

国――コンタクトトレーシングアプリ

自治体の次は国全体での社会実装を見てみましょう。

2020年に全世界を襲った新型コロナウィルスは、各国が横並びで対応しなければならない新種の脅威でした。そしてその対策として、接触追跡アプリが各国で開発されました。本書では世界的に使われているコンタクトトレーシングアプリという言葉を使います。

このコンタクトトレーシングアプリは、複数の国がほとんど同時にリリースしました。技術的にも、いくつかのパターンに別れはするものの、ほぼ同じ技術を使っています。タイミングも技術もほぼ同じなのに、各国によってインストール率が大きく異なっています。これはどうしてでしょうか。もちろん文化の差もあるかもしれませんが、この状況を紐解くことで社会実装のヒントにもなりそうです。

まず日本でのコンタクトトレーシングアプリのダウンロード数を見てみましょう。2020年6月にベータ版がリリースされ、8月26日時点で約1500万ダウンロードとなっています。2018年時点でスマートフォンの普及率が約65%であり[6]、約8000万人が持っているとされる中で、1500万という数字はそれなりの数字になっていると言えるでしょう。また国民的アプリであるLINEが、2011年当時のリリースから3000万ユーザー登録に達するまで約15か月かかったことを考えると、かなり善戦していると言えます。

他国を見てみると、人口約6700万人のフランスでは、同種のアプリStopCovidのダウンロードは約200万に留まっています。しかもダウンロードした人の約半数がのちにアンインストールしてしまったそうです。一方、先進国の中では、人口約8300万人のドイツのCorona-Warn-

6 総務省『令和元年版 情報通信白書』「第2部 基本データと政策動向」
https://www.soumu.go.jp/johotsusintokei/whitepaper/ja/r01/html/nd232110.html

Appが、9月1日時点で１７８０万ダウンロードを超えており、[7]人口の20％以上の人たちがインストールしたという結果になりました。リリース日は日本より3日早い、6月16日でした。

ではドイツはどうやって、先進国の中でも成功事例となったのでしょうか。

まずコンタクトトレーシングアプリでどの国でも問題になったのはプライバシーです。そこでドイツ政府はプライバシーについての懸念を払拭するため、ＥＵ一般データ保護規則（ＧＤＰＲ）との整合性の見解を発表しました。さらに雇用主が従業員に対してダウンロードを義務化することなどがないように、ダウンロードの任意性を担保するための議論も行われ、政府としての見解が示されました。

さらにアプリの開発の透明性を担保しました。開発の主体となったのは政府から委託を受けたＳＡＰなどの民間企業ですが、ソースコードはソフトウェア開発のプラットフォームのGitHubで公開されています。こうして開発の透明性を高め、目的外で個人情報を利用するような動作をしないことを外部からチェックできる体制を作りました。またソースコードを公開しているため、開発自体に市民参加が可能になり、アプリが迅速に改善されていきました。

政府がコミュニケーションを戦略的に行った点も他国と大きく異なる点です。まず広報予算として３５０万ユーロを確保し、ダウンロード推進に充てています。さらに政治家や企業のトップがアプリをダウンロードしていると表明したり、メルケル首相がアプリの意義について直接語るビデオメッセージを公開したりしました。[8]政府からの説明では、アプリがどのように動いているかも明快

7 Which European countries' coronavirus phone apps have had the most success?, *AFP/THE LOCAL*, September 9, 2020
https://www.thelocal.com/20200909/do-any-of-europes-coronavirus-phone-apps-actually-work

8 tommie116 @ ベルリン「なぜドイツの Corona-Warn-App はダウンロードされているのか」等を参考にしています。
https://note.com/vontagzutag/n/n0bd4de56e45e

で、このアプリがコロナ対策の全体戦略の中でどのような位置づけにあるのかもきちんと解説されています。どの年代にも対応するために、アプリについての疑問を電話で受け付けるフリーダイアルも用意していました。

ドイツでは従来から政府がオウンドメディアでの発信も行っており、これも功を奏しました。マスメディアを通して国民にコミュニケーションをするだけではなく、自分たちの言葉と自分たちのペースでコミュニケーションを行う体制が整っていたのです。そうすることで、マスメディアを介したときに起こるミスコミュニケーションを極力少なくすることもできました。

このように、ドイツのコンタクトトレーシングアプリでは市民に対して語り掛けることや、その試みに参加してもらうこと、そして何より国民に対して真摯に説明を行うことで、社会実装を比較的うまく行えた事例となっています。

事例からの学び

四つの原則と一つの前提

これまでいくつかの社会実装の例を見てきました。それぞれの例の中にも成功と失敗が織り交ざっているので、それぞれを「成功例」「失敗例」と断定するのは難しいかもしれません。しかし、キャズムを超える程度に普及したかという観点で成功と失敗を整理したとき、それぞれの事例からいくつかの特徴を見出すことはできそうです。

本章で挙げたものに限らず、複数の事例を分析していくと「成功する社会実装」には、四つの原則があるようです。

①最終的なインパクトと、そこに至る道筋を示している
②想定されるリスクに対処している
③規則などのガバナンスを適切に変えている
④関係者のセンスメイキングを行っている

図 3.1 四つの原則と一つの前提

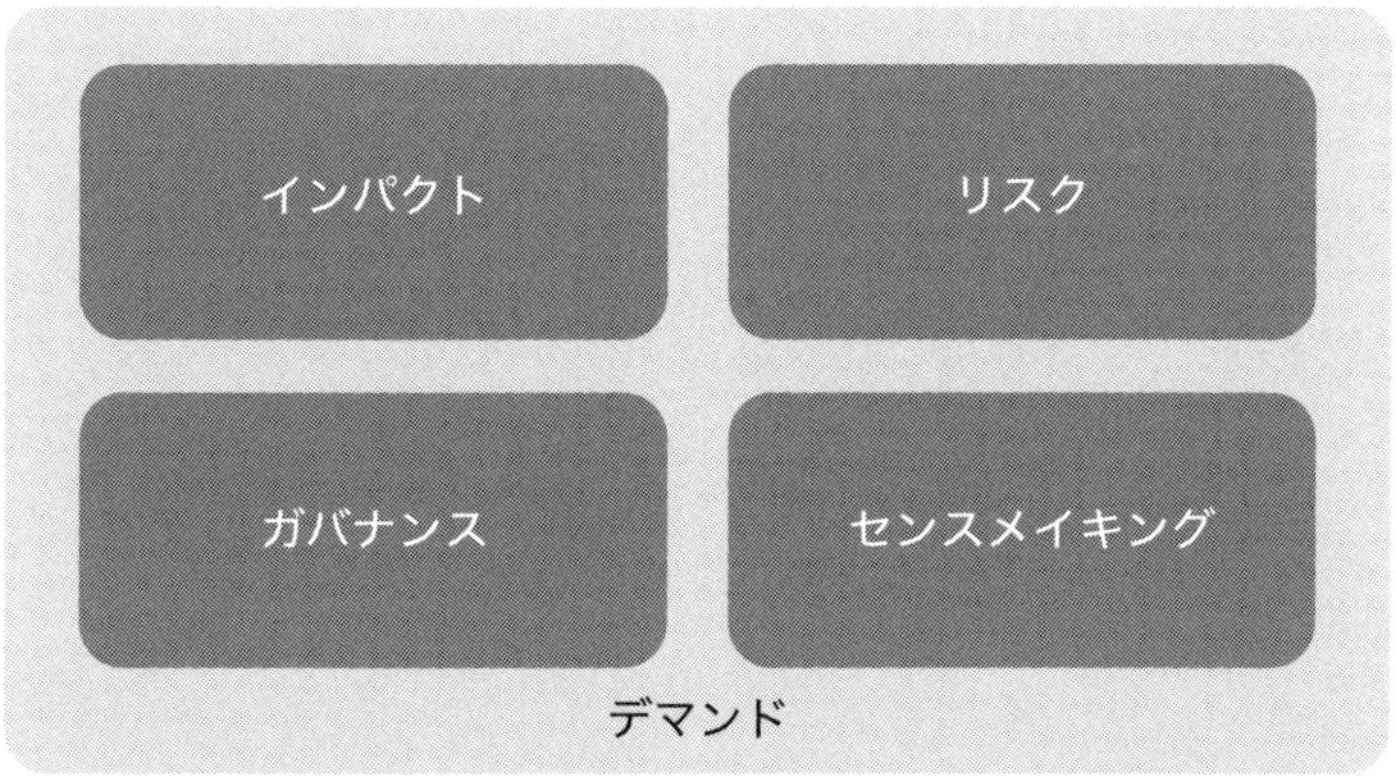

以降の章では、それぞれの要素をより詳しく見ていきます。それぞれの言葉の意味は各章で解説します。ただ、特に「センスメイキング」はあまり聞いたことがない人も多いかもしれません。ここではセンスメイキングは「納得」や「腹落ち」という意味であると解釈しておいてください。

先ほど挙げた事例では、Uberがうまくいかなかったのは、この四つが不十分だったからだと言えるでしょう。配車サービスが普及することによる社会的なメリットや影響（インパクト）の訴えもそれほどなく、そもそも白タク規制で何のリスクを緩和しようとしていたのか、規制の歴史にもそれほど配慮が払われていませんでした。また規制当局とのガバナンスの調整や、業界団体という関係者へのセンスメイキングをあまりしていなかったことが、最終的に壁となって立ちはだかりました。

ただ先述のとおり、私たちは、Uberが普及しなかったのは、そういった理由も多少はあれど、そもそも市場に大きなニーズ、言い換えればデマンド（需要）がなかったからだと考えています。

つまり、この四つの原則を満たすためには、**社会実装をしようとしているテクノロジーに対するデマンドがある**という前提が必要なのです。四つの原則の話に入る前に、このデマンドについて見てみましょう。

デマンド

「市場にデマンドがなかった」という失敗

社会実装を成功させるには、その社会実装に対するデマンド（需要）がなければならない、と書くと、あまりに当然すぎるように聞こえてしまうかもしれません。しかし私たちがこれまで調べた社会実装の事例を調べていくと、共通している最も大きな失敗要因は「その社会実装に対するニーズやデマンドが十分になかった」という点に尽きます。

実際、スタートアップや新規事業が失敗する理由の最も多くが「市場に需要がなかった」ということが、スタートアップの調査を行っているCB Insightsによって指摘されています。[9] Yコンビネータというアメリカで最も成功しているスタートアップ支援組織も「Make Something People Want（人が欲しがるものを作れ）」と何度も何度も起業家に伝えているそうです。つまりそれだけ、忘れられやすく無視されやすいということなのでしょう。多くの人は顧客の課題がそれほど大きくないもの、顧客の痛みが少ないものに対して解決策を作ってしまいがちなのです。

社会実装も同様に、その失敗のほとんどは「そもそもその新しい製品やサービスにデマンドがなかった」からです。

9 The Top 20 Reasons Startups Fail, *CB Insights*, November 6, 2019
https://www.cbinsights.com/research/startup-failure-reasons-top/

社会実装を試みようとしているときは何かを解決しようとしているはずです。なのに「デマンドがない」という状況が発生してしまうのは、よくよく考えてみれば奇妙な状況です。では、なぜこういう状況が起こってしまうのでしょうか。

一つには、既存の技術のほうが課題を解決しやすい、という場合があります。たとえば自動車よりも10倍程度高い価格で、空飛ぶ車が開発できたとしましょう。確かに空を飛べば道路の混雑状況をそれほど気にせず移動できるかもしれません。しかし、それほど緊急で移動したいというニーズがどの程度あるのかはまだわかりませんし、ヘリコプターという既存の解決策でもよいかもしれません。

前述の「日本で社会実装が難しくなった背景」で書いた通り、先進国ではすでに多くのサービスが提供されているため、新しいサービスや製品から得られる便益は相対的に少なくなってしまいがちです。特に従来と異なるやり方を提示する場合、大きなメリットがなければなかなか乗り換えることはできません。

一方で、新しい技術には一部の人が過熱しがちということもあります。たとえば近年では、ブロックチェーンというテクノロジーが注目されました。ブロックチェーンの黎明期で起こっていたことは、ブロックチェーンという技術だけがあり、ブロックチェーンで解決できそうな課題を多くの人が探している状況だったと言えるでしょう。

しかし、そもそも技術が新しいかどうかはユーザー側にはどうでもよいことが多いのです。それよりも、ユーザーにとっては、その技術で自分たちの困りごとが解決されたり、新たな満足を得られたりするほうが大事です。新しいからといって興味を持ってくれる人はイノベーターと呼ばれる人たちくらいで、それ以外の多くの人たちは新しい技術にそれほど興味を示しませんし、それどころか訝しむような目で見られることのほうが多いのではないでしょうか。重要なのは技術の新しさそのものではなく、その新しい技術で、これまで解決できていなかった顧客の課題を解決できるかどうか、です。

振り返ってみれば、**近年のイノベーションとして挙げられる例を見てみても、必ずしも最新の技術を使っているわけではありません。**事例として挙げたAirbnbやUberなども、スマートフォンは使いこそすれど、初期のビジネスでそのテクノロジーが最先端だったかといえば、そうとは言えません。ビジネスを拡大する時期には、最新のＩＴ技術を駆使して、スケールできるシステムを構築しました。しかし決して初期から最先端の技術を使ったわけではありませんでした。フェイスブックやネットフリックスも同様です。彼らが最初に作ったのは、フェイスブックの場合はウェブアプリケーションであり、ネットフリックスに至ってはＤＶＤの配送サービスでした。ネットフリックスの創業者の一人は技術者であり、そのバックグラウンドがあったことでビデオストリーミングサービスへと拡大できたことは間違いないでしょう。しかしグローバル企業の現在の姿がテクノロジー企業だったとしても、始まった時点から最先端のテクノロジーを使っていたかというと、決してそんなことはないのです。

サプライサイドからデマンドサイドの視点へ

社会実装の成功例に共通しているのは、あくまで課題やデマンドにフォーカスして社会実装を進めていることです。逆に社会実装が失敗する最も大きな原因の一つは、「技術を導入すれば、課題が解決される」という発想にあると私たちは考えます。

ここで社会実装には**「サプライサイド(供給者側)」に立った社会実装と「デマンドサイド(需要者側)」に立った社会実装がある**[10]、という見方をしてみましょう。供給者目線と需要者目線とで物事の見方は大きくは変わります。

この分け方に沿うと、これまでうまくいかなかった社会実装は、サプライサイドの視点が強いものが多いという傾向が見えてきます。逆にうまくいった社会実装を見ていると、デマンドサイド、つまりユーザーに寄り添って考えているものが多かったのです。

私たちは社会実装をするときに、まず「**サプライサイドからデマンドサイドへ**」と発想を転換しなければならない、と考えます。

特に日本では「テクノロジーの社会実装」と言ったとき、「研究開発された技術をどのように社会に実装していくか」という技術開発サイド、いわゆるサプライサイドの考え方が中心になりがちです。これは社会実装という言葉が科学技術振興機構のプロジェクトで使われ始めたことも影響しているのかもしれません。

10 サプライサイドとデマンドサイドは、経済学の分野でしばしば使われる言葉です。なお、政治の分野でも同様に、サプライサイドとデマンドサイドに分けられるケースがあります。
その点については、コリン・ヘイ『政治はなぜ嫌われるのか——民主主義の取り戻し方』(吉田徹訳、岩波書店、2012)等で詳しく語られています。

面白そうな技術があるからと、それを使ってくれるユーザーやそれに適する課題を探すような考え方は「SISP（Solution in search of a problem）」とも呼ばれています。直訳すると「課題を探している解決策」です。もちろんこれがうまくいくケースもありますし、基礎研究の応用を探すときにはどうしてもそのようなアプローチが必要な場合もあるでしょう。しかしこの姿勢が社会実装で最も多く見られる失敗の原因なのです。

こうしたサプライサイド視点で社会実装を考えてしまうと、「単一」かつ「最新」の技術で解決できる問題を探しがちになってしまいます。単一の技術の進歩で解決できる問題ももちろんあります。たとえば、すでに解決されている課題について、その解決策の質の向上を目指すのであれば、新しく開発された単一の技術でもうまくいくことが多いでしょう。たとえば、「自動車」という速く移動するための既存の技術をアップデートすることによって、「より速く移動したい」という課題はよりよく解決されることになります。

しかし社会実装という言葉がわざわざ使われるのは、そうした漸進的な進歩ではなく、全く新しい技術の導入が行われようとするときです。そのようなときには、単一の技術の進歩で解決できる問題は少ないでしょう。

さらに「最新の技術」で解決しようとすると、技術の成熟度が十分ではないケースが出てきます。最新の技術の場合、製造に耐えうるのか、安全なのか、その他のリスクがないのかなど、製品化までに検討するべき項目が未検証であり、キャズムを超えて一般化するためには長い時間がかかります。研究の製品化プロセスでは「魔の川」、「死の谷」、「ダーウィンの海」といった言葉が使われることもありますが、研究成果の場合、研究上で「できた」ということと、実証実験ができたということ、そこから安定的に供給できるようになることや、費用対効果が合うこと、それを市場として成立させられるかは異なります。たとえば、人間とコンピュータとのインタフェースについて研究するヒューマンコンピュータインタラクション（ＨＣＩ）の分野では、研究から社会に出るまでにはおおよそ20年程度かかると言われているほど、研究と市場との間に広がる困難は多いのです。

研究を応用してデモンストレーションを作り、企業の客寄せ的なマーケティングで使うことを「社会実装できた」と言われることもありますが、本書ではそれを社会実装とは呼ばないことは導入部でお話しした通りです。ロボットを客寄せのために店頭に置いても、そのロボットの本来の設計目的、たとえば接客対応などの役割をするには、従来のアナログな人間の接客を代替できなければなりません。それができないがために、使われず撤去されるケースは多々あります。たとえば最近では、ソフトバンクロボティクスが２０１５年にペッパーというロボットを3年のレンタル契約でリリースしましたが、3年後の更新時期に際して更新をした事業者は15％程度だったというアンケート調査の結果があります。[11] 今後、技術や社会が変わったあとに普及する可能性もあるとはいえ、現時点では社会実装されたとは言えないでしょう。

ここまで失敗の原因を見てきましたが、私たちが見てきた成功した社会実装の事例の多くは逆の観点から社会実装を行っていました。つまり**解決策ではなく、課題ありきで進んでいました。**

11 染原睦美「さらばペッパー、契約更改を見送った企業の本音」日経 xTECH、2018 年 10 月 12 日 https://xtech.nikkei.com/atcl/nxt/column/18/00466/101000001/

事例で挙げた加古川市には、比較的高い犯罪率という課題と子どもの安全への不安という課題がありました。またマネーフォワードは、お金の管理が面倒だというユーザーの課題がありました。一方で、Uberは法規制がその参入を阻んだという見解はあるものの、実態は日本では米国に比べてタクシー網が安全かつ普及しているため、Uberの導入に対する便益が諸外国よりも低かったから日本では要望されなかった、と私たちは捉えています。規制を乗り越えた日本のライドシェア企業がビジネス展開に苦戦していることは前述した通りで、それはそもそものデマンドの少なさを物語っています。

その他の事例を見ていても、成功した社会実装の例では、起業家や事業者はあくまで課題に対して強くこだわり、解決策はどのような手法でもよさそうであれば採用したい、という態度が強く見て取れました。また課題解決を第一として、利用する技術へのこだわりがなかったのも特徴的です。成功した社会実装のプロジェクトの多くは、単一で最新の技術ではなく、すでにある技術の組み合わせや、技術とビジネスモデルとの新しい組み合わせを活用しながら、課題の解決を試みていました。

「解決策よりも課題のほうが重要」という発言は、ビジネスでも繰り返し強調されることです。しかし何度そう強調されても、多くの人は課題よりも解決策や、解決策の中に含まれる要素技術にこだわってしまいがちです。

技術駆動の社会実装をサプライサイドの社会実装と呼ぶのであれば、こうしたユーザーや市民の課題を中心とした社会実装は、デマンドサイドの社会実装と呼べるでしょう。そして**デマンドサイドの社会実装でなければ、社会実装はなかなか成功しない**、と言えます。

デマンドに加えて必要なもの

デマンドがあるかどうかを確認する方法はビジネスの領域で様々な方法論が提案されています。デザイン思考はそのうちの一つです。スタートアップの領域では、リーンスタートアップという方法論がしばしば参照されます。また著者の前著『逆説のスタートアップ思考』にもスタートアップ的なデマンドの確認方法を詳細にまとめています。こうした書籍を読むことで、迅速に顧客のデマンドを検証するための方法論を身につけることが可能でしょう。こうした類書があるため本書ではデマンドの検証方法に関する解説は行いません。

本書が解説する方法論はその先のことが中心です。デマンドがあったとしても、それだけで広範囲の社会実装が進むわけではないからです。現在の社会実装においては、デマンドがある前提でさらに、**残りの四つの要素「インパクト」「リスク」「ガバナンス」「センスメイキング」を考える必要があります**。

この四つの視点で先ほどの事例を見てみましょう。Airbnbは「Belong Anywhere」という社会的インパクトを掲げながら、自社のサービスを普及させていきました。民泊が起こしうる宿泊税などの悪影響（リスク）にきちんと気を払い、それに対応しようとしました。条例というガバナンスの変化に対応しながら、ユーザーの声を集めてその条例をより適切なものに変更しようと政府に対しても働きかけました。さらにAirbnb自身がユーザーと政府との懸け橋ともなり、お互いの腹落ち感（センスメイキング）を醸成していきました。「インパクト」「リスク」「ガバナンス」「センスメイキング」の四つの要素を、Airbnbは日本で着実に行っていた、と考えることができるでしょう。

この四つの考え方を「車」での移動に例えてみると以下のように表現できるかもしれません。

皆さんはどこか目的地に行きたいと思っています。つまりすでにデマンドがある状況です。皆さんは助手席に座っていて、そして運転を誰かに任せるとしましょう。その誰かは、あなたの全く知らない人です。そんなとき、その運転手とどのような関係を作り上げられれば、目的地に辿り着けるでしょうか。

まず目的地（インパクト）を伝えます。そしてその目的地に辿り着くことが理にかなっていることや、お互いのためになること、あるいは楽しい何かが待っていることを、運転手の人に納得してもらう必要があります。次に道中でガソリンがなくなったときのリスクも気になります。リスク管理のためにも、地図などを二人で確認しておきたいところです。また信号無視などをしないか、運転手が倫理観がある人かも確認しておきたいでしょう。

その後、そうしたリスクを踏まえて、どのような速度で走行するべきで、危険があったときにどのように回避するかなど、お互いに運転の仕方（ガバナンス）を決めておくとよいでしょう。こうしたルールを定めても、運転手が納得をしていなければ、行く先々で迷いが生まれてしまいます。その結果、判断を間違ってしまうかもしれませんし、決めたことを守らないかもしれません。だからこそ、ルールを一緒に作ったり、何度も繰り返し伝えたりすることで、納得感の醸成や腹落ち（センスメイキング）をしてもらう必要があります。こうしてようやく二人は車で走り出すことができます。

つまり、

・インパクトによって目的地を定め、
・新たなガバナンスを形作ることで、リスクを緩和しながら目的地までの運転の仕方を規定し、
・センスメイキングのプロセスを通して、ステークホルダーの持つ資源を多く引き出す

ということです。

デマンドがある前提で、長期的な目的や理想であるインパクトについて考え、それを達成するための適切なガバナンスの方法を示しながら、そのインパクトとガバナンスの在り方を関係者にセンスメイキング（腹落ち）してもらうこと、それが現代の日本において社会実装のプロジェクトを成功させるために必要な要素である、というのが本書の結論です。そして、さらに**リスクと倫理を並行して考えていくことで、大きな間違いを犯すことを避けながら、社会実装を進めていける**ようになります。

これらの四つの要素は第一章で言及した「政策起業」をしていくための要件でもあり、民間企業

がソーシャルセクターに学べる点でもあります。これからのデジタル技術を活用したビジネスの多くでは、規制をはじめとした様々な障壁と向き合う必要があります。そうした領域では、まず0↓1のときには従来の起業の方法論でデマンドを検証し、その事業を1↓10や10↓100にしていくときには、政策起業家的な方法論、つまり公益性の高い社会的インパクトを掲げながら、リスクと倫理について気を配り、規制の変更などのガバナンスの方法を刷新するように働きかけ、さらに関係する人々の間でのセンスメイキングを醸成していくことで、ビジネスを社会に広く実装していけるようになるのです。

こうした一連のプロセスは、先ほどの車の例のようにたった二人なら簡単かもしれません。しかし社会を変えるようなテクノロジーの社会実装は、これをより大きな規模で行っていくことになります。

以降の章では、残り四つの要素ごとに、それらを満たすための方法論を解説していきます。

4

インパクト――理想と道筋を示す

成功する社会実装の四つの原則の中でも最も重要なもの、すべてのベースとなるものがインパクトです。まずはインパクトとはなにか、というところから見ていきましょう。

インパクトは影響力や効果と訳されます。政府組織やＮＰＯなどでは社会に対して与える影響のことを**社会的インパクト**と言います。昨今は社会的インパクト投資などの広がりとともに、徐々にその概念がビジネスの領域でも普及し始めています。

社会的インパクトという概念については大きく二つの捉え方があります。[1] Ｗ・Ｋ・ケロッグ財団をはじめとした開発援助の分野では、「**個人への影響を超えた社会や制度などの変化や長期的で広範に及ぶ変化**」という意味で使われます。一方、プログラム評価の文脈[2]では、インパクトは「プログラムがなければ生じなかったアウトカム、つまりプログラムに直接的に起因する変化」と、範囲を限定して使われることが多いようです。

本書では前者の「長期的で広範に及ぶ変化」という、比較的広義な意味でインパクトという概念を用います。本書でのインパクトとは、事業活動による長期的な変化や最終的に目指すべきゴールのことと捉えてください。

なぜインパクトが重要なのか

1　塚本一郎、関正雄『インパクト評価と社会イノベーション――SDGs時代における社会的事業の成果をどう可視化するか』（第一法規、2020）

2　ピーター・H・ロッシ、ハワード・E・リーマン、マーク・W・リプセイ『プログラム評価の理論と方法――システマティックな対人サービス・政策評価の実践ガイド』（大島巌、森俊夫、平岡公一、元永拓郎監訳、日本評論社、2005）

なぜインパクトを示すことは大事なのでしょうか。主な理由は四つあります。

まず第一に、**インパクトを設定することが変化のために必要な要素だから**です。戦略コンサルタントであったデイビッド・グレイチャーが提案し、その後単純化された「変革のモデル」として以下のような式があります。[3]

D × V × F > R

D、V、F、Rはそれぞれ、Dissatisfaction（不満）、Vision（ビジョン）、First Step（最初の一歩）、Resistance to Change（変化への抵抗）の頭文字です。つまり変化が起こるためには、不満足とビジョン、そして最初の一歩の掛け算が、変化への抵抗を超えなければならない、というのがこのモデルです。本書で用いるインパクトはVisionの部分に該当します。ビジョンやインパクトが十分に納得度の高いものでないと、変化への抵抗を超えられず、変革は成し遂げられない、ということです。

第二には、インパクトの特徴である**「長期的な」成果に目を向けることで、短期的な費用便益（コストベネフィット）のバランスの合わなさを補填できるから**です。多くの人にとって明らかに便益が大きいのであれば、すでに社会実装は済んでいるはずです。しかしそうでないからこそ、まだ進んでいない、というケースがほとんどでしょう。そこで、短期的には便益は小さいかもしれない

3　Kathleen D. Dannemiller and Robert W. Jacobs. 1992. Changing the way organizations change: A revolution of common sense. *The Journal of Applied Behavioral Science*, 28(4), p.480-498.

けれど、長期的に見れば便益が大きい、という風に説明することが、社会実装を受け入れる人たちの納得度を上げるカギとなるのです。

たとえば、はんこの電子署名化については、それ単体の変化で考えれば、得られる便益がコストを上回ることはそれほどないかもしれません。はんこを押すこと自体の手間と電子署名をすることの手間だけを比べてしまうと、それぞれの方法に対して便利な人とそうでない人がいて、総和としての利便性はそう大きく変わらないでしょう。しかし電子署名化することによってその前後の様々なプロセスが迅速になるなど、長期的な便益（インパクト）を示すと、変化が受け入れられる可能性が高まります。

第三に、目指すべきインパクトがあることで、**関係者に目的を説明できるようになります。**目的の説明がないまま何かの社会実装を進めてしまうと、大きな反発を招きます。たとえば個人情報を集めるときに、公益性のあることを目標としていたとしても、「とにかく約束は守るから、個人情報のデータを預けてほしい」と言うよりも、「最終的にこういう姿になりたいから、今回の社会実装を進めていて、このような約束の下で個人情報のデータを預けてほしい」と言うほうが、情報を渡す側には安心感が生まれます。こうした目的の説明については、説明をする側は当然のこととしてつい忘れてしまいがちです。しかしその目的こそ何度も説明する必要があり、それを明確に定めておく必要があります。

そして第四に、**インパクトを示すことでデマンドを醸成することができます。**デマンドとは課題

4 Gerald F. Smith. 1988. Towards a Heuristic Theory of Problem Structuring. *Management Science*, 34(12) などを参考にしました。

に対する解決の欲求です。課題がなければデマンドは生まれませんが、その課題をはっきりさせるために、インパクトの設定が実は必要だと言えるのです。

　この四つ目の理由をもう少し解説しましょう。

理想がなければ、課題もない

　そもそも課題とは何でしょうか。本書は課題を**理想と現状のギャップ**と捉えます[4]（図4・1）。

　裏を返せば、理想がなければ課題もありません。つまり**課題がない、という現象が起こってしまう原因の一つは「理想がない」からです。**

　これまで多くの地方自治体やその関係者をインタビューしてきた中で、私たちが気づいたことも、住民の多くが理想像を明確に説明できないことでした。変化が起こった後、どういう社会になっているのか想像ができていなかったり、もともとそうした変化を求めていなかったりするというケースが散見されました。

図4.1　課題とは理想と現状のギャップ

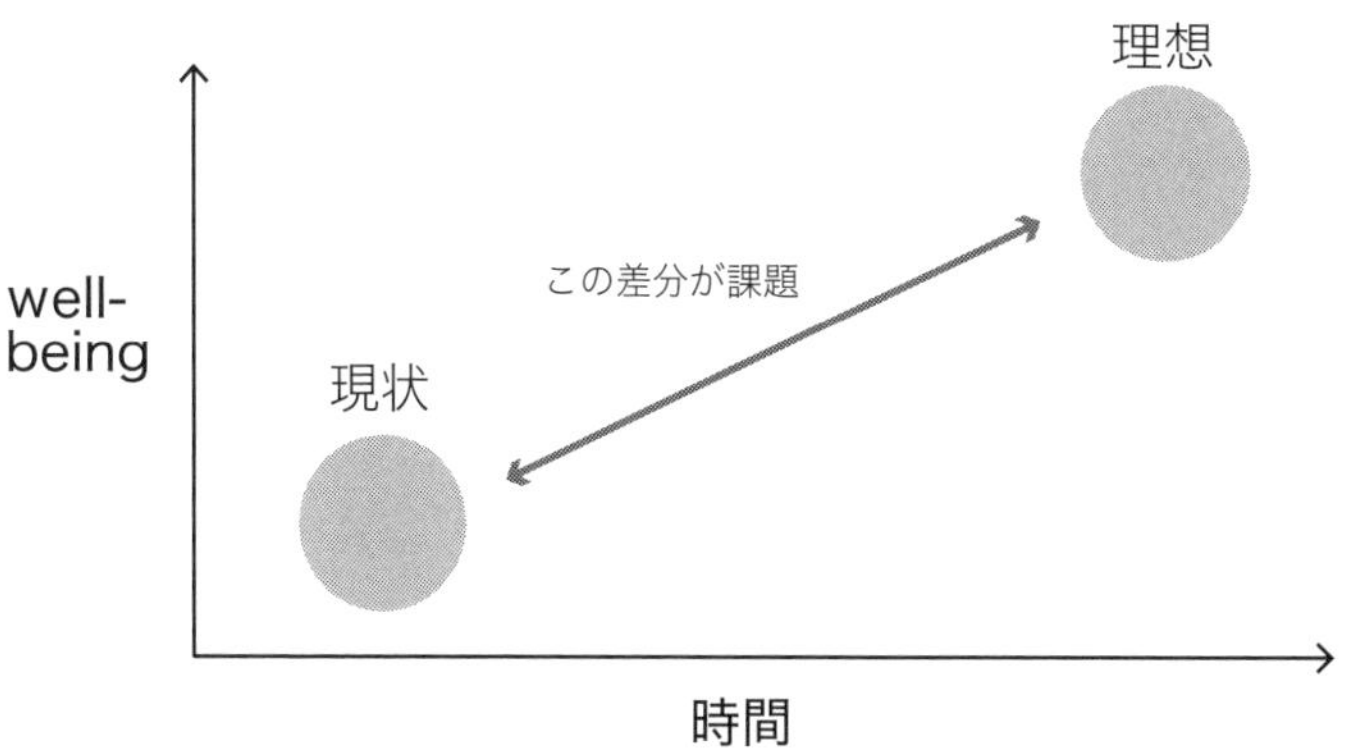

たとえば、都会に住んでいれば、過疎地には課題がたくさんあるはずだ、と思う人もいるでしょう。不便なことも多いでしょうし、村の因習など嫌なこともあるかもしれません。しかし、意外にも住んでいる当事者は課題を感じていないことも多いのです。歴史社会学者の小熊英二氏による『地域をまわって考えたこと』[5]という本のなかでも、そうした過疎地に住む人々の言葉が紹介されています。

「ずいぶんと、ここには記者さんが来ました。困ったことはないかと聞かれる。いちばん困るのは困ったことがないことです」（当時の住民は80人、65歳以上が70％を超える津軽半島の集落）
「住民からは、困りごととか、不便さとか、そういう不満を聴くことはあまりなかった」「将来への不安をたくさん耳にした」群馬県南牧村（２０１４年に日本創成会議・人口減少問題検討分科会が発表した「消滅可能性都市」ランキング1位の村）

少し遠くから見ると「困っているはず」だと思うのに、当人たちは実は困っていない、なんとなく不便なことはあったとしても、問題はないという状況は往々にして存在します。今の状況で良いのであれば、不満や課題は生まれません。

都会の人たちや、グローバルでの出来事を知っている人たちは、より良い仕組みや場所を知っており、それゆえに理想をイメージし、理想と現状のギャップを知ることができます。しかしそうで

5　小熊英二『地域をまわって考えたこと』（東京書籍、2019）

ない人たちもたくさんいます。たとえば過疎地域の人たちの得る情報はテレビ中心であり、かつ全国区のテレビが映らないこともままあります。そうなるとUberなど最新のサービスのことを知りません。日々訪れる場所も、家と職場とスーパーと、そしてときどき市役所やデパート、といった範囲で完結する人も少なくありません。そうした状況では新しい情報もなかなか手に入れられず、「なんとなく不便」という不満はあるかもしれませんが、現状に課題があるとはっきりとわかりません。もちろん、それで問題がないということもあるでしょう。しかし、辿り着きたい状態、つまり理想的な状態のイメージがぼんやりとしているから、課題の存在もぼんやりとしてしまうということもあるのではないでしょうか（なお、こうした過疎地には理想がないと言っているわけではありません。今のままでよいのであれば、今を維持するというのも一つの理想の設定の仕方であり、相応の努力が必要な理想です）。

理想を描く

これまでの社会実装の取り組みに足りなかった一つの重要なポイントは、この点ではないかと思います。

まず重要なのは、課題を課題として認識してもらうことです。そのためにより良い理想を提示し、その理想に納得してもらうことで、「現状に課題がある」とはじめて認識してもらえます。そうするとこれまで顕在化していなかった「この課題を何とかしたい」というデマンドが徐々に浮かび上がります。

この理想にあたるのが、インパクトです。

社会実装の取り組みを行うときには、まずインパクトを提示して、その社会実装の結果どのような社会や生活になるのか、そしてそれが本当に市民や受益者にとってより望ましいものである、ということを提示する必要があるのです。

私たちの調査では、自分たちの行っている活動や自分たちの作っている製品が最終的に何につながるのかをきちんと説明するところから始めている取り組みは、成功する傾向にありました。

たとえばテスラは「より良い未来のために世界の持続可能エネルギーへのシフトを加速する」という理想の社会を提示して、その理想と現状とのギャップを描き、そこを埋める製品として自社のEV車を提案しています。加古川市の監視カメラの事例でも、カメラやビーコンという技術の中身だけではなく、安全や安心といった社会へのインパクトが市民にきちんと共有されていました。Airbnb が掲げていた「Belong Anywhere」というミッションや、マネーフォワードの「お金を前へ」というミッションは、まさにインパクトの言語化と言えるでしょう。

成功した社会実装の担い手の多くは、実装そのものから得られる便益だけではなく、その先にある理想、つまり長期的で社会的な「インパクト」を見据えて、それをステークホルダーに訴えかけていたのです。 もちろん場合によっては、そうした遠い未来の社会的インパクトではなく、「安く泊まりたい」「お金を簡単に管理したい」という近い未来の便益を提示することもあるかもしれません。しかしそれだけではなく、その先の社会の変化としての「Belong Anywhere」や「お金を前へ」というインパクトを語ることによって、より多くの人たちを巻き込むことができていました。

またインパクトが設定されていることで、向かうべき方向性が明示され、複数のステークホルダーの協働も可能になります。各ステークホルダーがインパクトという同じ方向を向くことで、それぞれの自律性を保ちながら個別の活動を行うこともできるようになります。

一方、失敗例を見てみると、こうしたインパクトの提示がうまくいっていないようでした。たとえばUberは、Airbnbに比べると、自社の思い描く社会的なインパクトをそれほど前面に押し出していませんでした。私たちの調査以外でも、公衆衛生分野で名高いロバート・ウッド・ジョンソン財団は、過去のプロジェクトを振り返り、共通する失敗の理由が「ミッションの欠如」だということを突き止めたそうです。[6] これはつまり、失敗したプロジェクトは目指すべきインパクトがはっきりとしていなかったため失敗していた、とも言えるでしょう。

ソーシャルセクターでは、社会に潜む課題を多くの人に認知してもらうことを、ファンドレイジング（資金調達）という言葉と対比しながら「イシューレイジング（問題を認知してもらうこと）」と呼ぶことがあります。**社会実装においてインパクトを示すことは、まさにイシューレイジングをすることと言えるでしょう。**

6　マーク・J・エプスタイン、クリスティ・ユーザス『社会的インパクトとは何か――社会変革のための投資・評価・事業戦略ガイド』（鵜尾雅隆、鴨崎貴泰監訳、松本裕訳、英治出版、2015）

道筋を示す

理想となるインパクトが単なる夢物語ではないという点も重要です。**そこに至るまでの現実的な道筋を見せることも、とても大切なステップです。**インパクトを示すだけで、その解決策を提案できなければ、単に問題があることを示すだけになってしまいます。

希望に関する心理学を長く探究してきたリック・スナイダー博士によれば、希望とは「望ましい目標への道筋を導き出す能力があると思えること、そしてその道筋を歩いて行ける能力があると思えること」と定義されます。[7] つまり、希望には目標があると同時に、目標達成のための道筋が必要であるということです。そして変革のモデルであるD×V×F＞Rの式でも最初の一歩（F）、つまり一歩踏み出すための道筋が重要であることが指摘されています。

私たちの調べた事例を見てみても、成功している社会実装のプロジェクトは、ゴールとしてインパクトを示しただけではなく、インパクトへの辿り着き方や辿り着くための手段をきちんと明示していました。こうして道筋を示すことのメリットはいくつかあります。一つは、「ちゃんと辿り着けるかもしれない」という実現可能性を感じられるようになること、そしてもう一つは周りの人たちが最初の一歩に協力しやすくなることです。

たとえば旅行中に山の中を通っていて、「ここを通れば近道ができるかもしれない」という森が見えたとしましょう。それが獣道すらない森であれば、その森に入って通り抜けられる、と思える

7　Charles R. Snyder. 2002. Hope theory: Rainbows in the mind. *Psychological Inquiry*, 13(4)

人はそういないでしょう。しかし人が通れそうな道が見えているのであれば、森に入って近道をしてみよう、と思う人はそれなりにいるのではないでしょうか。仮説であったとしても道筋が見えることで、人は不透明な未来であっても少し挑んでみようと思えるようになるものです。

一方で、「何でもやってもよい」という多すぎる選択肢を目の前にしてしまうと、人は迷って踏み出せなくなってしまいます。そこで第一歩をどう踏み出せばよいかを伝え、その先に道があることを示すことが大事なのです。

W・K・ケロッグ財団では、2006年、子どもの肥満への懸念が高まるなかで、子どもたちの健全な食事と活き活きとした生活を実現させるべく、「食と健康プログラム」というプログラムを設計しました。プログラム担当者たちは、ステークホルダーと共に、目指すインパクトを策定し、そのインパクトを実現するために、複雑な問題の構造を把握、そこからの道筋を示しました。そのインパクトと道筋の設定が、関係者が手を組む手助けになったそうです。[8]道筋があることで、それぞれの活動がどのような順番でどう関連するかがわかり、望ましい未来に辿り着くためにやるべきことが明示されたという例です。

インパクトを示すだけではなく、そこに至るまでの道筋をきちんと示し、その中で社会実装のプロジェクトをどう位置付けられるかを明確にすること、それが社会実装のプロジェクトの成否を決めていくと言ってもいいでしょう。

営利企業であれば、自社の目指すインパクトに辿り着くための道筋の第一歩は、自社の製品や

8　前掲 エプスタイン、ユーザス『社会的インパクトとは何か』

サービスを普及させたり、販売したりすることになるでしょう。しかし、道はその先にも続き、社会実装のプロジェクトのインパクトや、会社のミッションの達成につながっていくのです。

このインパクトと普段の販売のような活動、そしてその間を埋める道筋を示すためのツールとして「ロジックモデル」があります。本書では、ソーシャルセクターとパブリックセクターの中で培われてきたこのロジックモデルを民間企業でも使うことを提案します。

インパクトと道筋を示すためのロジックモデル

ロジックモデルとは何か

ロジックモデルとは、あるプロジェクトについて、投入する資源、活動、結果として生まれる製品やサービス、それによる成果、その成果がもたらすインパクトの因果関係を体系的に図示するものです。 つくることで、それぞれの要素が連鎖してインパクトにつながることが可視化され、時間軸も含めてインパクトとそこに至る道筋を考えることができます。また、図示したものを共有することで、プロジェクトの長期的な価値を説明することもできます。

一般的には、図4・2のようにインプット／リソース、アクティビティ、アウトプット／実装、アウトカム、インパクトの五つの要素をつないだ、ツリー型で表現されます。

それぞれの要素の簡単な説明は以下の通りです。

- **インプット／リソース**——投入する資源（資金、人材、知財、技術、文化など）。「投入」とも呼ばれる。
- **アクティビティ**——プロセスや事象、行動。「活動」とも呼ばれる。
- **アウトプット／実装**——製品やサービスなど。「結果」とも呼ばれる。
- **アウトカム**——製品やサービスによる個人や環境の変化・効果。「成果」とも呼ばれる。短期的アウトカム、中期的アウトカム、長期的アウトカムなどに細分化されることも多い。
- **インパクト**——成果がもたらす社会的な変化や効果。組織が存在する理由。「社会経済的変化」とも呼ばれる。

それぞれの要素は、「もしこれが起こったら、こうなる」（if-then）という論理でつながっています。

図 4.2　ロジックモデル

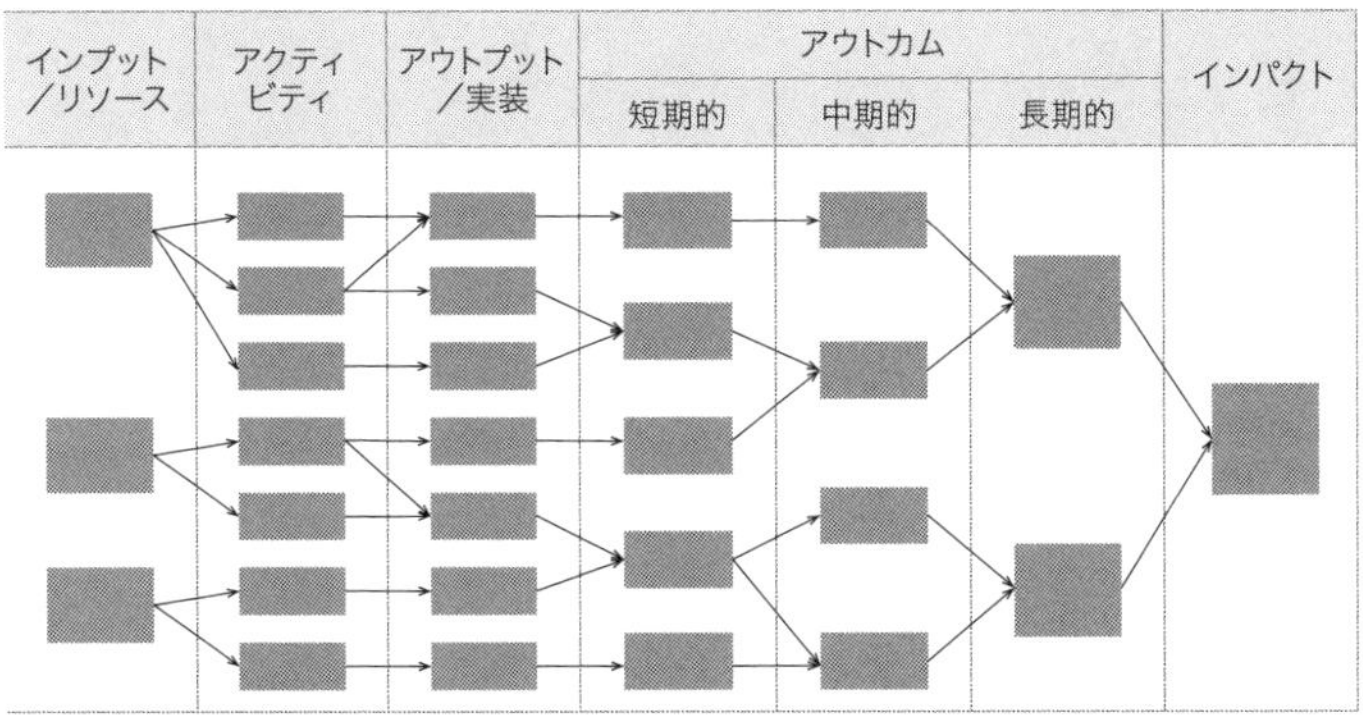

ロジックモデルは「こうなればこうした結果を生むはず」という仮説の集まりなのです。そしてこの原因と結果の連鎖からなる仮説の集まりを理論（セオリー）と呼びます。ロジックモデルは主に政策デザインの妥当性の評価（これをセオリー評価と呼びます）に使われます。パブリックセクターでは、政策のベースとなる問題解決のロジックが適切であったかどうかを検討するために作られるのがロジックモデルです。

「こういうものを作るのはいいけれど、計画通りに行くはずがない」と訝しむ読者の方もいらっしゃるでしょう。仰る通り、おそらく最初のロジックモデルは何かが間違っている場合も多いのです。なぜならロジックモデルは仮説の集まりだからです。しかしこのようなモデルを作り上げておくことで、振り返るときに何が間違っていたのかを検証し、そこから学ぶことができます。ロジックモデルは計画を示すためのツールであるだけではなく、事後に学ぶためのツールでもあります。

アウトカムとアウトプットの違い

アウトカムとアウトプットの差が理解しづらいという声をよく聞くので、ここで解説を少し厚めに行いましょう。

アウトプットによって起こる望ましい変化のことをアウトカムと呼びます。基本的にはアウトプットまではサービス提供者の視点、アウトカムはサービス受益者や社会の視点で語られます。アツトプットとアウトカムの違いがわからなくなったら、アウトカムのほうが少し抽象度が高く、アウトプットの後に生まれるものだ、という風に考えておくと一つのヒントになるでしょう。アクティビティやアウトプットのほうが具体的でわかりやすいため、ついそれらに注目してしまいがちですが、本来重要なのはアウトカムのほうです。

　製品やサービスを提供するプロジェクトの場合、アウトプットは製品やサービスそのものです。一方、アウトカムは製品やサービスによって得られる変化です。たとえば、任天堂は「任天堂に関わるすべての人を笑顔にする」というビジョンを持っているようですが、その任天堂の活動をおおまかにロジックモデルの一つの経路として落とし込めば、図4・3のようになるでしょう。

　ゲーム機やゲームを開発することはアクティビティです。そしてアウトプットとしてゲーム機という製品が完成します。しかしこれはアウトカムではありません。アウトカムは、顧客がゲーム機で遊ぶことで得られる高揚感や感動、あるいはゲームを通した友達との会話などです。そうしていくと「任天堂に関わるすべての人を笑顔にする」というビジョンが達成されます。

　この書籍を書いているプロセスにも当てはめてみましょう。著者による執筆はアクティビティです。その結果のアウトプットとして書籍が出来上がります。そして顧客である皆さんがその書籍を読むことで得られる知識の獲得や、態度の変化などがアウトカムに

図4.3　任天堂のロジックモデル（例）

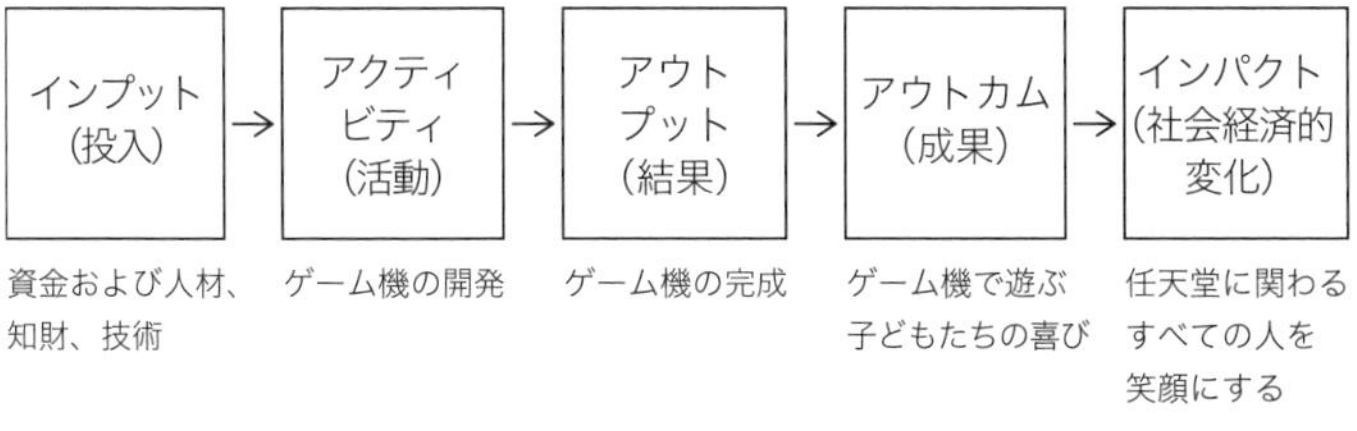

なります。そして社会実装がより進みやすい社会になることが本書の目指すインパクトです。

社会実装でいえば、ＡＩの社会実装など「〇〇の社会実装」と言われるとき、〇〇はアウトプットやアクティビティレベルの話です。アウトカムはその先にある、社会実装された技術や製品による成果です。たとえば、ＡＩを使った製品やサービスはアウトプット、その結果従来に比べて業務量が10％減ったのであれば、それがアウトカムになります。インパクトはその先にあるもの、たとえば人の余暇時間が増えることなどになるでしょう。

ロジックモデルでのアウトカムは短期・中期・長期と時間軸でいくつかに分けることが一般的です。そうすることで、自分たちのアウトプットがどのようにインパクトにつながっていくのかが整理しやすくなります。

親しみやすい例として、ダイエットを取り上げてみます。ダイエットのための運動や食事制限はアクティビティです。その結果、消費カロリーが増え、摂取カロリーが減るといったアウトプットが得られます。これらのアウトプットの先には、体重の減少や体脂肪率の減少という短期的アウトカムが生まれます。さらにその先には、そもそものダイエットの目的である「健康的な体になる」「着たい服を着る」「フルマラソンを完走する」などの中期的なアウトカムがあり、こうした中期的アウトカムが「健康寿命をのばす」「魅力的な人物になる」などの長期的なアウトカムにつながり、最後にインパクトともいえる「健康的に長生きすることで幸せに長く暮らす」「社会への貢献を最大化する」「エネルギッシュに生きて周りを幸せにする」といった人生の目標につながってくるのです。

なお、長期的アウトカムとインパクトは同じものとして語られることもありますが、本書では分けて考えることにします。インパクトは社会というマクロなレベルでの改善の効果を、一方アウトカムは特定の施策と連動した成果を示すものとして捉えます。

ロジックモデルのソーシャルセクターとパブリックセクターでの活用

希望とは「望ましい目標への道筋を導き出す能力があると思えること、そしてその道筋を歩いて行ける能力があると思えること」だと紹介しました。ロジックモデルはまさに、目標とそこに辿り着くための道筋を示しているモデルだと言えます。

このロジックモデルはソーシャルセクターで発展してきました。基金や財団が助成金プログラム募集の際に、NPOやNGOにロジックモデルの提出を求めるケースが増えてきています。さらに最近になって、パブリックセクターからも改めて注目されています。

イギリスでは2018年からロジックモデルを使って政策を評価するようになりました。国連や米国CDCでも使われており、2020年のコロナ禍においてもCDCは新型コロナウィルス対策のためのロジックモデルを作成しています。[9] 日本でも文部科学省や総務省などで利用が進んできた

9 An Approach for Monitoring and Evaluating Community Mitigation Strategies for COVID-19, *Centers for Disease Control and Prevention*, November 13, 2020
https://www.cdc.gov/coronavirus/2019-ncov/php/monitoring-evaluating-community-mitigation-strategies.html

ほか、経済産業省でも平成31年度の概算要求プロセスにおいて、ロジックモデルの作成が義務付けられました[10]。地方自治体でも約4割が何らかの形で利用しているという2016年度の調査[11]もあります。

ロジックモデルがソーシャルセクターとパブリックセクターで広がってきた背景には、社会的インパクトの計測の難しさ、多様なステークホルダーの政策決定への参加、エビデンスに基づく政策(Evidence-based Policy Making：EBPM)の流れの三つが挙げられます。

社会的インパクトの計測の難しさは、NPO運営の難しさと直結する問題です。NPOはNon-profit Organizationの名が示す通り、利益や利益分配とは異なる目的をもって組織化されています。多くのNPOの主な目的は、多かれ少なかれ社会に対する貢献だと言ってもいいでしょう。そして社会に対する貢献を求められるのは、行政も同様です。その貢献をどう測るのかは常に難問として残っています。

営利企業であれば利益や株価などである程度、業績を測ることができます。しかし「社会が良くなったかどうか」はそうそう簡単に測れるものではありません。

では測らなければいいかというとそんなことはありません。NPOは寄付や助成などを中心に資金を獲得しているため、資金提供者に対して自分たちの活動とその効果についての説明責任を果たす必要があります。そこでNPOなどが含まれるソーシャルセクターでは、インパクトをどう扱い、そしてインパクトをどう計測し、活動を評価するかについてのツールが発達してきました。その

10 三浦聡「経済産業省におけるEBPMの取組」独立行政法人経済産業研究所EBPMシンポジウム、2018年12月14日
https://www.rieti.go.jp/jp/events/18121401/pdf/4-3_miura.pdf
11 佐藤徹「自治体行政へのロジックモデルの導入戦略」、『評価クォータリー』(2017年7月)所収
https://www.soumu.go.jp/main_content/000607592.pdf

ツールの一つがロジックモデルなのです。

二つ目の背景である、多様なステークホルダーの政策決定への参加について見ていきましょう。ガバナンスの在り方に変化があったこの数十年で（6章のコラム「ガバナンスの変化の歴史」参照）、行政だけではなく、民間企業やNPOなど、様々なステークホルダーを巻き込んで政策を決め、運用していくようになりました。社会課題の領域では、2011年に「コレクティブインパクト」という概念も提唱されています。[12] コレクティブインパクトは「異なるセクターから集まった重要なプレイヤーたちのグループが、特定の複雑な社会課題の解決のために、共通のアジェンダに対して行うコミットメント」と定義されています。従来、NPOや行政、民間企業といった個々のプレイヤーがばらばらに行っていた社会課題を解決する活動を、集団的・共同的（コレクティブ）に解決し、インパクトを生み出していこうという取り組みです。

何かを共同で達成していくためには、基盤となる戦略がなければアラインメントが取れません。そこで活用されたのがロジックモデルです。お互いが話し合い、目的を定め、成果を評価するためのツール、そして多様な利害関係者がアラインメントを取りながら活動していくためのツールがロジックモデルなのです。[13]

たとえば、先述のコレクティブインパクトを達成するには（1）共通のアジェンダ（2）評価システムの共有（3）互いに強化しあう活動（4）継続的なコミュニケーション（5）活動を支えるバックボーン組織の五つの要素を満たすことが重要だと言われています（図4・4）。

12 John Kania & Mark Kramer, Collective Impact, *Stanford SOCIAL INNOVATION Review*, Winter 2011 https://ssir.org/articles/entry/collective_impact

13 Lisa Wyatt Knowlton and Cynthia C. Philips, *The Logic Model Guidebook: Better Strategies for Great Results* (SAGE, 2012)

これらのうち（1）（2）はロジックモデルを示すことでカバーできます。ロジックモデルではインパクトという共通のビジョンが示されており、さらにそこに至るまでに必要なアウトカムやアウトプットも定められています。これらがステークホルダーの共通のアジェンダになります。またロジックモデルは評価の方法が組み込まれているため（ツール2「アウトカムの測定と評価」参照）、評価システムも共有されることになります。またロジックモデルに示されたアクティビティをステークホルダーが互いに参照することで、（3）（4）の達成にも貢献するでしょう。（5）のバックボーン組織はその事業を中心的に行う民間企業や行政、NPOです。

五つの要素のなかでも特に重要なのは「共通のアジェンダ」だと言われます。目指すべきインパクトやその途中経過としてのアウトカムを共有していなければ、コレクティブな活動は生まれません。だからこそ、インパクトの設定と、それに至るためのロジックモデルが共通の

図4.4 コレクティブインパクトの5つの要素

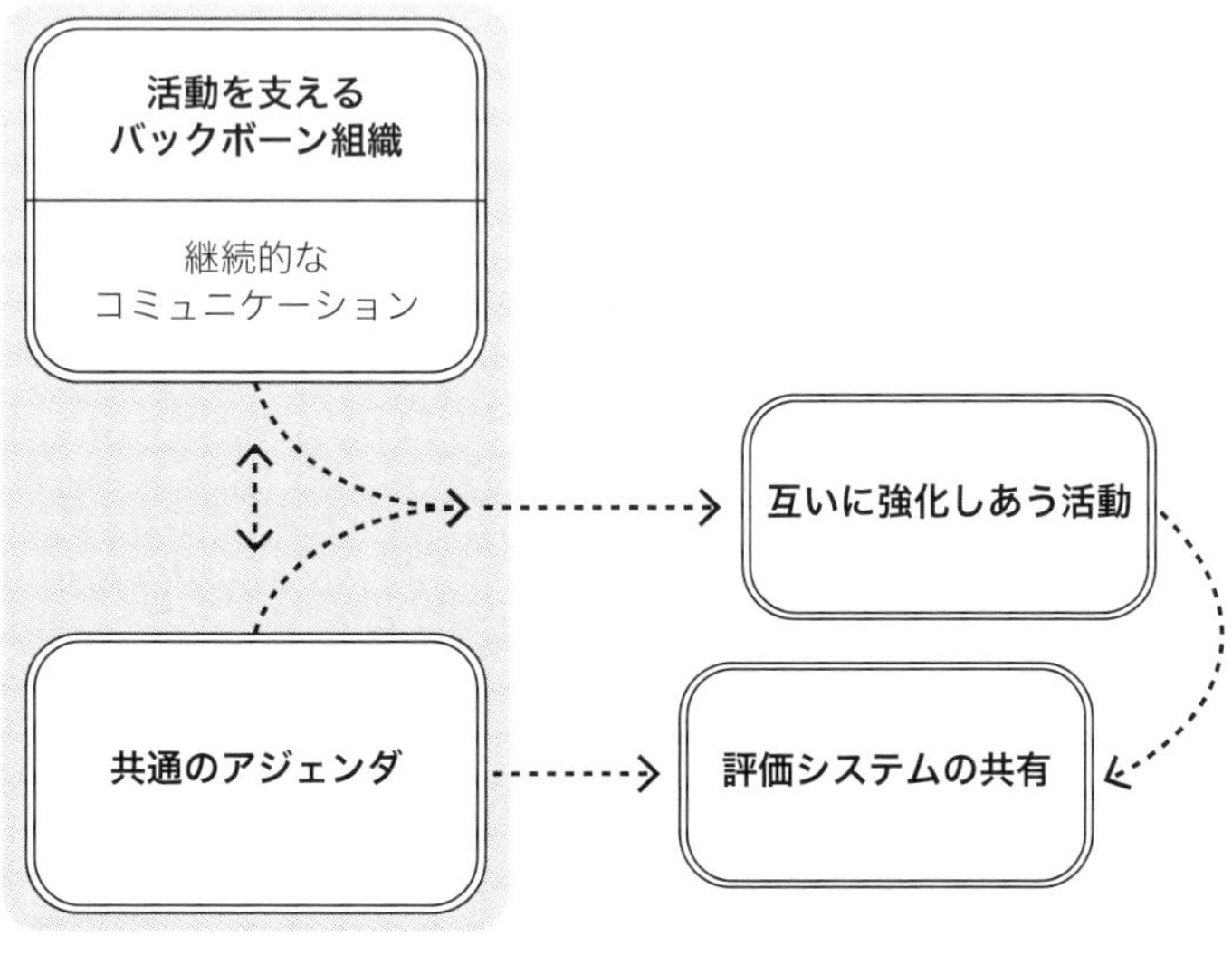

出典：Kansas Department of Health and Environment
https://www.kdheks.gov/c-f/perinatal_collective_impact.htm

基盤となるのです。

ロジックモデルが注目される三つ目の背景は、エビデンスに基づく政策立案（ＥＢＰＭ）の流れです。

ＥＢＰＭは、従来のようなその場限りのエピソードや特定の立場からの意見に頼った「オピニオンベース」の政策立案ではなく、政策目的を明確にしたうえで、統計や研究成果などの合理的根拠に基づいて政策を立案していこうという取り組みです。たとえば、ランダム化比較実験などで得られた特定の介入の成果を比較検討したうえで、どのような介入を政策に導入していくかを決めていくことで、より少ない資源でより多くの効果を期待できるようになります。たとえば、カリフォルニア州政府は、ある二つの地域の電気料金と消費量のデータを比較分析して得られた「複雑な従量料金制による節電効果は小さい」という研究成果を用いて、電力会社に対して従量課金制をシンプルな形にするよう指示しています[14]。

しかしＥＢＰＭのベースとなる研究結果は、特定の状況と条件で得られたものでしかありません。どんなに良い結果がそこで示されていたとしても、その介入を他の条件下で応用したとして、研究結果と同じ結果が出るとは限りません。もちろんやみくもに政策を作るよりもエビデンスを活用したほうがずっと効果的とはいえ、新しい条件下ではあくまで一つの仮説でしかなく、その仮説を理解するためには文脈の中に置かれる必要があります。そうした文脈を示すうえでロジックモデルが有効なツールとなるのです[15]。また、立案した政策の効果を測定する際にも、ロジックモデルという

15 ただしEBPMにおいては、ロジックモデルはあくまで補助のツールです。EBPMを実践するには、質の高いエビデンスを収集し、活用することが最も重要だと付記させてください。

14 総務省ＥＢＰＭに関する有識者との意見交換会事務局「ＥＢＰＭ（エビデンスに基づく政策立案）に関する有識者との意見交換会報告（議論の整理と課題等）」、2018年10月
https://www.soumu.go.jp/main_content/000579366.pdf

形で仮説がまとまっていることで、事後的な効果検証が行いやすくなり、さらなるエビデンスが生まれやすくなるというメリットもあります。

民間企業がロジックモデルを使う時代に

こうした背景から、ロジックモデルはこれまで主にパブリックセクターやソーシャルセクターが使うツールでした。しかし最近では民間企業でもその活用が進みつつあります。その背景には、社会や投資家が事業会社に対して社会課題の解決を求めることが増えていることがあるでしょう。対象は大企業だけではありません。日本でも、ベンチャーキャピタルと財団とがタッグを組んで、投資先のスタートアップのロジックモデルを示し、どのような社会的インパクトを引き起こそうとしているかを説明するような試みも行われ始めています。

本書では、**民間企業もロジックモデルを使って、自社の事業の社会的インパクトや目指している短期・中期・長期のアウトカムを整理する**ことを推奨したいと思います。今後、民間企業が社会課題の領域でビジネスを行うことが増えていく中で、ロジックモデルという共通の基盤があることで、パブリックセクター・プライベートセクター・ソーシャルセクターの三つのセクターが、円滑に協業し、コレクティブインパクトを生み出すことが可能になるはずです。

また民間企業が社会課題に取り組むことが増えてくると、これまでパブリックセクターやソーシャルセクターが取り組んできた「社会的インパクトの計測の難しさ」という問題にぶつかるでしょう。

先述のとおり、社会課題は往々にしてその成果が測りづらいものです。営利企業における利潤の最大化というこれまでの事業成果の計測とはまったく違う方法が求められます。計測が難しい問題に取り組んできたソーシャルセクターやパブリックセクターが辿り着いた一つのツールである、ロジックモデルを活用しない手はないでしょう。また民間企業がロジックモデルを利用することで、企業のミッションが日々の事業活動にどのようにつながっているかを図示することもできます。日々の事業活動がどのようなアウトカムをもたらし、どうミッションの達成につながっていくかを説明できれば、そこに関わる社員のモチベーションも高まります。

ロジックモデルを使うと、利益というものは短期的なアウトカムの一つでしかないことに気づきます。たとえば企業利益というアウトカムはあくまで「長期の操業を可能にするため」や「利益を再投資して研究開発をするため」の短期的アウトカムの一つです。その利益を使って、どのようなインパクトを社会にもたらしたいのかが、事業を作っている意義のはずです。

これまでロジックモデルは主にセオリー評価に使われてきましたが、ここまで解説してきたように、ロジックモデルをセオリー評価以外にも使おう、というのが本書での提案です。つまり、過去の振り返りのための守りのロジックモデルではなく、より良い事業や施策を協働的に見つけるための、セクターをまたがる共通言語としてロジックモデルを使っていくことを本書では提案します。

インパクトの定め方

ロジックモデルを書く上では二つのアプローチがあります。インプットやアクティビティから考えるボトムアップアプローチと、インパクトから始めてアウトカム、アウトプットに降りてくるトップダウンアプローチです。

本書で提案したいのは、**インパクトから考えるトップダウンアプローチ**です。ボトムアップで考えると、今ある事業活動の範囲でしかインパクトを考えられなくなる恐れがあるためです。一方、トップダウンで考える場合は、インパクトをどう設定するかが課題となります。

そこでここからはインパクトの設定の方法を解説します。

公益性の高いインパクトを設定する

インパクトは様々なステークホルダーを巻き込むための指針となります。そのため、多くの人の共感や合意を得られるものを設定するのが効果的でしょう。**私企業の利益や私益よりも、公益を重視して設定することで、多様なステークホルダーの巻き込みが可能になります。**

スタートアップの反直観的な逆説の中に「難しい課題のほうが簡単になる」というものがありま

す。これは、社会的に難しい課題や技術的に難しい課題に取り組むほうが、より優秀な人がひきつけられ、より多くの人に支援をしてもらえたり、より優秀な人の採用につながったりするからです。この傾向は著者自身、日本で多くのスタートアップを支援してきても感じるところです。

実際、私たちが調査した社会実装に関わる方々は、単なる企業利益を超えたインパクトとしての公益を強調する傾向にありました。たとえば、第3章で見てきたとおり、マネーフォワードは「お金を前へ。人生をもっと前へ。」をミッションに掲げ、情報発信や研究会への参加をするなかで、自社の事業は私企業の利益のためではなく、市民や行政も含めた、公益のための活動であることを強調しています。

公益性の高いインパクトを設定するのはそう難しいことではありません。本来、多くのビジネスは顧客の課題を解決することで対価をもらうものなので、何かしらの市民の益にはつながっていて、その先には公益性の高いゴールがあるはずです。

多くの人の共感や合意を得られるインパクトを考えるうえで、**実感を持ちやすく、わくわくするような未来を描くことも意識しましょう。**

Airbnb は「Belong Anywhere（どこでも居場所がある）」という言葉で、一人ひとりがつながる未来を表現しています。単に家を貸しているだけではなく、ホストとゲストのつながりを作っていること、世界中を旅しても自宅のようにくつろげるような居場所がある、というイメージが、利用者の心を温かく、わくわくさせてくれます。さらにそのインパクトは「滞在先でホストにおいしいコーヒーショップや、街で穴場のレストランを教えてもらい、友達のように過ごせて、そのあとも連絡を取り合っている」といった、サービス利用者の具体的なストーリー（利用者にとってのアウトカム）によって補強されていきます。

安全や防災というインパクトは誰もが同意してくれる傾向にあります。ただ一方で、安全や防災は喫緊の課題だとは認識されづらいため、優先度は上がりづらい傾向にあります。このような場合は、安全や防災をインパクトに持ってくるのではなく、それらをあくまで中長期的なアウトカムとして配置してみるのも一つの手です。たとえば、その安全が叶ったときにどのような地域や社会にしたいのか、といったところをインパクトに置くことも考えてみるといいでしょう。それは「誰でもずっと住める街」なのかもしれませんし、他のインパクトなのかもしれません。

インパクトは定性的な目標でも構いません。ただしあまりに抽象的だと多くの人の共感が得られなくなります。たとえば「より良い社会を作る」という言葉は誰もが同意するものの、多くの人を巻き込むことはできません。具体と抽象の間のちょうど良いレベル感を見つけましょう。

インパクトを具体化する一つの手段として、**時間制限や数字を付ける**というものもあります。「すべての家のすべての机に1台のコンピュータを」というマイクロソフトの創業時のミッションはわかりやすく想像しやすい未来です。ケネディ大統領が1961年に述べた「1960年代が終わる前に、人類は月へ行く」という言葉も、具体的な時間制限がある、人をわくわくさせるようなインパクトの表現だと言えます。

インパクトの見つけ方

ではどのようにインパクトを見つければ良いのでしょうか。

これについて決定的な方法論があるわけではありませんが、一つの有効な方法論として、「意味のイノベーション」を起こすプロセスが参考になるでしょう。

イタリアのミラノ工科大学で教えるロベルト・ベルガンディ教授は『突破するデザイン』の中で、新しい「意味」を生み出すプロセスを提案しています。ここでいう「意味」は本書でのインパクトに近い概念です。

プロセスは個人から始まります。まず一人で「人々に愛してもらいたいものは何か」を考え、新しい意味としてのビジョンの仮説を作り、自己批判を繰り返して改善していきます。次に似た仮説を持つ人とペアを組んで、お互いの仮説の差異に焦点を当てながらスパーリングをしてビジョンを深めます。その後ラディカルサークルと呼ばれる異なる視点を持つ15から20人程度の小規模なグループでビジョンに新たな方向性と共通点を見つけ、さらにそのビジョンに対して、専門性を持つ外部の解釈者を十人弱集めて疑問をぶつけてもらいます。そして最後にビジョンを世に出して多くの人たちでテストします。つまり、ビジョンを個人で

図 4.5　意味のイノベーション

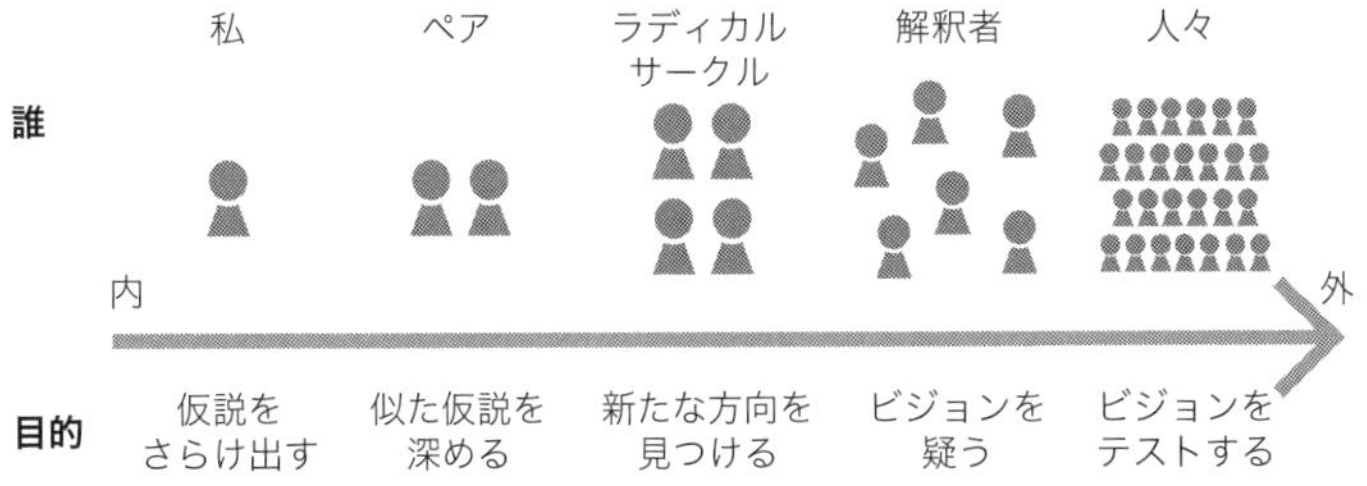

出典：ロベルト・ベルガンティ『突破するデザイン――あふれるビジョンから最高のヒットをつくる』（八重樫文、安西洋之監訳、立命館大学経営学部 DML 訳、日経 BP 社、2017）

考え始めて徐々にその輪を広げていきながら、社会的な批判プロセスを通して昇華していくのです。発想のコツとして、個人で仮説をつくるときは、抽象的なビジョンを考えるだけでなく、まずはソリューションを作ってみて、そこから抽象度を高めて考えるとうまく始めることができると指摘されています。こうした一連の流れはインパクトを考える際にも有効な方法でしょう。

また、**良いインパクトを設定している企業のトップたちは、数多くのインプットをしていた**傾向にあります。インプットは読書や自分の経験からという場合もありますし、多様な人間関係からというケースもありました。過去の仕事上での課題や、事業をする前にしていたNPOの活動、ボランティアや海外留学など、多岐にわたる経験をしている人も多いようです。ちょっとした人助けをして、そのあとも少しまた人助けをして……と、乗り掛かった舟で続けていて、とあるタイミングで振り返ってみたときに自分のやってきたことの意味がわかった、という人もいました。

若手の起業家の場合、いったん事業を始めてみて、事業を進めていく中で多様なインプットを得て、その中で目指すべきインパクトを形作っていくパターンも多く見受けられました。2度目以降の起業家の場合は、1年ぐらいサバティカルのようなものを取り、その期間に様々な人と会ったり、経験をしたりして目指すインパクトを見つける人が多いようでした。

いずれにせよ、良いアイデアと同様に、**良いインパクトは閃きのように訪れるのではなく、徐々に形作られていくもののようです。**良いインパクトを見つけるには、遠回りのようにも思えますが、結局何か興味のあることや小さな社会貢献を始めてみることが一番の近道だと言えます。多くの社会運動も目の前の困っている一人を助けるために始まり、活動を通じて大きなビジョンが形成されていくようです。まずは行動をしてみて、そこからインパクトを探していきましょう。インパクトが決まらないから行動しない、行動できない、というままでは、良いインパクトは見つからないでしょう。

一方、既存企業での新規事業の場合、すでに社会へのなにかしらのインパクトが設定されている状況で、自分たちのインパクトをあらためて考え出さなければなりません。この場合、自社の大きなビジョンやミッションを基にインパクトを考えていくことになります。事例を見ていくと、会社のこれまでの在り方とは全く関わりのないインパクトを目指すと、最初は良くても、のちのち社内との不整合が出てしまうようです。これまで培ってきた自社の技術やビジネスとの整合性を取りながら、インパクトを設定していくことをお勧めします。実際にこれまでの自社の技術やビジネスを参照することで、上層部との折衝や関係者の巻き込みに役立ったという話もあります。

地域に根付く企業の場合は、自治体のビジョンやミッションを参考にしてみるのもいいかもしれません。近年、自分たちが今後どうなっていきたいかのビジョンを設定している自治体が増えてきています。たとえば東京都は2019年に戦略ビジョンを掲げ、20の分野でのビジョンを示しています。[16] そうした自治体のビジョンと整合するようなインパクトを掲げることで、自治体や住民の巻き込みはやりやすくなるはずです。

SDGs（持続可能な開発目標）に関連付けて、SDGsの17のゴールのいずれかにインパクトを据えてみるのも一つの手でしょう。具体的なSDGs指標を参照できるため、アウトカムの設定が

16 「『" 未来の東京 " 戦略ビジョン』の策定について」
東京都報道発表資料、2019 年 12 月 27 日
https://www.metro.tokyo.lg.jp/tosei/hodohappyo/press/2019/12/27/07.html

しやすくなるというメリットがあります。たとえば業務効率化のソフトウェアの場合はSDGsのゴールの八つ目である「働きがいも経済成長も」の中に含まれる特定のターゲットや、それに関連付けられている指標、たとえば一人当たり実質GDPの年間成長率などが一つの長期的アウトカム候補になるかもしれません。

後述しますが、インパクトについては最初から決め打ちで設定するのではなく、可能であればステークホルダーと一緒に作っていくような柔軟性も持ち合わせているとなお良いでしょう。

インパクトを設定・運用する

インパクトを設定・運用していくときのヒントになるのが、FASTという考え方です(図4・6)。FASTはMITスローン・マネジメント・レビューでドナルド・スルらが提唱したもので、以下の頭文字からきています。

- **Frequently discussed** 頻繁に議論される
- **Ambitious** 大志のある
- **Specific** 特定する
- **Transparent** 透明性がある

まずインパクトは**頻繁（frequent）**に話しましょう。残念ながら、営利企業の売上目標などとは異なり、こうしたインパクトは設定して終わり、ということになってしまいがちです。そこでまずはインパクトについて頻繁に話すよう、設計段階から運用に注意を払っておきましょう。作成したロジックモデルを毎週のミーティングで振り返るなど、オペレーションの中に組み込むことも効果的です。

また**大きな志（ambitious）**のあるインパクトを設定するようにしてください。達成は難しくとも不可能ではないレベルで設定することで、関係者の努力を引き出すことができます。「1960年代が終わる前に、人類は月へ行く」というケネディ大統領の目標は、達成は難しいものの人々のやる気を引き出すことに大いに役立ったはずです。

特定する（specific）ことは、数値目標を設定すること、そして計測の方法を明確にすることです。そうしなければ、達成できたかできていないかわからない、曖昧なお題目で終わってしまいます。どのような数値目標がいいかについては、本書の

図4.6 FAST

	定義	便益
Frequently discussed 頻繁に議論される	目標を、進捗確認、リソース配分、優先順位付け、フィードバックのための進行形の議論に組み込む	・重要な意思決定のための指針を提供する ・従業員を最も重要なことに集中させる ・パフォーマンスフィードバックを具体的目標につなげる ・進捗と正しく進んでいるかを確認する
Ambitious 大志のある	目的は、困難だが実現不可能ではないものにする	・個人やチームのパフォーマンスを高める ・サンドバッグのリスクを最小限に抑える ・目標を達成するための革新的な手法の探索を促す
Specific 特定する	目標を具体的な数値やマイルストーンに落とし込む	・従業員に期待されることを明確にする ・機能していない点を識別し軌道修正する ・個人やチームのパフォーマンスを高める
Transparent 透明性がある	目標と現況を全従業員が見られるように公表する	・目標に向けたピア・プレッシャーの活用 ・従業員の活動が会社の目標到達にどのように助けになるかを示す ・他のチームの課題を理解する ・戦略に不要・不整合な活動をあぶり出す

出典：Donald Sull and Charles Sull. 2018. With Goals, FAST Beats SMART, *MIT Sloan Management Review*, June 5
https://sloanreview.mit.edu/article/with-goals-fast-beats-smart/

ツール2「アウトカムの測定と評価」も参考にしてください。

最後に**透明性（transparent）**です。現状のパフォーマンスや状況を透明性を持って共有することで、活動が実際に最終的なインパクトにつながっていることを示すことができ、ほかの関係者の状況を知ることもできます。これはロジックモデルをベースにして、それぞれのアウトカムの状況を共有することでも可能になるでしょう。

インパクトからバックキャスティングする

インパクトが定まったら、設定したインパクトを達成するために、インパクトから逆算してアウトカムやアウトプット、アクティビティを設定していきます。こうして**未来を最初に設定して、そこから逆算していく考え方はバックキャスティングと言われます。**

このバックキャスティングの具体的なやり方については、ツールセットのツール1「変化経路図」とツール3「課題分析と因果ループ図」でより具体的にお話しします。

ここでは一つだけ、インパクトからバックキャスティングして、アウトカムを設定する際のポイントに触れておきましょう。重要なのは、受益者の便益を意識することです。

たとえば自動車会社がより速度性能の良い車を作ったとします。多くの人にとって、「速度」はサービス受益者に対するアウトカムではありません。アウトプットです。「早く目的地に着く」「気持ちよく移動できる」などがアウトカムです。もしそうしたアウトカムを実現したいのであれば、速度という性能を最大限向上させる技術的なアウトプットだけではなく、全く別のアウトプットと組み合わせることが必要かもしれません。このように、受益者にとって本当の成果とは何か、を考えることがアウトカム設定のときのポイントです。

受益者が複数の異なるグループにまたがる場合もあります。そのときには代表的な受益者グループを複数想定して、それぞれのグループが求めるアウトカムを個別に考えてみましょう。

注意しなければならないのは、私たちはついインプットやアクティビティ、アウトプットという目に見えやすいものに集中力を割いてしまいがちだという点です。そうではなく、受益者の便益を考えた上で、アウトカムの設定をすることを重視してください。

日本はインパクトを示すのが苦手

こうしたインパクトの議論を聞いても、難しいと思う人が多いかもしれません。**日本はインパクト（企業においては企業理念やビジョン）を示すのが苦手**だと言われています。そして、それが社会実装の大きなハードルの一つになっています。

たとえば、京都大学こころの未来研究センター教授の広井良典氏は、世界の各地域の社会システムのありようの違いについて、以下のようにまとめています。[17]

17 広井良典『人口減少社会のデザイン』（東洋経済新報社、2019）

アメリカ――強い拡大・成長志向＋小さな政府
ヨーロッパ――環境志向＋相対的に大きな政府
日本――理念の不在と〝先送り〟

日本は、開国後、戦前には大きな政府を持つヨーロッパ型の高福祉の制度を導入しながらも、戦後はアメリカの成長志向と低福祉の小さな政府を志向することで、なし崩し的に中福祉・低負担の社会保障の仕組みを作り上げ、社会保障の借金を将来世代に先送りし続けている、という歴史があります。つまり日本は、困難な意思決定を先送りにし続けており、その背景には「どのような理念のもとに社会モデルを作っていくか」というビジョンや理念、そして議論が不在だった、というわけです。

同様に、日本を含む主要10か国における管理職のリーダーシップスタイルについての調査でも、日本企業の管理職は、ビジョン型のリーダーが10か国の中で最も少ないという結果がでています（図4・7）。

グローバルで見てみても、SDGs、自動車のEVへの移行、サーキュラーエコノミーといった、現在話題になっている世界規模のインパクトを見据えたアジェンダのほとんどは欧米圏から出てきたものです。一方、日本が主導してインパクトを設定し、世界的なアジェンダとなったものはほとんどありません[18]。

18 Data Free Flow with Trust などは日本から提案されたインパクトの一例です。ただしまだ世界的なアジェンダになっているかどうかは不明のため、ここでは割愛しています。

19 日本貿易振興機構（ジェトロ）「欧州の SDGs 実践に関する調査」、2019 年 3 月 https://www.jetro.go.jp/ext_images/_Reports/02/2019/ddba09c2ec3c478a/euSdgs201903.pdf

しかし良いインパクトを設定できた国や企業は、ビジネス上の競争でも優位に立つことができるのです。

SDGsも良いインパクトを提示した国が優位に立った例です。SDGs自体は国連が作ったものですが、策定の際にはEUが主導的役割を持ちました。そして2017年のSDGs達成度では、EUに加盟している8か国がトップ10の中に入っており、国連参加国の全156か国中、EU加盟国はすべて50位以内に入っている、という状況です。穿った見方をすれば、EUはSDGsというインパクトを定め、さらにSDGsを測るための指標も主導することで、「SDGsというある種のゲーム」のルールを定め、EU圏の企業がSDGsに基づくESG投資でも優位な立場につけられるようにした、という風にも考えられます。[19]

SDGsというインパクトの文脈に乗ることは、EUのルールやガバナンスの在り方に従うことでもあります。そうした背景を知ってもなお、世界でSDGsに取り組む

図 4.7 各国の管理職のリーダーシップスタイル

	国名	極めて活気のある組織の比率	指示命令型	ビジョン型	関係重視型	民主型	率先型	育成型
新興国	中国	25%	45%	26%	45%	26%	28%	58%
先進国	アメリカ	22%	24%	47%	42%	31%	33%	42%
先進国	ドイツ	22%	16%	36%	37%	42%	44%	32%
先進国	カナダ	19%	20%	48%	45%	43%	34%	37%
先進国	イギリス	18%	25%	45%	44%	32%	32%	43%
新興国	ブラジル	14%	59%	45%	48%	55%	22%	50%
先進国	フランス	12%	49%	34%	33%	34%	26%	43%
先進国	イタリア	11%	62%	48%	43%	40%	24%	48%
新興国	インド	11%	62%	42%	51%	36%	18%	55%
先進国	日本	7%	27%	19%	36%	59%	42%	37%

□各国において最も比率が低い　■各国において最も比率が高い

出典：「組織活性化に求められるリーダーシップスタイル」ITメディアエンタープライズ、2013年6月6日
https://www.itmedia.co.jp/enterprise/articles/1306/06/news033.html

企業が多いのは、国連やEUがSDGsという良いインパクトの在り方を提示したからです。

事業会社を見てみてもそうです。テスラは「より良い未来のために世界の持続可能エネルギーへのシフトを加速する」というミッションの下、化石燃料からEVへの移行というインパクトを提示しました。そのインパクトが多くの人たちに受け入れられたからこそ、テスラは電気自動車業界のリーダーの地位を早くから固めていくことができました。

さらにテスラはそのインパクトから実利も得ています。現在、世界各国は環境への配慮から排ガス規制を設定していますが、その基準を満たしていない自動車メーカーは罰金を払うか、他社から排ガス枠を買わなければなりません。テスラはEVしか販売していないため多くの排出権を持っており、その権利をガソリン車が中心の他社に売ることで、年間数百億円規模の利益を得ています。つまり、世界にとっての良いインパクトにつながる事業はその事業を支援するルールが形成される可能性が高くなるため、そうした事業を他社に先んじて行うことで、そこから利益を得ることもできるのです。

今後、日本の企業としても、日本という国全体としても、そうした魅力的なインパクトを提示できるかどうかが競争戦略上でも重要なポイントとなってくるでしょう。

個々の社会実装プロジェクトでも同様です。プロジェクトに魅力的なインパクトを設定し、伝えていくこと、インパクトを見据えたアジェンダに多くの人たちを巻き込んでいきながら、そのインパクトを達成するために何をしていけばいいのかの道筋を示すこと。そして、大きな理想を描きながらも、小さく始めて試行錯誤しながら、前提となるデマンドを掘り当てること。こうした取り組みによって、社会実装のプロジェクトは徐々に社会に受け入れられていきます。

ロジックモデルを共有して、コレクティブインパクトを目指す

最後に、自社や事業の**ロジックモデルを社会と共有することの重要性**についてもお伝えさせてください。

コレクティブインパクトを達成するには（1）共通のアジェンダ（2）評価システムの共有（3）互いに強化しあう活動（4）継続的なコミュニケーション（5）活動を支えるバックボーン組織の五つの要素を満たすことが重要だと解説しました。ロジックモデルは、この共通のアジェンダを設定し、評価システムの共有を行うためのツールとなります。

そしてロジックモデルを公表し、共有することで、より多くの人たちがその取り組みの意義を知ることができ、互いに強化しあう活動も可能になるでしょう。場合によっては、自社の事業だけでは達成しづらいアウトカムがあるかもしれません。そんなときに、ロジックモデルをつくっている

他の事業者や自治体、市民団体と、お互いのロジックモデルを突き合わせれば、アウトカムが重なる領域で協働することが可能になるかもしれません。お互いがなぜそのアウトカムを目指しているのか、そのロジックを理解しあうことで、協働もしやすくなるでしょう。また、共通のアウトカムを目指すソーシャルセクターの団体の支援もしやすくなります。**ロジックモデルは、そうした協働やオープンイノベーションを可能にする一つのツールになるはずです。**

現在、日本の行政でもロジックモデルの作成が義務付けられつつあります。民間企業もこのロジックモデルの流れに合流し、自社のロジックモデルを共有することで、社会実装のプロジェクトを進めやすくなるでしょう。インパクトとそこまでの道筋を認識する共通の言語として、ロジックモデルを使ってみてください。社会実装の先にある、社会的インパクトを様々なステークホルダーと連携しながら、実現していけるはずです。

一方で、私たちが見るべきものは社会実装の良い面だけではありません。そこから生まれるかもしれない悪い影響、つまりリスクにも十分気を付ける必要があります。そこで次章では、リスクについてお話ししていきます。

INTERVIEW

都市とデジタル技術の社会実装

宮坂 学

1967年生まれ、山口県出身。大学卒業後、株式会社ユー・ピー・ユーで雑誌や広告制作に携わる。1997年、創業2年目のヤフーに入社。2012年、44歳で同社社長に就任。「爆速経営」をスローガンに掲げ改革に取り組む。2018年会長に退き、2019年6月同社取締役を退任。同年7月東京都の参与に。9月20日付けで東京都副知事に就任。

副知事として、都市へのテクノロジーの社会実装をどのように捉えられていますか?

都市への社会実装の議論では、スマートシティという概念が注目を浴びていて、各都市が競争しています。なぜ各都市が競争しているかというと、都市がビジネスのプラットフォームとなりつつあるからです。

現在はインターネットやスマートフォンだけでビジネスが完結しなくなってきており、MaaSやドローンのように、リアルの現場が絡み合う場所での価値の創出が必要になってきています。そんなとき、各都市がどれだけの通信インフラや制度が整っているかによって、その都市でビジネスができるかどうかが決まります。良いインフラや制度がある都市には良いビジネスが生まれ、そこに住む市民の利便性が上がり、その都市の魅力も向上します。

ネットの時代にはブラウザやクラウドがプラットフォームであり、スマホの時代ではアプリストアがプラットフォームであったように、今は都市がプラットフォームになりつつあると考えています。そして２０５０年には世界人口の約7割が都市に集中すると言われており、都市をどのように整備していくかは日本の喫緊の課題でもあると思っています。

スマートシティを進めていくうえで気を付けていることはありますか?

まずスマートシティには、未来的なきらびやかなスマートシティと、日常がちょっと便利になるスマートシティという二つのアプローチがあって、どちらも大事だと思っています。私は前者を大文字でSMART CITY、後者を小文字のsmart cityと呼んでいます。

未来的なスマートシティの構想はメディアで大きく取り上げられます。一方で、メディアには取り上げられませんが、ＦＡＸをデジタルに変えることや、行政手続きがオンラインでできるようにするといった、小文字のsmart cityの取り組みも重要なことです。住民にとっての今の困り事を解決していきつつ、大文字のSMART CITYを実現できるようなインフラを敷設して、ビジネスが生み出されるプラットフォームにしていく。それが都市へのテクノロジーの社会実装の一つの姿だと思っています。

行政サービスという観点からは、デジタル技術は「聴く力」との相性がよい、という考えを持っています。行政がデジタル技術を使えば、市民の皆さんと直接つながってフィードバックの声をもらったり、非言語的な市民の声もデータを通して「聴く」こともできます。ＧＡＦＡなどの企業も大量のデータからユーザーのニーズを把握して、精度の高い情報を提供していますが、もし行政が市民の許可を得ながらそうした動きができれば、困っている市民により良い公的サービスを提供できるようになります。

アメリカやＥＵでは、新しい行政サービスを始めるときは、その制度に該当する市民モニターに来てもらって実際に使ってもらうことなどをしているそうです。そうした取り組みを通じて、行政が市民の声にもっと耳を傾けられるようになり、行政と市民の間での対話の機会が増え、市民が行政サービスや制度作りに参加できるようになるのも、一つのスマートシティの姿だと思っています。

市民の困っていることやニーズを聴いて行政に活かす。これは民主主義のプロセスそのものとも言えます。デジタルテクノロジーを上手に活用することで民意をより早くよりたくさん知ることができます。また将来的にはネット投票などによって、民主主義のデジタルトランスフォーメーションも可能になるかもしれません。

スマートシティを社会実装していくために、どのように都市と民間とが連携していくべきだと考えますか?

まずはオープンデータ化だと思います。

オープンデータ化することで、民間企業やNPO、市民の皆さんがそのデータを活用してサービスを開発することができます。たとえば、異なる年齢層の利用者に向けて、異なるユーザーインタフェースを作り、利用者に合わせて使い勝手を良くすることもできます。

都がこれをやろうとしても、現在の都の職員にはITの専門職が100人程度しかいません。たった100人で約1400万人の都民のITインフラを担っています。その業務範囲はアプリだけではありませんし、そもそも都民のニーズは多様なため、すべてのニーズにこたえるアプリを都の職員だけで開発するのは不可能です。

なので、オープンデータ化して、都市をプラットフォームとして活用してもらい、そのプラットフォームからサービスが次々と生まれてくる環境を整えるほうがよいという考えです。現在、都庁には約20の局がありますが、それぞれがオープンデータやAPIを用意して、毎年1個ずつアプリが生まれれば、年間20個、5年で100個になります。さらにオープンデータやAPIが各都市で標準化されていれば、他の都市でも同じことが実施できて、民間企業にとっても大きなビジネスになるかもしれません。

そこで TOKYO Data Highway の取り組みでは、都保有のアセットの所在地や面積・高さなどの情報を整理して、通信キャリアが利用できるデータベースを公開しています。このフォーマットを他の道府県でも使ってもらえれば、通信キャリアにとっても有益で、その結果、他の地域の市民の皆さんにも通信インフラが届きやすくなります。

さらに都市のAPIを用意して提供することで、都市インフラの持つ機能を民間企業が利用することも可能かもしれません。そうすると、そこから生まれるサービスの幅はさらに広がります。

オープンデータやAPIを用意しても、使ってもらえなければ意味がありません。アプリもそうですが、一番難しいのは作ることよりも、普及させることです、そのためには開発者に寄り添っていく必要があります。だからこそ、私も含めた行政の職員とスタートアップや大企業、NPOの方々が、もっともっと話し合う場を作っていきたいと思っています。

INTERVIEW

起業と社会実装

諸藤　周平

株式会社エス・エム・エスの創業者であり、11年間にわたり代表取締役社長として同社の東証一部上場・海外展開など成長を牽引。同社退任後2014年より、シンガポールにてREAPRA PTE. LTD.を創業。アジアを中心に産業規模のマーケットリーダーを創出することを目的に、ベンチャー企業への投資や共同での立ち上げ、長期視点で成長を伴走支援する活動等に取り組んでいる。1977年生まれ。九州大学経済学部卒業。

エス・エム・エスでは20を超える新規事業を立ち上げられてきましたが、どのようにその社会実装を行われてきたのでしょうか？　ほかの企業と何が違ったのでしょうか？

長期的な時間軸を意識していました。50年や100年続いている企業は、時代の流れに乗っています。私が会社を始めた当時、東アジアが急速に老いていくという問題は予想されていて、その時代の流れに乗ることを考えて介護業界に入るのを決めました。50年や100年の時間軸で見たほうが、相対的に事業の最大利益は大きくなりますし、社会に出せるインパクトも大きくなります。

マクロではそうした市場の変化を見たうえで、足元では短期的に市場で利益が出せる事業を行いました。短期の視点で言えば、リサーチするよりも実際のビジネスをしたほうが洞察が得られやすいからです。そして利益が出れば事業を長く続けることができます。なので、短期的に利益が上がりうるところで事業を始めて、事業をしながら業界に対する洞察を得て、徐々にあるべき社会やインパクトの解像度を上げていきました。

当時、同じ介護領域のスタートアップでは、ベンチャーキャピタルから資金調達をして大がかりなシステムを最初から作ろうとしていた会社もありました。でもそうした会社はうまくいきませんでした。介護業界は規制や政治の動きや、実際の介護業者の動き、さらにはユーザーのリテラシーなどが複雑に絡み合います。それを最初からシステム化しようとするとなかなかうまくいかなかったのでしょう。テクノロジーの凄さで資金を調達して事業を進めようとして、その結果、システムは完成するものの顧客が使わないものを作ってしまったようです。

一方で私たちは顕在化しそうなニーズに対してビジネスを行い、その中で必要に応じてテクノロジーを取り込んでいくという動きをしていました。そして、ボトムアップでステークホルダーやルールなどに対して影響力を上げて、次第にその市場構造を作る、といった動きをしていたように思います。

もちろん、介護領域ではそうしたやり方が比較的有効だったというだけであって、すべての領域でこのやり方が当てはまるわけではないと思います。

現在はREAPRAで、研究と実践をしながら日本と東南アジアで90以上の会社を立ち上げようとされています。「複雑性の高い市場」に挑んで新しい産業を作ることを目指しているということですが、どのような進め方をされていますか？

ステークホルダーが多かったり、事前予測が難しかったり、変化のタイムスパンが長いような市場のことを、私たちは「複雑性の高い市場」と呼んでいます。たとえば行政の方針が変われば事業の方向性も変わる可能性があるとか、消費者のリテラシーが関わるような領域です。私がエス・エム・エスで取り組んだ介護業界はまさにそうした領域でした。

こうした市場は、普通の会社がやろうとすると、短期ではなかなか大きな市場にならないので、合理的に考えると参入対象から外れてしまいます。また既存の金融機関も、ファンドの回収期間との問題で投資が難しい領域で、投資対象になりません。私たちはそうした領域に対して、長期間にわたって関わることを前提に取り組もうとしています。投資の用語でいえば、ロングに時間を取るとインセンティブがつくような市場に投資する、と言い換えられるかもしれません。

ただ、あまりにも複雑性が高すぎると、偶然に頼ることになってしまいます。なので、複雑すぎる領域は狙いません。私たちREAPRAが狙う領域は、「今は有意に市場が複雑だけれど、意図を持って長い時間をかければ、その複雑性をマネージできるような領域」と言えるでしょう。つまり、十分に複雑な領域であっても、きちんとスイートスポットがある市場を探して、そこに適した起業家に対して投資をします。

こうした市場においては、マクロでの情報収集をして最終形を描きながら、実際には市場や顧客から情報や洞察を得ていく必要があります。事業という実践の中で、情報や洞察を得ながら学んでいくことが優位性につながるんですね。エス・エム・エスでやっていた介護領域を例にすると、介護保険の規制の変化というマクロな情報を取りながら、ミクロで介護の事業をやって生の情報や洞察を得ていくことで、徐々に変わっていく複雑な市場に対応することができます。そのためには、最終形を描きながらも、まずはキャッシュフローが回る事業をするといいと思っています。必ずそうした事業領域はあるはずなので。そうして徐々に事業の塊を大きくしていって、最終形に辿り着く、というストーリーですね。こうして、あえて長期で考えることで、より大きな利益が得られます。

これまでは、法や規制、政治家には触らないほうがいいと思っていました。そうしたところは変わらないという前提で、ビジネスのインパクトを徐々に大きくしていって、最終的に変えればいいと思っていたんですね。しかし長期で考えるからこそ、最初から法や規制などに小さくアプローチして、最終的に市場の構造自体を変えていくという手段もあるかもしれない、とも思い始めています。たとえば政治に関わる人たちとの勉強会をしたり、最初から少しだけ幅広いステークホルダーと対話したりしていくなどです。法や規制などのアプローチは取りうる一つの手段でしかないとはいえ、市場を静的に観察して構造を把握するだけではなく、市場の構造を動的に変えていくという手段もあるかもしれません。

複雑性の高い市場に挑むためには、起業家の個人にどのような資質が求められるでしょうか?

まずは物事を単純化して捉えず、複雑なものを複雑なままに見ることだと思います。そうすることで、本質的な課題を俯瞰的に捉えられるようになると思います。そしてこうした複雑性の高い市場は、事前にはどうなるかが読めないので、やりながら経験学習するような事業だと思っています。なので、経験から学べる起業家というのは重要だと思っています。

あとは長期的にその領域で学習したいと思っているかどうかですね。取り組みが長期になるため、起業家は独自の価値観をベースに、その領域に強い内発的動機を持つことが求められます。そのためには自己理解や、なぜその領域をやり続けるのか、自分なりのストーリーを持っている必要があります。

これらをまとめて、REAPRAでは「社会と共創するマスタリー(熟達)」というテーマを掲げながらやっています。起業家自身が強い信念を持って長期的に事業にコミットすることで、ビジネスのみならず起業家自身も成長でき、そして社会に貢献していくことができるはずです。

5

リスク——不確実性を飼いならす

2章で述べたとおり、テクノロジーの社会実装の意義は、テクノロジーによって人々がエンパワーメントされることです。しかしエンパワーメントは必ずしも良い結果を生み出すわけではありません。**エンパワーメントには負の側面もあります。**

最もわかりやすいのは兵器でしょう。私たち人間は兵器を社会実装することで、高い殺傷能力を手に入れました。兵器の社会実装によって、私たちは私たち自身の殺傷能力をエンパワーメントしたと言えます。

自動車が社会実装されたことで、私たちの移動能力はエンパワーメントされましたが、一方で交通事故が増えました。また『自動車の社会的費用』で指摘されるように、自動車は都市の形を変えました。[1] その結果、生活は便利になったものの、人々は自然との接点を失っていきました。自動車に限らず、製造工場などでの生産活動は、環境汚染や気候危機を引き起こしています。私たちは自ら開発したテクノロジーによって、自らの想像以上のスピードで環境や社会を破壊する力を持ってしまうこともあります。

近年のAIという比較的新しいテクノロジーでは、差別に関する懸念がしばしば取り上げられています。懸念が的中した事例の一つに、AIによる採用支援の取り組みがあります。過去に企業内で高い業績を上げていた従業員を調べると男性が多かった、という結果から、AIが男性をより多く採用しようとしたのです。しかしそれは、過去に女性が不当に低く評価されていたため、AIの学習自体にバイアスがかかっていたことが原因だと言われています。[2]

1　宇沢弘文『自動車の社会的費用』（岩波書店、1974）

2　「焦点：アマゾンがAI採用打ち切り、『女性差別』の欠陥露呈で」ロイター、2018年10月11日等 https://jp.reuters.com/article/amazon-jobs-ai-analysis-idJPKCN1ML0DN

この技術は実験段階で運用の中止が決まりましたが、仮にもしその技術が実装されてしまえば、女性は雇用機会を不当に奪われることになっていたでしょう。それは倫理的に許しがたいことですし、経済的な格差を助長することにもつながってしまいます。企業にとっても、本当の才能を見つけることが妨げられ、長期的に見ると競争力の低下へとつながってしまうでしょう。

私たちがテクノロジーによってエンパワーメントされ、私たちが持つ力が増すたびに、良くも悪くもその力の影響は大きくなります。社会実装をしていくうえでは、それに伴うリスクや倫理について考える責任を避けることはできません。その責任を回避すれば信頼を失い、次第に新しい技術が社会に受け入れられなくなっていきます。**リスクや倫理を過小評価したり無視したりしてしまうと、場合によっては、あとから取り返しのつかないことも起こります。**

本章ではリスクの軽視によって起こった社会実装の問題を取り上げるとともに、事業者が社会実装をしていくうえで、どのようにリスクを考えていけばいいのかについて解説します。

リスクと倫理の重要性

電動キックボード

2010年代後半、各国で電動キックボードのスタートアップが次々に生まれました。電動キックボードは、主に短距離の移動が効率的になるという便益があり、さらに安価かつ誰でも簡単に乗れます。日本では規制の関係で街中では見かけませんが、諸外国では一気に広がりを見せました。

一方で、交通事故のリスクについて当初から懸念が表明されていました。電動キックボードでの事故を自転車事故と比較すると、搭乗者は頭部損傷の確率が高く、またスピードも速いため衝突相手も大きなケガをする可能性が高まることが指摘されています。

そんな中、シンガポールでは2017年に、歩行者・自転車・電動キックボードが共存するためのルールやマナーを定めたアクティブ・モビリティ法を施行し、自動車に代わる移動手段として電動キックボードを国を挙げて推進しました。安全性の観点から車道での走行が禁じられたかわりに、一定速度以下での歩道での走行が認められ、電動キックボードの利用は大きく広がりました。しかし2年後の2019年、度重なるバッテリー爆発事故や走行事故、違反などを受けて、電動キックボードの歩道での使用が明確に禁止され、自転車道でしか利用できなくなってしまいました。その結果、電動キックボードの小売店の多くが破産すると言われているほか、電動キックボードの利用を前提としていたフードデリバリーサービスなども、従来と同じサービスレベルではビジネスを維持できなくなった旨が報道されました。つまり、国と事業者が適切な危機管理を行えなかったために、電動キックボードとその周辺の産業が丸ごとなくなったのです。

一方、ヘルメットの着用義務・推奨や、業界団体による保険の加入義務などを課すことで、電動キックボードが運用され続けている国もあります。

たとえばフランスでは市街地では自転車専用レーンでの走行しか許可せず、歩道で走行した場合は罰金、さらにライトやブレーキの装備を義務化するなど、電動キックボードをより安全に使える制度を用意しようとしています。

また第2章でも紹介したとおり、パリでは「自動車がなくても移動できる街」を実現するために、車道をつぶして自転車専用レーンを増やす施策が進んでおり、そうした街の方向性が電動キックボードをより安全に運用できる一因となっているでしょう。各社や政府、自治体がリスクを低減するために、電動キックボード製品単体だけではなく、法律や街づくりも含めたシステム全体を変えていこうとしているのです。こうした取り組みは、業界のためだけではないとはいえ、結果的に業界自体がなくなることを防ぐ努力につながっています。

電動キックボードの対応が国ごとに異なるのは、その国の街の構造やすでにある制度など、技術を取り巻く環境によってリスクが異なるからです。他国で実施できているからといって、自国でリスクがないわけではありません。うまくやっている国では、もともと道路が広かったり、パリのように自転車レーンの整備が行われていたりする、という背景があるかもしれません。だから社会実装をするうえでは、単に「他国ではやっているから」といった理由で押し通すのではなく、その技術が社会実装される場での個別のリスクを把握していくことが大切になります。

事業者自身が自国やその街に応じたリスクに注意を払わなければ、その事業領域全体が規制され、事業継続が危ぶまれる事態になってしまいます。特に新しい領域で社会実装を行おうとする場合は、不確実性が高く、これまでにはなかったネガティブな事態が起こる可能性は高いでしょう。そうしたリスクについて事前に考慮・対処することは、社会とビジネスが共生していくために必要なことです。事業の社会的リスクを考えることは決してビジネスにとってのブレーキではなく、むしろビジネスの継続性を考えるうえで重要な観点だと言えます。

和田医師による心臓移植

単にリスクだけを考えればいいというわけではありません。倫理の観点も重要です。社会実装における倫理の重要性について理解するために、医療の社会実装の例を見てみましょう。

1968年に、日本初、世界で30例目の心臓移植手術を和田寿郎医師が実施しました。こうした高度な手術も、技術を用いたある種の社会実装だと言えます。しかし手術後3か月と経たないうちに、患者の方が亡くなってしまい、和田医師は刑事告発を受けることになりました。

移植手術を受けた患者の方は、世界初の心臓移植を受けた方よりも術後は長生きをしていました。つまり、心臓移植自体は世界初の事例よりもうまくいったとも言えるでしょう。この件は様々な角度から検証が行われているので、その是非について本書では議論しませんが、刑事告発にもつながった多くの批判は、手術の倫理的な側面についてのものでした。心臓移植に至るまでのプロセスで、倫理についての議論がされていなかったことが問題だと言えるかもしれません。

刑事告発の結果は不起訴でした。しかし刑事事件になったという事実は、全国の医師に対して萎縮効果を生んだと言われています。心臓移植が日本で執り行われることは以後ほとんどありませんでした。１９９７年に臓器移植法が法令化され、可能であると明示されるまでの30年、日本での心臓移植が遅れることになったのです。

つまり、その30年間、他国では救えたかもしれない命が日本では手術ができずに救えなかった、という大きな負のインパクトを残してしまいました。

個人情報とプライバシー

個人情報の保護もリスクを緩和するための取り組みと言えます。デジタル技術が浸透するにつれて、事業者は従来以上に個人に関わる情報を取得しやすくなりました。その結果、人々は自らの預かり知らぬところで、自分の個人情報を不適切に利用されてしまうかもしれないリスクを負うようになっています。

個人情報とプライバシー（の権利）は密接に関わるものです。法律家のサミュエル・ウォーレンとルイス・ブランダイスがハーバード・ロー・レビューに1890年に論文を出し、プライバシーの権利について提案したのがその始まりとされています。このプライバシーの権利という概念やその理論が生まれたきっかけにはテクノロジーの発展が関係していたと言われています。その一つが、カメラというテクノロジーです。

1888年にイーストマン・コダック社が、安価なカメラを提供し始めました。多くの人がカメラを手にするようになり、スタジオの外でも写真を撮れるようになりました。カメラによって、多くの人が写真で記録を残しておけるようになったというのはエンパワーメントの一種だと言えるでしょう。

しかし並行して問題になったのが、私的なことが第三者によって勝手に記録されてしまうことでした。カメラの普及と並行してマスメディアが急速に発達し、メディアがカメラを使った取材を行うようになったのです。ゴシップ紙や新聞社によって、有名人の日常生活や私的なパーティーなどがカメラで記録され、メディアで広く公開されるようになりました。当時の法律では、そうした行為の多くは名誉毀損にはあたらず、法的な対処も難しい状況だったそうです。そこに提示されたプライバシーの権利という概念は、人々の生活を守る画期的なものだったと言えるでしょう。

他にもプライバシーの権利の概念に影響を与えたテクノロジーはあります。カメラの普及の少し前にはマイクロフォンが発明され、会話の盗聴ができるようになりました。また同時期にあった建築物の変化も影響したとされています。ガラスがふんだんに使われるようになることで、部屋の外からでも様々な情報が得られるようになりました。かつては密閉されていた私的な領域が容易に覗かれる建築物が増えたのです。そこから被害が生まれたことも、プライバシーの権利という概念の形成につながりました。[3]

もちろんテクノロジーの発展だけがプライバシーという概念に影響を与えたわけではありません。1970年代になると、戦時下での国家による監視の懸念の高まりや、福祉国家の広がりによって国家が個人に関する情報を多く持つようになったことから、個人情報の取り扱いについてのルールを定める国が増えてきました。

その流れを受けて、1980年にOECDがプライバシー8原則を発表(2013年に改正)し、日本でもまず行政機関のみに適用される行政機関個人情報保護法が1988年に制定されました。民間の取り組みとしてプライバシーマーク制度の運用が開始されたのは1998年です。さらに民間事業者にも適用される個人情報保護法は2003年に成立、2005年に施行されました。

日本の個人情報保護法は2015年に大幅に改正、2017年に施行され、その中には3年ごとに見直す規定が盛り込まれました。これはデジタル技術の急速な発展を受けたもので、その時々に合った適切な改正をしていこうという趣旨の更新規定です。弁護士の岡村久道氏はこうした一連の

3 スティーヴン・カーン『空間の文化史――時間と空間の文化:1880-1918年〈下巻〉』(浅野敏夫、久郷丈夫訳、法政大学出版局、1993)

流れを「マスメディアプライバシーからコンピュータプライバシーへ」の変遷としてまとめています。[4]

今後も個人情報の取り扱いは、技術とともに変わっていくでしょう。たとえば遺伝子解析のビジネスが増えるに従って、ゲノムデータの流通が始まっています。究極の個人情報とも言われるゲノムデータは、単なる一個人に関する情報に留まらず、その親や家系、将来生まれるかもしれない子どもたちの情報も含んだものです。そうした情報を一個人の同意で取り扱っていいのかどうかという問題も生まれてきます。[5] また特定のゲノム情報を持つ人に特定の病気が出る確率が高いのであれば、そうしたゲノム情報に基づいた差別（たとえば雇用を拒否するなど）が起こりうるかもしれません。

事業者は自分たちの利益のため、国は公益のために個人情報や個人データの共有を求めるかもしれませんが、人権に密接に関わるこうした情報は、様々な歴史と理論に基づいて議論していかなければならないことでしょう。

デジタル技術の発展がもたらす個人情報の問題のように、**テクノロジーの発展が引き起こすリスクは、そのテクノロジーの社会実装をしようとする人々の想定を超えて生まれてきます。**こうしたリスクを可能な限り考えたうえで、あるべき社会やインパクトとの整合性を取り、慎重な議論を行いながら社会実装を進めていくことが、事業者に求められる視点だと言えるでしょう。

4　岡村久道『個人情報保護法の知識〈第4版〉』（日本経済新聞出版社、2017）
5　鈴木正朝、高木浩光、山本一郎『ニッポンの個人情報「個人を特定する情報が個人情報である」と信じているすべての方へ』（翔泳社、2015）

日本における社会実装とリスク

新しいテクノロジーの社会実装には、一般的に言われている事業リスクのリスクマネジメントだけではなく、社会へのリスクなども考慮して進めていかなければなりません。

特に**「日本初」の取り組みの場合、法のグレーゾーンに入ることがあります。**そんなときにリスクや倫理のことを考えずに強行してしまうと、強い反発を受けて、より厳しい規制が敷かれることがあります。そうなると産業全体が影響を受けるだけではなく、その後の社会実装が一気に難しくなってしまいます。第3章で紹介したUberの日本での展開の事例は、Uber本社側の意向でそうしたリスクなどを考えずに強行した結果の事例の一つです。先ほどの心臓移植の事例にも同じ側面があるでしょう。

科学技術の影響力の増大を鑑みて、欧米諸国では1960年代からテクノロジーアセスメントオフィス（技術のもたらす社会的影響を分析する組織）などを政府や民間企業が組織し、STS（科学技術社会論）という分野が発展してきています。またバイオテクノロジーやナノテクノロジーの発展に伴って、1990年代からはELSI（Ethical, Legal and Social Issues：倫理的・法的・社会的課題）やRRI（Responsible Research & Innovation：責任ある研究・イノベーション）といった領域が生まれています。

これまで日本ではテクノロジーアセスメントオフィスに相当する組織が作られてきませんでした。過去に作ろうとする取り組みがあったことや、国立研究開発法人科学技術振興機構（ＪＳＴ）や国会図書館などがその代替機能を担ってきたことは知られていますが、結局組織が作られるには至っていません。この背景には、これまでは欧米の取り組みを真似すればよかったという事情もあるでしょうし、欧米に比べると日本では民間企業がそれなりに高い意識を持って倫理やリスクの問題に取り組んできたから、国としての機構が必要なかったとも言えます。

しかし「課題先進国」とも言われる日本で、諸外国よりも先んじてテクノロジーの社会実装を行う上では、本格的にリスクと倫理を考えていかなければならないケースは増えています。[6]

デジタル領域でも、こうしたリスクや倫理への要請は大きくなってきています。従来のデジタル技術の社会実装の場合、社会への影響は軽微だと見なされがちでしたし、純然たるデジタル領域のみで完結するものがほとんどでした。しかしデジタル技術の影響力が増し、さらにその活用範囲として物理的な世界への関わりも増えてきたことで、デジタル事業者はこれまで以上に、技術の社会に対するリスクを考えていく必要があるでしょう。

「許可を得るより、（やってしまって）あとで謝る」や「早く動いて壊す」といったテーゼで進めてきたデジタル系の事業者にとって、これは違和感のある話かもしれません。しかしデジタル領域の影響力が増している今、デジタル業界全体としてリスクと倫理を考え、「大人の振る舞い」をすることが求められるようになってきています。

6　これに対応するように、近年は大阪大学に社会技術共創研究センター（ELSIセンター）が2020年に設立されるなど、日本でもその機運が高まっています。

実装するリスクと実装しないリスク

　ここまで実装したあとのリスクについて話してきました。一方で、社会全体で見てみると、「**実装しないことによるリスク**」というものもあります。

　たとえば5Gなどの2020年現在においてまだ普及していない、社会実装がされていないテクノロジーは、社会実装によってどのような便益があるかすべてはわかっていません。しかし5Gという新たなインフラが敷設され、インターネットのスピードがさらに向上することで、新しいビジネスが生まれてくる可能性は十分にあります。

　たとえば4Gの普及を振り返ってみましょう。中国が一気にライドシェアやサイクルシェア、TikTokなどの動画サービスを生み、世界の最先端を走るようになったのは、2014年前後の4Gとスマートフォンの普及がきっかけだったと言われています。4Gによる動画サービスを予見できた人は多かったかもしれませんが、サイクルシェア等のサービスが生まれることを4Gを敷設するときに予見していた人は少数だったでしょう。

　仮に将来、その技術による便益が高いとわかってきたときに、他国に比べて十分な投資をしていなければ、他国の進歩に追いつくのに時間がかかります。その分、相対的に経済的な利得が減ってしまうかもしれません。追いつくために時間がかかるだけであればいいですが、心臓移植のような生死に関わるようなものの実装が遅れることは大きな損失を招きます。

また他国のプラットフォーマーが完全にグローバルの市場を押さえてしまってからでは、追いつこうにも追いつきようがありません。特に物理的なインフラと異なり、デジタルインフラともいえるプラットフォームビジネスの場合は、比較的容易に他国のサービスが支配的な地位に就くことも可能です。

たとえば2020年現在、すでに中国では5Gユーザーが1億人を超えていると言われています[7]。今後、5Gを活用した先進的なサービスが世界に先駆けて中国から生まれてくるでしょう。そして他の国々で5Gが普及し始めるときに、中国国内で長年かけて洗練されたサービスやプラットフォームが他国を席巻する可能性は十分にあります。

グローバリゼーションが否応なく進む中、日本の法規制だけがリスクを忌避して安全策を取っていると、他国のグローバル企業が、すでにある資金力や他国での経験、ユーザーベースをもとに、日本市場で覇権を取ることも十分にありえます。そうなってしまえば、日本の事業者が稼げなくなり、税収も落ちてしまい、日本全体として経済的・政治的・軍事的に好ましくない状況となってしまいます。かといって、経済を優先して人権などを侵害してしまう社会は誰も望んではいません。そうした絶妙なバランスを取りながら、社会実装のリスクを判断していく必要があるのが、今の社会だと言えます。

ここまで見てきたように、一つの社会実装には便益とリスクがあり、さらに「社会実装しない」

7 「中国の5Gユーザーは1年弱で1.1億人超、世界最大のマーケットに」TechCrunch Japan、2020年9月17日
https://jp.techcrunch.com/2020/09/17/2020-09-15-china-tops-110-million-5g-users-in-less-than-a-year/

という意思決定にもリスクがあります。そうした様々なバランスを鑑みて、国や私たち市民は社会に新しいテクノロジーやビジネスを受け入れるべきかを考えていかなければなりません。

そのうえで、事業者としては、いかに社会実装を進めていくか、という観点に立つことになります。そこで本章ではここから、**社会実装のリスク**と**社会実装の倫理**について、それぞれより詳しく解説します。

社会実装のリスク

起こる可能性のあるネガティブなインパクトは、一般的に「リスク」と呼ばれます。リスクには様々な定義がありますが、一般的には、将来のいずれかの時点で何か悪いことが起こる可能性について触れられるときに使われる言葉です。語源はラテン語の「risicare」で、ニュアンスとしては「(悪い事象が起こる可能性を覚悟の上で) 勇気をもって試みる」という意味です。

より正式な定義を見てみると、ISO Guide 73:2009ではリスクは「**目的に対する不確実性の影響のこと**」と定義されています。つまり、不確実性そのものではなく、その不確実性によって生まれる影響がリスクです。株取引を例に挙げてみれば、株価の変動自体は不確実性ですが、自分が株を買ってその損益が発生するかどうかはリスクだと言えます。

リスクは捉えづらいものです。その理由の一つは、リスクは実体概念ではなく、不確実な社会を捉えるための構成概念だからでしょう。[8]

リスクの対概念は「安全」だと言われます。ただ、リスクについて話す際に、この安全という言葉は、一般的な使い方とは異なる使われ方がされることも多くあります。たとえばISO/IEC（2014）による**安全の定義は、「許容できないリスクがないこと」です。**つまり、テクノロジーの便益や必要性の評価を加味したうえで、リスクが許容可能であれば「安全」だと見なされます。ここで強調しておきたいのは、**安全とはリスクがゼロのことではない**、ということです。許容可能かどうかが重要なのです。

リスクが許容できるかどうかは、便益や費用、代償リスクだけではなく、公平性や自発性などの倫理的な問題も含めて判断されます。そのうえで、リスクはALARP（as low as reasonably practicable）原則に従って、合理的に実行可能な限り低くしなければならない、とされています。ポイントは「合理的に実行可能な限り」という限定がつくことです。またALARPは、新しい知識や技術によって見直すことも想定されている概念です。新しい技術の登場や利用可能性によって、合理的に実行可能な範囲も時代によって変わってくることになります。

なお本書では、事業におけるビジネスリスクについてはお話ししません。社会に対してのネガティブインパクトが出てしまう可能性としての、社会的なリスクに限定してお話しします。

8　木下冨雄『リスク・コミュニケーションの思想と技術――共考と信頼の技法』（ナカニシヤ出版、2016）

リスクと不確実性

リスクには様々な定義があると書きました。リスクを分類して捉える定義もあります。たとえば経済学者のフランク・ナイトはリスクと不確実性を分別し、確率によって予測できるリスクと、確率的事象ではない不確実性とを区別しています。

より広い意味での不確実性については、アンディ・スターリングがブライアン・ウィンの分類を基に、以下のような分類を行っています（図5・1）。

この分類における**「リスク」**は、発生する確率も発生したときのアウトカムもある程度わかっているものです。たとえば自動車事故は発生確率がある程度わかっていて、どのような被害が出るかも予想がつくので、リスクの領域に該当すると言えます。リスクマネジメントや保険などで対処しうる領域でしょう。

一方**「不確実性」**は、何が起きるかはおおよそわかっているものの、それが経験的・理論的にどの程度の確率で起きるのかはわかっていない、

図5.1　リスクと不確実性

	有害事象の発生可能性（発生結果）についての知識 定まって**いる**	有害事象の発生可能性（発生結果）についての知識 定まって**いない**
発生確率についての知識 定まって**いる**	リスク	多義性
発生確率についての知識 定まって**いない**	不確実性	無知

出典：「“リスク”と不確実性と専門家の役割」東京大学政策ビジョン研究センター、2014年10月25日
https://pari.ifi.u-tokyo.ac.jp/unit/riskcafe/jishin/eforum5-report.pdf
吉澤剛、中島貴子、本堂毅「科学技術の不定性と社会的意思決定――リスク・不確実性・多義性・無知」、『科学』Vol.82 No.7（2012年7月）所収、p.788-795
https://www.sci.tohoku.ac.jp/hondou/files/Kagaku_201207_Yoshizawa_etal.pdf

というものです。たとえば宇宙旅行などは、宇宙船の爆発や燃料の流出など、起きうることやその被害はある程度わかっていても、利用可能な情報が比較的少ないため、そうした事故がどの程度の確率で起こるのかはまだわかっていません。新しいテクノロジーの社会実装は、既存のデータがあるわけではないので、たいていの場合、不確実性の領域に近くなるでしょう。

より難しいのは多義性と無知の領域です。

「多義性」は、発生確率が問題になっているのではなく、そもそも問題が多面的であり、様々な尺度を用いる必要があったり、倫理について考慮する必要があったり、優先順位をつけなければならない領域であり、かつ有害事象の発生結果として何が起こるかがわかっていない領域です。この例としては、2000年前後の遺伝子組み換え作物の問題があります。生態系への影響や経済的な影響がどのようなものか、そして倫理面での問題をどのように評価するか、等の点で多義性のある領域だったと言えるでしょう。

また生態系への影響は将来にも長く影響してくる問題です。その結果、子どもと大人、現在の世代と将来の世代への便益と悪影響を比較する必要が出てきてしまい、優先順位が付けづらくなります。こうした領域では倫理や道徳といった価値観の問題と向き合わなければなりません。新しいテクノロジーの社会実装は、この多義性の領域に関わることも多々あります。

最後に**「無知」**の領域です。これはどのような種類の有害事象がどの程度起こるかわからない、という状態であり、たとえばかつてのオゾン層の減少やDDT[9]などが当てはまりました。気候変動

9　有機塩素系の殺虫剤。第二次大戦後に広く普及しましたが、後に発がん性・環境ホルモン作用が疑われ、現在は製造・使用が禁止されています。

による変化も、現在のわれわれにとっては無知の領域でしょう。気候変動の結果、一次影響としての海面上昇などはわかっていますが、その二次影響として何が起こるかがすべてわかっているわけではありません。また気候変動は将来世代への影響が大きい問題ですが、では現在の世代がどの程度受益や負担をするべきかを考えたとき、非常に難しい問題となります。

一つの事象が複数の領域を行き来することもあります。２０２０年に猛威を振るった新型コロナウィルスの問題は最初、どれぐらいの感染力があるのかも、感染したらどのような状態になるかもわからない「無知」の領域から始まり、次第にその確率や発生結果がわかってくるにつれ「経済と医療のどちらを優先するか」「経済と医療という二分法が本当に正しいのか」という「多義性」の領域に近づいていったと分析できるでしょう。

「不確実性」や「多義性」、「無知」の領域においては、科学や技術だけでは問題を判断できず、どうしても価値判断が必要になってきます。こうした領域を「**トランスサイエンス**」と呼ぶことがあります。科学によって問うことはできるものの、科学によって答えることができない領域のことを指します[10]。

たとえば、多重安全装置がついている原子力発電所で電源喪失が起きたら大惨事になることについては科学者の意見が一致します。次に、多重安全装置や非常電源が全部同時に機能喪失する確率については「非常に低い」というところで一致するものの、数値までは一致せず、見方に幅があります。そして「非常に低いのだからこれ以上安全対策をしなくてもいい」と考えるべきか、「非常に

10 小林傳司『トランス・サイエンスの時代――科学技術と社会をつなぐ』(NTT 出版、2007)

低いけれど万が一起こったら大惨事になるので、もっと安全対策をするべきだ」と考えるべきかについての問いには、科学者は答えられなくなります。これは科学が回答できる領域を超越（トランス）しているからです。[11]

科学技術と意思決定、つまり客観的事実と価値判断の間には、トランスサイエンスの領域が広がっています。専門家は専門領域の視点からリスクを語れますが、多くの最終的な判断は複数の分野にまたがった影響を考えて判断しなければなりません。たとえば、感染症の専門家は感染症が広がる確率や起こりうる身体への影響については言えますが、都市を封鎖したときの経済的影響について確かなことは言えません。経済学者は都市を封鎖したときの経済的影響については言えますが、封鎖の結果、感染症がどの程度に収まるか確実なことは言えません。しかし政治家のような意思決定者はそれでも意思決定をしなければなりません。そこでは「何もしない」というのも一つの意思決定となってしまいます。

一般的に、そうした領域は社会全体で討議しながら決定するしかない領域だと言われます。急を要する場合、複数の専門家の意見を統合したうえで、最終的には政治によって決まることもあるでしょう。

そしてこれはテクノロジーの社会実装にも言えることです。社会実装の担い手は、専門家として客観的事実を述べることができますが、価値判断を行う際には、社会全体で討議するしかなく、場合によっては政治も介入してきます。２０２０年のデジタル系プラットフォーム企業への規制の議

11 小林傳司「トランス・サイエンスの時代の学問の社会的責任」、『学術の動向』17巻5号（2012）所収
https://www.jstage.jst.go.jp/article/tits/17/5/17_5_18/_pdf

論も、こうした四つの不確実性に対処するための社会的討議だと言えます。

注意したいのは、リスクの領域で使われる考え方を、「不確実性」や「多義性」、「無知」の領域に当てはめてしまうことです。この分類を行ったスターリングは、複雑で多面的かつ条件付きでしか語れない問題は、政治的なプレッシャーによって単一の単純化された問題として扱えるように言い換えられる傾向にあることを指摘しています。つまり、人にはまだ「無知」や「多義性」の領域にある問題を、「リスク」の問題として片づけたがる傾向があるのです。

専門家は「リスク」だけではなく、「不確実性」や「多義性」、「無知」の領域まで、量的な手法だけではなく、質的な手法も使って見渡すべきだ、とスターリングは指摘しています。これは専門家だけではなく、社会実装を進める事業者にも求められる態度だと言えるでしょう。

リスクを把握するためにできること

テクノロジーの社会実装では、まずその事業の社会的リスクがどの領域に当てはまるのかを考える必要があります。そのうえで、リスクがどの程度あるのかを把握していきましょう。

国際リスクガバナンスカウンシル（ＩＲＧＣ）のフレームワークでは、リスクに対する活動の手順として以下の五つを提案しています。[12] これは社会実装のリスクを把握する上でも参考になるはずです。

12 IRGC のウェブサイトを参照。
https://irgc.org/risk-governance/irgc-risk-governance-framework/

①リスクの事前評価――リスクのフレーミングや早期警戒、関係者の巻き込みによる多面的な評価
②リスクの評定――科学的リスク評価と社会科学的な懸念評価、リスクの予防や緩和策の特定
③リスクの特性づけと査定――リスクの評定に基づくアウトカムの比較や、受容可能と受忍可能、受忍不可能なリスクの決定、意思決定の準備
④リスク管理――リスクを回避、予防、受容、緩和するために必要な行動の設計と実施
⑤リスクコミュニケーション――オープンで透明かつ包摂的なコミュニケーションと関係者への関与

また R-Map（リスクマップ）を描いて、リスク評価を自主的に行うのも一つの手です。R-Map は日本科学技術連盟が開発したリスク評価手法です。主に消費生活用製品に使われてきたため、デジタル技術を活用したサービスなどには別種の考え方が必要かもしれませんが、方針を立てる際の参考にはなります。

R-Map では縦軸に発生頻度を、横軸に発生時の危害程度を取ります。それぞれレベルのガイドラインも出されており、消費生活用製品や家電製品の場合、1万回に1度を超えて起こるならレベル5の「頻発する」、10万回に1度を超えるならレベル4の「しばしば発生する」とします。図中のA領域は社会的に許容されないリスク領域、B領域は合理的理由があれば許容されるリスク領域となります。いわゆるALARP領域です（図5・2）。

たとえば自転車については、事故の頻度と危害状況を見て合理的理由があれば許容されるB領域

図5.2 R-Map

〈予想発生頻度〉	レベル0 **無傷** **None** なし なし	レベルI：小 **軽微** **Negligible** 軽傷 製品発煙	レベルII：中 **中程度** **Marginal** 通院加療 製品発火・焼損	レベルIII：大 **重大** **Critical** 重症・入院治療 火災	レベルIV：極大 **致命的** **Catastrophic** 死亡 火災・建物焼損
レベル5：極高 **頻発する** **Frequent** 10^{-4} 超	C	B3	A1	A2	A3
レベル4：高 **しばしば発生する** **Probable** 10^{-4} 以下〜10^{-5} 超	C	B2	B3	A1	A2
レベル3：中 **時々発生する** **Occasional** 10^{-5} 以下〜10^{-6} 超	C	B1	B2	B3	A1
レベル2：低 **起こりそうにない** **Remote** 10^{-6} 以下〜10^{-7} 超	C	C	B1	B2	B3
レベル1：極低 **まず起こり得ない** **Improbable** 10^{-7} 以下〜10^{-8} 超	C	C	C	B1	B2
レベル0 **考えられない** **Incredible** 10^{-8} 以下	C	C	C	C	C

〈予想発生危害程度〉

A 領域（レッドゾーン）：社会的に許容されないリスク領域
B 領域（イエローゾーン）：合理的理由があれば社会的に許容される可能性があるリスク領域
C 領域（ホワイトゾーン）：社会的に許容されるリスク領域

出典：経済産業省「リスクアセスメント・ハンドブック 実務編」（2011年6月）などを参考にしました。
https://www.meti.go.jp/product_safety/recall/risk_assessment_practice.pdf

にあると判断できます。[13] そのため、自転車も法律によってその利用方法がある程度規制されています。事故時の危害が自転車よりも大きいとされる電動キックボードは、もし事故頻度が同じなのであればより慎重な規制が必要になってくるでしょう。

その他、リスクの把握と、そのリスクに応じた対応を検討するうえでは、経済産業省の「製品安全に関する事業者ハンドブック」や「リスクアセスメント・ハンドブック　実務編」などのガイドラインも参考になります。

実際のリスクと感知されるリスク

不確実性やリスクを考えるうえでもう一つ厄介な問題は、**感知されるリスク**、つまりそのリスクを人がどう認識するかです。起こるかもしれない悪いことは、たいていの場合、実際よりも大きな影響を想定して受け止められます。専門家がそのリスクが小さいと言っても、発生時の影響が大きければ、人は怖がってしまう傾向にあります。

たとえば、自動車事故で死亡する確率は5000分の1、飛行機事故で死亡する確率は1100万分の1だと言われています。[14] しかし私たちは飛行機事故のほうが度々起こっているように感じてしまうようです。その理由は、飛行機事故が大きなニュースになり何度も報道されること、そして私たちが飛行機事故が発生したときの悲惨さを想像してしまうことに一因があります。

13 株式会社インターリスク総研「製品安全対策に係る事故リスク評価と対策の効果分析の手法に関する調査報告書」（2007 年度）
https://www.meti.go.jp/product_safety/policy/riskhyouka.pdf

14 David Ropeik, How Risky Is Flying?, *NOVA*
https://www.pbs.org/wgbh/nova/planecrash/risky.html

こうした想像のほか、以下のような要素が私たちのリスクの受け取り方に影響を与えると言われています。[15]

- 信頼
- 出自
- コントロール
- 自然か人工物か
- スコープ
- 認識
- 想像
- 恐怖
- 子ども
- 不確実性
- 新しさ
- 特異性
- 個人への影響
- 楽しい要素

15 The psychology of risk perception. *Harvard Mental Health Letter*, June, 2011 https://www.health.harvard.edu/newsletter_article/the-psychology-of-risk-perception

たとえば自然物よりも人工物のほうがリスクを高く感じたり、理解することが難しいものや新しいものは危険だと感じることが多くなります。リスクや不確実性にはこうした認知も関係してくるため、単に「確率的には少ない」と伝えるだけでは納得してもらえないこともあります。そのため、リスクをうまくコミュニケーションすること、つまりリスクコミュニケーションの技法が必要になってきます。リスクのコミュニケーション方法については、ツール5「リスクと倫理への対応方法」で紹介します。

社会実装の倫理

社会実装を進めるうえで、事業者がリスクに加えて考えなければいけないのが、価値観の問題、つまり倫理の問題です（本書では「倫理」という言葉を価値観や道徳的規範を含む広い意味で使います）。

特に倫理が求められるのは、先ほどのリスクの分類でいう不確実性、多義性、無知のような価値判断に関わる領域です。こうした領域では、確率やデータでは話しきれない、社会的な対話が必要になります。とはいえ、リスクの領域でも倫理を完全に分けて考えることはできません。たとえばリスクアセスメントの段階でも、様々なレベルで価値判断が入ることは度々指摘されています。[16]

倫理を無下に扱って、無理やり実装を進めていくと、事業者だけではなく社会も大きな代償を払うことになった事例はすでに挙げました。昨今は非倫理的行為をした場合、業界全体にネガティブインパクトが起こるだけではすまなくなっています。特に欧州では、技術がどれほど優れていても、倫理を考えられていない製品はそもそも市場に受け入れられなくなりつつあります。

たとえばアップルは、事業全体から製造サプライチェーンまで、カーボンニュートラルにすることを発表しました。これは企業に気候変動の対応と倫理的な取り組みが求められる社会の流れを受けてのものだと考えられます。この取り組みは単にアップルに留まるものではありません。アップルの取引先にもカーボンニュートラルが要求されるため、取り組みに賛同しなければ、アップルへ部品を納品することができなくなります。ＥＳＧ投資をはじめ、こうした倫理的態度が事業にもつながりつつあるのがこの数年の大きな変化だと言えます。

大きな反発を受けた例として、クリアビューＡＩという顔認識のスタートアップがあります。彼らはフェイスブックやユーチューブなどのサイトから人の顔写真を無断で30億枚収集し、それを元に顔認識技術を開発し、ＦＢＩなどに販売していました。このことについて、クリアビューＡＩはメディアや市民団体から一気に反発を受けました。法的には「違法かもしれない」という状況であり、違法であることが確定されたわけではなかったのに、です。つまり、法がその行為を許していたり、法が言及していないグレーゾーンの行為だったりしたとしても、それが社会一般の倫理

16 伊勢田哲治『倫理学的に考える──倫理学の可能性をさぐる十の論考』（勁草書房、2012）

や価値観から外れるものであれば、事業は大きな反発を受けることになります。昨今では、市民団体が力を持ちつつあり、倫理的に疑問符がつく企業に対する不買運動が市民団体を中心に起こることもあります。

こうした倫理的な側面を考慮することは、アカデミアの領域に一日の長があります。

1990年、ゲノム解析プロジェクトの中に、ＥＬＳＩ（倫理的・法的・社会的課題）研究プログラムが含まれました。科学技術の倫理、法、社会的な問題について研究する領域です。ＥＬＳＩはある意味で、技術と社会との橋渡しを行うための考え方や活動だと言えます。[17]

ゲノム解析プロジェクトの研究予算の3％（のちに少なくとも5％に変更）がＥＬＳＩの研究に割り当てられることになり、ＥＬＳＩという概念はゲノム解析プロジェクト以外の脳科学やナノテクノロジーなどにも拡大しつつあります。さらにＥＵ圏を中心に2000年代から、新しい技術の展開にあたって社会の安全・安心を担保するＲＲＩ（責任ある研究・イノベーション）というコンセプトが生まれ、以後も発展を続けています。

ＥＬＳＩやＲＲＩは、社会実装にも適用できる考え方です。特に不確実性や多義性、無知の領域に当てはまる事業を行う場合、倫理的な態度に対して自分たちを制約したり、予防措置を作っておいたりすることは技術を治めるうえでも、市場に受け入れられるためにも有効な手段です。実際、ＡＩの分野では業界団体や個別各社がＡＩに関する倫理憲章をこぞって出し始めています。

従来こうした先端技術は国家が中心になって開発してきたため、多くの倫理問題は国家からの資

17 大阪大学社会技術共創研究センターのウェブサイトなどを参照。
https://elsi.osaka-u.ac.jp/what_elsi

金を得る大学の研究者が中心となって論じてきました。しかし環境問題が注目されるようになり、環境倫理が民間企業でも求められるようになってきたように、ビジネスが公共の領域に広がるにつれて、民間企業も公共の倫理について求められることが多くなってきています。

たとえば宇宙開発が民間の手によって進むにつれて、宇宙倫理学という分野も開拓されつつあります。[18] 宇宙における所有権の問題や、スペースデブリ（宇宙ごみ）をはじめとする宇宙の環境の問題、宇宙人と出会ってしまったときにどのような宇宙人であれば道徳的配慮の対象とするのか、といった各種問題を予見し、配慮しながら、宇宙事業を進めていくことが民間企業にも求められているのです。

事業の最前線で少し立ち止まって倫理を考えることは、テクノロジーの社会実装にとってブレーキのように見えるかもしれません。しかしブレーキがあるから車はスピードを加減して、急な曲がり角を曲がれるようにもなるように、倫理というブレーキがあるからこそ私たちはより良い事業と、より良い社会を作っていくことができます。

昔から日本でも「論語と算盤」が親しまれているように、ビジネスの土台には道徳や倫理といったものが重要であるという認識は広く共有されています。倫理的かつ有効な社会実装は可能です。そして社会実装が社会との実装である以上、社会について考えることは避けて通れない道だと言えるでしょう。

18 伊勢田哲治、神崎宣次、呉羽真『宇宙倫理学』（昭和堂、2018）

倫理を共同構築する

倫理に関わっていくうえで、一つ重要な前提があります。**倫理は自分たちでアップデートしていくこともできる**という視点を持つことです。決して社会のどこかで作られた倫理観や道徳観をフォローしておけばよい、というわけではないのです。

たとえば倫理的ではない行為を指摘するとき、「人権や自由に悖る行為」といった言い回しが使われます。この言い回しには「人権」や「自由」というものが明確にあって、意味も確定している、という前提が見え隠れします。しかし、人権や自由といった概念は人類社会の歴史においては比較的新しいもので、その意味も時代によって大きく変わってきています。たとえば参政権は、世界人権宣言の中にも含まれている人権の一部ですが、その参政権が日本で規定されたのは普通選挙の始まった1925年、当時は男性のみが持つ権利で、女性に認められたのはそれから20年後の1945年です。今では当然とも思える概念や権利も時代とともに変わっていて、その背景には人々の倫理や概念をアップデートしよう、一方で変えてはいけないものは常に守り続けよう、という運動があります。

プライバシーという概念も常にアップデートされてきています。前述したように、カメラやメディアの発展などに応じて1890年にプライバシーの権利が提案されたものの、当時のプライバシーの権利は「放っておいてもらう権利（right to be let alone）」として規定されていました。そこから現代風の解釈である「自分に関する情報をコントロールする権利」となったのは、アラン・ウェスティンの1967年の著書『プライバシーと自由（Privacy and Freedom）』からです。プライバシーについては以後も様々な理論的見地から検討が重ねられており、「自分に関する情報をコントロールする権利」で固まったわけではありません。

またマスメディアによる報道がプライバシーの権利を生むきっかけになったことも前述しましたが、その意味で、プライバシーの権利は「報道の自由」に相対する概念としての面もあります。そして報道の自由とプライバシーの権利の間でどのようにバランスを取るべきか、というのは実務的な議論であり、同時に倫理的な議論です。その両者の側面を検討し、かろうじて両立できるバランスを見つけながら、メディアは運用されています。また新たなテクノロジーが生まれれば、大きくバランスは崩れ、また社会全体で議論していかなくてはならないでしょう。つまり、プライバシーという概念も常にアップデートを求められ続けるものなのです。

プライバシーや人権、自由、責任といった私たちが今当然に享受している概念を定義しなおし、アップデートすることは常に可能であり、そして必要なことです。応用倫理学の一分野で「概念工学」という考え方が提唱されています[19]。これは工学のアナロジーに基づき、概念をエンジニアリングしていこうという取り組みです。概念工学では、技術的な進歩や研究によってわかった人間に対する科学的な知見を組み合わせて、概念を構築・アップデートしていこうとしています。

たとえば自動運転について考えてみましょう。高度な自動運転が実現されれば、人間による運転

19 戸田山和久、唐沢かおり『〈概念工学〉宣言！──哲学×心理学による知のエンジニアリング』（名古屋大学出版会、2019）

よりも事故は減るでしょう。しかし事故は少なからず起きます。ではそのとき誰がどのように責任を取るか、といったことを考える必要があります。このように新しい技術が出てきたとき、従来の「責任」の概念が実用に足るのか、という点を概念工学では問うことになります。

運転手が運転に関与していない以上、自動運転の事故の責任は、その車の製造者やサービス提供者である、という風に考えることもできます。しかしあまりに責任が重すぎれば、誰も失敗ができない環境になり、失敗に基づく科学や技術の進展は難しくなってしまうでしょう。ではその責任というものをどう製造者やサービス提供者に負ってもらうのか、そのときの責任とは従来の責任概念でよいのか、ということも概念工学では問います。

また、現在の「責任」は、自由意志や道徳的責任を基礎とする概念ですが、この数十年の心理学や行動経済学の発展は、私たちは常に強い個人というわけではなく、弱い個人であることも示しています。たとえば人はデフォルトの選択肢を提示されると、あまり考えることなく容易にその選択肢を選んでしまうことが指摘されています。ではデフォルトで「自動運転の事故の責任はすべて自分が取る」という選択肢が提示されていて、それをあまり見ずに同意したユーザーにすべて責任を帰するのは、果たして順当と言えるでしょうか。もちろん、私たちは意思を持つ自由な個人であると信じたいところですが、しかし現実としてそうでないのなら、そうした新しい発見に基づいた人間観を基に法を作っていくほうが実効的でしょう。ここでも責任や倫理といった概念をアップデートしていくこと、つまり概念を工学していくことが求められます。

これまで以上に民間事業者が公共に近いサービスに関わっていくのであれば、こうした考え方に基づき、倫理を共同構築していくという態度が必要になってくるでしょう。

近年の日本の事業者は、他国の事業者に比べて、倫理に対する配慮が少ない傾向にあるようです。たとえば個人情報保護の議論に関しても、事業活動に有利となる主張が並び、事業者側の制限を緩くしたり、ペナルティを重くしたりするべきではない、といった主張が多くされます。もちろん、そうした主張は可能です。しかしその主張の裏にあるべきなのは、適切な倫理観と理論です。どのような社会像と理論に基づいてその主張につながったのかをきちんと説明できることが、倫理を扱ううえでは非常に重要です。

米国の企業ももともとそうした動きは苦手でした。しかし近年、米国のテック系企業ではインハウス・フィロソファー（企業内哲学者）を雇う動きも出てきています。また欧州でも哲学コンサルティング企業があるなど、応用倫理学をはじめとした哲学的な考え方がビジネスの世界、特に倫理規定やコンプライアンス策定などの面で活用され始めており、日本も一部の企業がそうしたテクノロジーの倫理憲章を作り始めています。倫理なき企業には、消費者やパートナー企業がついてこなくなりつつあることも、この流れを後押ししています。

これからの事業者の社会に対する責任が増すにつれ、倫理と理論についての考え方をアップデートしていく必要が出てくると言えます。

信頼を作る

リスクを適切に把握し、倫理的な理論を構築したあと、事業者が社会実装を実際に進めていこうとしたときにぶつかりがちな壁は、他のステークホルダーがリスクを過剰に見積もることです。そうなると社会実装のプロジェクトはなかなか前に進めなくなってしまいます。

そこに突破口が一つあるとしたら、信頼です。

ノーベル経済学賞を受賞した経済学者であるケネス・アローは「信頼は社会システムの重要な潤滑油である」[20]と指摘しました。市場に何かしらの失敗が含まれている場合、信頼や道徳のシステムが補完的な役割を果たしてくれます。信頼があれば、均衡を少しだけ抜け出して、新たな試みを行うことができるようになります。そして新しい取り組みには必ず不確実性とリスクがあります。それを許容してもらうには信頼が必要です。

ではこの信頼を作るためには、どのようにすればよいのでしょうか。信頼を得るためにはシステムによるトップダウンのアプローチと、人同士の信頼を醸成するボトムアップのアプローチの二つがあります。

カプラン・マイヤーらのモデルによれば、信頼が高まれば、リスクの受け入れも高まることが示されています（図5・3）。マイヤーのこのモデルはボトムアップでの信頼構築の際に役立つでしょ

20 ケネス・J. アロー『組織の限界』（村上泰亮訳、筑摩書房、2017）

う。成果を出すこと、能力を高めること、善意を示すことなどによって、その社会実装の担い手への信頼が高まります。このボトムアップアプローチについては、センスメイキングの章で詳細に解説します。

もう一方で、システムによるアプローチもあります。これは法制度などを整えることで、システムとして信頼を担保する方法です。たとえば、旅館業法では旅館業を営む事業者に対して、特定の要件を満たすように課することで、火災などの有事の際に適切に消防ができるような設備の設置を義務付けられます。そうすることで、消費者は旅館がある程度安全な仕組みであることを知り、安心して泊まることができます。これは法制度を整えることによって信頼をうまく確保している例です。

消費者が便益を得る一方で、旅館もこうした法律から便益を得ています。この法に従うことによって、何か事故が起こったときにすべて自己責任になるわけではなく、国がある程度の責任を担保してくれることにもなるからです。

図 5.3 マイヤーらのモデル

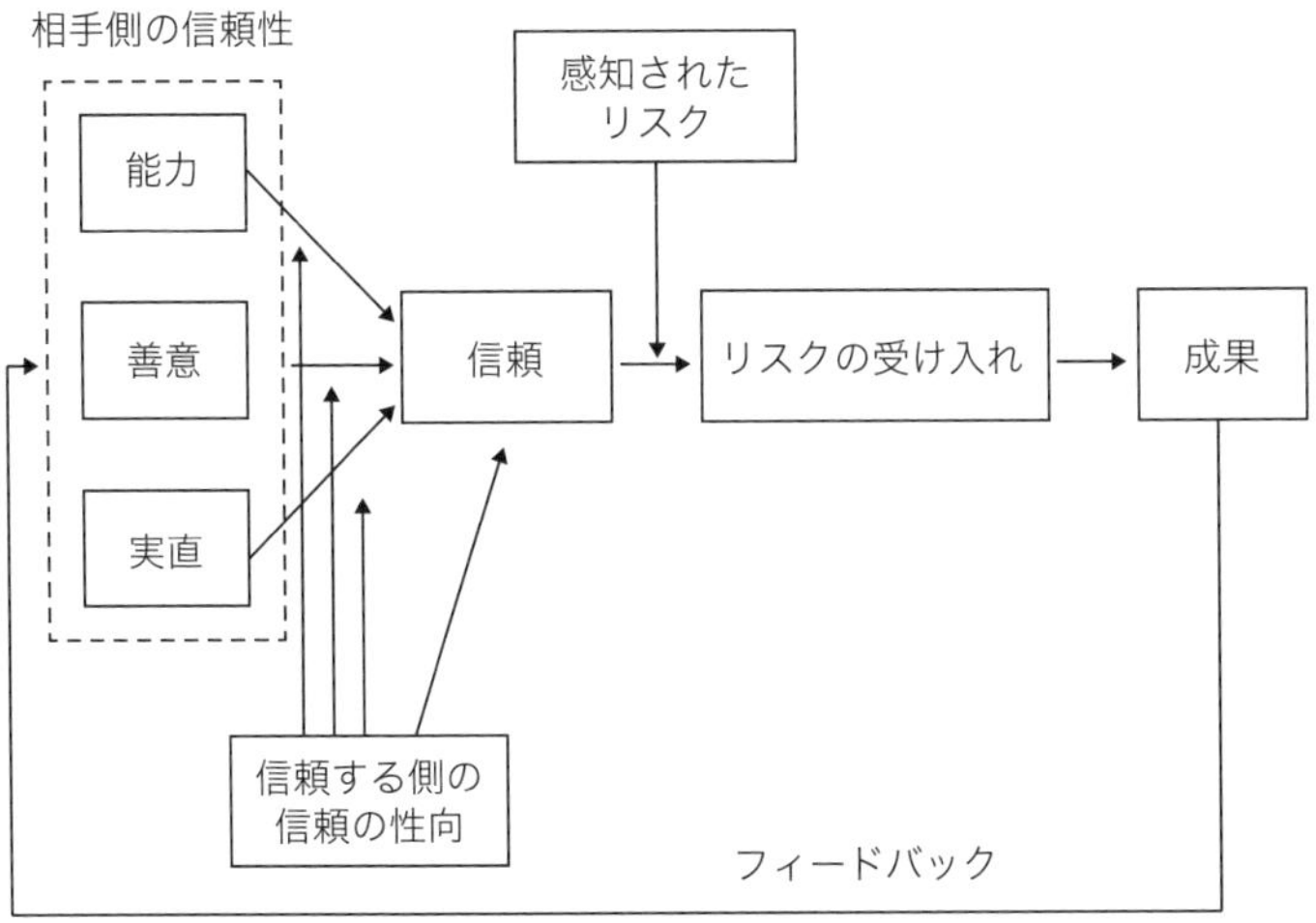

出典：小山虎『信頼を考える――リヴァイアサンから人工知能まで』（勁草書房、2018）

旅館が法に従うことで、自分たちの賠償リスクを減らしているように、自社だけでリスクや不確実性への対応を行っていくことには限界があります。たとえば自動運転車の運用で起こる事故や影響については、一企業だけではリスクを抱えきることはできません。不確実性や多義性、無知の領域についても、一企業だけでは手に負えるものではないでしょう。そこで政府や社会というものが登場します。

マイケル・ルイスは『The Fifth Risk』で、政府の役目を「私人や企業が管理（manage）できないリスクのポートフォリオを管理すること」とまとめています。[21] たとえば、金融危機やハリケーンなどの自然災害、テロなどがわかりやすい例でしょう。しかし政府が管理しているリスクのほとんどはわかりづらく、見えづらいものです。サイバー攻撃への対処や感染症の対策といったリスク管理もあれば、人に危害を与えないように新しい薬の管理をしたり、暴動を防いだり、倫理的観点から不平等の解消をしたりすることもリスク管理です。あるいは、研究などの将来どのような便益をもたらすかはっきりしていないものに投資をするのも、政府の取っているリスクだと言えます。

国や社会全体でリスクを管理することで、新たな試みが可能になることもあります。特定の手続きを経れば一企業に全責任がいかないようにしたり、信頼を構築しやすくしたりすることもできます。たとえば、株式会社による有限責任という仕組み自体も、リスクを分散する仕組みとして始まり、それが法制度として整えられることで、多くの人が起業しやすくなり、リスクを取りやすくなりました。その結果、社会に住む人は優れたサービスを受けられる可能性が高まりますし、こうし

21 Michael Lewis, *The Fifth Risk*(W.W.Norton& Co., Inc. , 2018)

た仕組みを維持するために、企業は法人税を支払い、社会にも貢献する義務を負っていると言えます。そうした仕組みを作っていくことが、社会全体のウェルビーイングを上げていくことにつながるのです。

社会実装は、技術の社会への実装ではなく、技術の社会との実装だと述べました。社会の仕組みをうまく整えることで、新しいテクノロジーの社会実装はより進めやすくなります。そのためにはテクノロジーを社会で統治（ガバナンス）する必要が出てきます。

次の章ではこのガバナンスについて解説します。

6 ガバナンス——秩序を作る

電気の事例などを通してこれまで見てきたように、テクノロジーのポテンシャルを引き出すためには、技術以外の部分にも配慮が必要です。その技術を使える人たちがいなければ、技術のポテンシャルを十分に発揮することもできません。テクノロジーに対する適切な制度設計と社会規範がなければ、新しいテクノロジーによって起こるリスクを抑えることもできないでしょう。場合によっては既存の法制度が新しい技術の活用を阻む場合もあるかもしれません。

技術を活用するため、社会を変える

法制度とテクノロジーの活用の関係がわかる一つの例が、電子署名です。

電子署名がどの文書でも合法的に使えるかというと、そんなことはありません。電子署名が認められず、書面によらなければならないと法律によって定められている契約類があります。たとえば2020年10月現在では定期借地契約や定期建物賃貸借契約、マンション管理業務委託契約などの不動産系の一部の契約書類、投資信託契約の約款や金融商品のクーリングオフ書面など金融系の契約書類などがそれに当たります。法律で「書面でなければならない」と定められていては、電子署名というテクノロジーがどれほど使いやすく優れたものになったとしても、その領域では活用できません。

一方で、法律が変わったことで、テクノロジーを使うことができるようになった領域もあります。たとえば、かつては取締役会議事録は書面で作成しなければなりませんでしたが、２０２０年５月に法務省が会社法施行規則の解釈を明らかにして、リモート署名やクラウド型電子署名も有効であるという見解を出しました。こうして取締役会議事録で電子署名が使えるようになったのです。

イノベーションを守るために制度を使うこともできます。

たとえば、シェアリングエコノミーや空飛ぶ車などを考えてみましょう。こうした新興領域では、何かしらの事故が起こることは避けられません。しかし、どこかで大きな事故が起こってしまうと、新たな産業領域全体が世論によって潰されてしまうかもしれません。イノベーティブな領域は多くの場合、まだ小さく、社会からの反発があれば簡単に潰されてしまうので、なおさらそうしたリスクがあります。

そこでそうした新興産業において、事故が起こりづらくなるような制度をうまく作り、それを事業者に強制すれば、大きな事故が起きないような仕組みを作ることができます。その産業領域を適切に守りつつ、健全に成長させるようにするのです。これも一つの制度の使い方です。

場合によっては、そうした新興産業に対して、補助金を出すような制度を作ることもできるかもしれません。ＩＴ投資促進税制等はその一例です。こうしたインセンティブ構造を作ることで、イノベーションの小さな灯火を守るだけではなく、その灯火を大きくしていくこともできます。新しいテクノロジーに合わせて制度を変えたり、作ったりすることで、新しいテクノロジーを社会全体で受け入れやすくすることも可能なのです。

一方、新しいテクノロジーが生まれることで、既存の法制度によって守られている人やものを脆弱な状況に押し戻してしまう場合もあります。

たとえば、労働者を守るための法制度はこれまで長年かけて培われてきました。そんな折、スマートフォンというテクノロジーが広がることで、従来よりも簡単に、インターネットを経由して誰もがすぐに単発の仕事を受注することができるようになりました。フードデリバリーや単発アルバイトを提供するプラットフォームがその例です。そこで働く人たちはギグワーカーと呼ばれます。

こうしたサービスを経由して働き口を見つけられることで、人々は一つの仕事に縛られない、より自由な働き方ができるようになります。しかし一方で、そのプラットフォームで働く間の契約自体は業務委託契約の場合も多く、責任はギグワーカー個人に多くのしかかり、働き手が十分に守られている状態とは言えません。新たなテクノロジーによって「自由な働き方」というインパクトを実現しようとすること自体は良いものの、そのサービスが生み出す労働者側のリスク、ひいては社会にとってのリスクが生まれているのです。

テクノロジーによって新たに生まれてしまった抜け穴などを悪徳な事業者が利用しないようにどう対策していくかは、新たなテクノロジーが出てくるたびに社会全体で考えなければいけない問題です。たとえばこのギグワーカーの問題の場合、正社員として採用して労災などを提供するといった、既存の枠組みの中で解決することだけが選択肢ではないでしょう。ギグワーカーに対して福利厚生を手厚くする法を定めるなど、新しい対応策も考えられます。

この例のようにテクノロジーの周りには、テクノロジーの可能性を引き出したり、あるいはテクノロジーによる新たなリスクを馴致したりするための、一連の社会の仕組みが必要です。こうした仕組みを本書では「ガバナンス」（統治）として捉えます。

本書では社会実装を、テクノロジーの社会「への」実装ではなく、テクノロジーの社会「との」実装と捉える、と書きましたが、それはつまり、**社会のガバナンスの形を変えていく**ということでもあるのです。そして現在、そうしたガバナンスに対して、民間企業が影響力を増しつつあります。ガバナンスを変えることで公益に貢献すると同時に、利益を得るような動きが生まれつつあるのです。

そこで本章では、ガバナンスという概念のこれまでと、これからのガバナンス、特にテクノロジーに関するガバナンスについて考えていきましょう。

ガバナンスとは何か

ここまでガバナンスという言葉を定義なく使ってきましたが、そもそもガバナンスとはいったい何でしょうか。ガバナンス論で著名なマーク・ベビアは、ガバナンスを以下のように解説しています。

「ガバナンスとは、政府によるものであろうが、市場によるものであろうが、ネットワークによるものであろうが、また、その対象が家族であろうが、種族であろうが、公式の組織であろうが、非公式組織であろうが、地域であろうが、さらには、依って立つ原理が法であろうが、規範であろうが、力であろうが、言語であろうが、とにかく、ありとあらゆる『治める』というプロセスを示す言葉である」[1]

ガバナンスとは治めるというプロセスであり、そのためのツールとして法、規範、力、言語などがあるということです。そしてその主体は、政府だけではないとされています。

ガバナンスと聞くと、私たちはついガバメント（政府）が行うものと考えてしまいがちですが、この定義によれば、政府以外もガバナンスに携わるということです。

ガバナンスは日本語では「統治」という訳語が使われるのが一般的です。しかしベビアの定義に近い、「協治」や「共治」と訳される場合もあります。統治は「統べて治める」と書きますが、この字面では「統べる役目を果たす具体的な誰か」、つまり政府という単一のアクターをイメージさせてしまいます。一方で、ガバナンスという言葉は中国語では「治理」と訳されるそうです。「治めるための理」を作るためには多くの人が関わることを想起させてくれるので、こちらのほうがガバナンスのニュアンスをよく捉えているように思います。

本書では、統治という言葉にどうしても紐づいてしまう政府のイメージを避けるため、統治ではなくガバナンスという言葉を使います。

1　マーク・ベビア『ガバナンスとは何か』（野田牧人訳、NTT出版、2013）p.4

もともとガバナンスの語源はギリシャ語で「関係者の相互作用」を意味するクバーマン(kuberman)だと言われています。またフーコーによれば、語源をさらにたどれば、ラテン語の「船を操舵する」という意味のグーベルナーレ(gubernare)という言葉から来ていると言われています。グーベルナーレという言葉は、単に船の舵取りをすることにとどまらず、乗組員や船荷に気を配りながら、悪天候や危機に見舞われたとしても目的地に辿り着くことを意味します。その語源からして、ガバナンスには財産や人材の効率的な管理を行うことが含意されており、公共的な目的を効率的に実現するための規律付けのことを指すようです。[2]

なぜガバナンスに注目が集まるのか

ガバナンスという言葉は、国家政府の相対的な弱体化を背景に、1990年代以降しばしば使われるようになってきたと言われています。ガバメントとガバナンスは混同されやすい言葉ですが、その違いは図6・1のとおりです。

ベビアによれば、ガバナンスの概念は、国家に対する信頼に反比例する形で盛衰を繰り返してきました。国民が国家に信頼を置いているときはガバメント(政府)が話題になる一方で、国家に信頼が置けない、もしくは国家の力が弱まったときに、ガバナンスという複雑なプロセスに関心が持たれてきたのです。

2 宇野重規「政治思想史におけるガバナンス」、東京大学社会科学研究所、大沢真理、佐藤岩夫編『ガバナンスを問い直す[I]』(東京大学出版会、2016)所収
マーヴィン・キング『SDGs・ESGを導くCVO』(KPMGジャパン統合報告センター・オブ・エクセレンス訳、東洋経済新報社、2019)

もともと、ガバナンスという言葉が近年になって歴史の中から浮上するまでは、統治は国家によるものだと考えられていました。それまではガバナンス＝ガバメントであり、ガバナンスという言葉はほとんど使われませんでした。それが変わってきた背景には五つの大きな流れがあります。

第一に、**グローバリゼーション**です。グローバリゼーションが進むことによって、国家の枠を超えて物事を決めなければならないことが多数出てきました。世界政府のようなものがない現状、国家同士が何かを行うには、単独の政府ではなく各国政府が協調することが求められます。そのときに必要となるのは、各国に紐づく政府（ガバメント）ではなく、各国間による調整、つまりガバナンスです。実際、ガバナンスという言葉は、特定の政府を持たない国連などの国際機関で頻繁に使われる傾向にあります。

第二に、多くの国家で**小さな政府**を志向するようになっており、国や行政の力が相対的に弱まったことが、ガバナンスへの注目が高まった要因でもあるでしょう。かつては国が最も大きなサービス提供者であり、購買者でした。しかし各国政府が次第に小さな政府になるにつれて、国が行っていた行政サービスは市民やＮＰＯによって行われるようになりました。さらにグローバリゼーションによって国家以上の力を持つ企業も出てくるようになってきており、相対的に見て民間企業などのほうが政府よりも強くなりつつあります。そうなってくると、政府によるトップダウンの指示で動く組織は減り、政府も一人のステークホルダーとして参画する形での、協調的なガバナンスが求められるようになります。

図6.1 ガバメントとガバナンス

	ガバメント	ガバナンス
中心概念	制度化された権限とその機能	統治の行為(ガバニング)とプロセス
担い手	公的セクター(統治機構)のアクター	公的セクター、民間セクター、ボランタリーセクターのアクター
組織形態	ヒエラルキー	ネットワーク(パートナーシップ)
関係性	垂直的上下関係	水平的協力関係
統治方法	命令、統制、指示	促進、交渉、協働
資源	権威的に配分されるフォーマルな財政的資源	コミュニティ等が所有する幅広いインフォーマル資源
役割	漕ぐこと(rowing)、直接供給	舵取り(steering)、条件整備

出典：今井良広「公共ガバナンス論の展開」、金川幸司編著『公共ガバナンス論——サードセクター・住民自治・コミュニティ』(晃洋書房、2018) 所収、p.193

第三に、**政治への積極的な市民参加の動き**があります。これは小さな政府になってきたことにも関連しています。小さな政府が志向され、かつて国が行っていた行政サービスがＮＰＯやＮＧＯを中心に民間団体によって担われることが増えました。さらに欧州を中心に、行政の意思決定プロセスに市民が参加するべきであり、これからは政府だけではなく様々なステークホルダーが共に治めるのだという機運が高まり、多くの人がガバナンスに興味を持ち始めました。

四つ目の変化は、**不確実性の高まり**です。グローバル化によって各国の動きが連動するようになり、システムとしてのリスクが増し、予想できないことが増えました。一般的に、目標やルールが明確な場合、目標に効率的に辿り着くためのマネジメントが重要になりますが、目標やルールが不明確な場合は、目標の探索や目標の決定自体をしていかなければなりません。不確実性の高い現代の状況下では、ステークホルダー同士がガバナンスの形を作りながら、目標を探索し、意思決定をしていくことの重要度が高まるのです。

五つ目に、**ガバナンスの対象の広がり**です。一般的にガバナンスといえば、かつてはパブリックガバナンスのことを指していましたが、１９９０年代以降は企業の統治を行うコーポレートガバナンスという言葉にも広がりつつあります。それだけではなく地域や自治体についてはローカルガバナンス、ＩＴではＩＴガバナンスやセキュリティガバナンス、医療ではクリニカルガバナンス、リスクの領域ではリスクガバナンス、プライバシーにはプライバシーガバナンスなど、ガバナンスという言葉は様々な対象で使われ始めています。

グローバル化、小さな政府、市民参加、不確実性の高まり、ガバナンス対象の広がりといった大きな流れのもとで、ガバナンスという概念が政府の手から離れ、多くの人がガバナンスに関わり始め、その結果、ガバナンスという言葉の存在感が増してきたのがこの数十年だったと言えるでしょう。そしてこのガバナンスの在り方の変化は、民間企業のビジネスにも影響しつつあります。

本書でのガバナンス

本来の意味でのガバナンスに立ち戻れば、政府はあくまでステークホルダーの一人でしかなく、他にも相互作用をする組織や人が多数います。たとえば民間事業者、NPO、そして個人です。

本書では、ガバナンスを「**関係者や関係するモノの相互作用を通して、法律（制度）や社会規範、市場、アーキテクチャなどを形成・変化させることで、効率・公正・安定的に社会や経済を治めようとするプロセス全般のこと**」と捉えます。[3]

リスクの章で触れた「科学技術社会論」という領域ではアクターネットワーク理論という考え方が提案されています。アクターネットワーク理論では、人間や規則・慣習・制度だけではなく、人工物や物質も、社会を構成する重要なアクター（作用者）と捉え、社会とはそうした人工物も含むアクターが織りなすネットワークだと考えます。[4]

本書でのガバナンスは、まさにこうしたネットワークのメタファーで考えるとわかりやすくなり

3　ローレンス・レッシグ『CODE VERSION2.0』（山形浩生訳、翔泳社、2007）などを参照しました。
4　戸田山和久、唐沢かおり『〈概念工学〉宣言！——哲学×心理学による知のエンジニアリング』（名古屋大学出版会、2019）p. 28 でも同様の指摘があります。

ます。テクノロジーの社会実装とは、特定のテクノロジーというアクターを、図6・2のように複雑に絡み合った社会というネットワークに適切に埋め込んでいく行為、つまりテクノロジーの周囲に適切な規則、慣習、制度、概念、そして人間によるネットワークを張り巡らせる行為だと考えてみるのです。言い換えれば、**テクノロジーの社会実装という行為は、技術開発だけではなく、技術と、技術の周りに丁寧に作りこまれた法、制度、人々によるネットワークと相互作用の体系を作り上げていくこと**です。そしてその**相互作用を適切に調整していくネットワークの編集をガバナンスという行為**だと捉えるのです。

社会というネットワークの中に新しいテクノロジーが適切に納められ、実装されることで、テクノロジーは治められ（ガバナンスされ）、そのポテンシャルを発揮できるようになります。たとえば、電気という技術の周りに配置された、法律や制度による規律付けや、電気工学の教育や資格、電気を工場で取り扱うための様々なノウハウなどはその一種です。そうしたアクターに取り囲まれて、テクノロジーははじめて活用が進みます。

そして**ガバナンスをアップデートするとは、こうした相互作用のシステムをアップデートすること**です。私たちは相互作用をアップデートするために、アクターとしての法を変えたり、政策を変えたり、あるいは教育を施したり、制度を

図6.2 社会というネットワークのイメージ

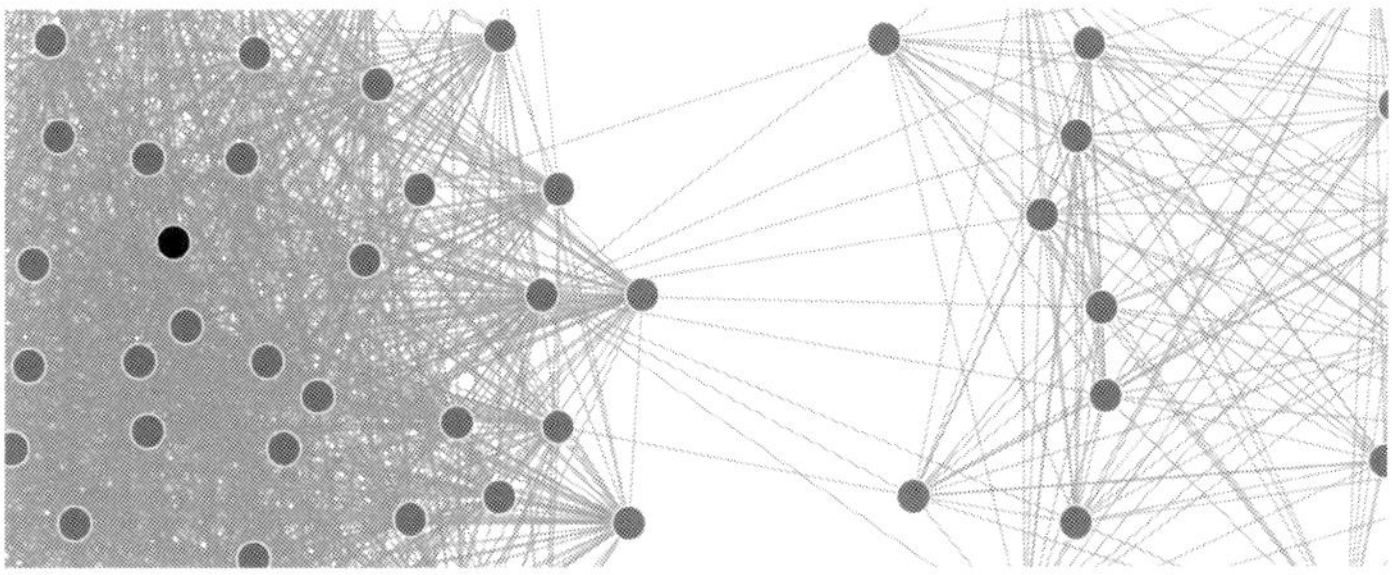

出典：https://en.wikipedia.org/wiki/Social_network#/media/File:Social_Network_Diagram_(segment).svg

整えることができます。

しかしテクノロジーにとって都合の良い相互作用のシステムが、待っているだけで自然と出来上がるかというと、そんなことはありません。すでにある社会というネットワークは強固であり、新しいテクノロジーを社会に埋め込むには、相応の努力が必要です。

そこで本章では、新しいテクノロジーを社会に埋め込むために相互作用を変えていく方法、つまり**ガバナンスをアップデートする方法**について解説します。その前に、ビジネスとガバナンスがどう関係しているかについて考えてみましょう。

ビジネスとガバナンス

少し抽象的な議論が続いたので、ビジネスに関連するもう少し具体的な話をしてみましょう。

ガバナンスとビジネスはどのような関係にあるのでしょうか。本書のガバナンスの定義で要素として含めたものは、**法律**（**制度**）、**社会規範**、**市場**、**アーキテクチャ**でした。この節では、ここに挙げた四つの要素がどのようにビジネスと関わるかを考えます。また、ビジネスの主体である企業は、規制などを通してガバナンスされる対象でありながら、ユーザーや市場をガバナンスする主体でもあること、そしてその中で企業がどのようにガバナンスを変化させたり、形作ったりできるかを見ていきましょう。

法律（制度）とビジネス

ビジネスに関わる法律（制度）としては、たとえば規制などのルール、助成金などの予算措置、特定の費用への減税などが挙げられます。

行政からの補助金や税制上の優遇措置による支援はわかりやすいものでしょう。これをうまく活用したのがテスラです。２００８年、当時のブッシュ大統領は、電気自動車に対して助成を行いました。その際にテスラはその助成をうまく使ったスタートアップだったと言われています。アナリストたちも、この助成プログラムがテスラが市場構築をする契機となったと述べています。[5]

では規制はどうでしょう。ビジネス活動は規制によって制約されるというイメージが強いのではないでしょうか。もちろんそうした面もありますが、逆に制度によってビジネスが拡大することもあります。

たとえば米国で急成長した人事管理ソフトのスタートアップ、ゼネフィッツ（Zenefits）は、新たな法規制をビジネスにつなげました。ゼネフィッツは、規制の変化を使い、創業わずか2年後には企業価値４０００億円以上と評価されるスタートアップとなりました。

5　Evan Burfield and J. D. Harrison, *Regulatory Hacking: A Playbook for Startups* (Portfolio, 2018)

その急成長の背景には、米国の医療保険制度改革法、通称「オバマケア」があります。2010年に成立し、2014年から完全実施されたオバマケアは、健康保険の普及を進め、高額で有名な米国の医療費の個人への影響を緩和することを目的に始められました。健康保険に加入していない個人に罰金を科すほか、50人以上の従業員を抱えていて医療保険を提供しない事業者に対しては、税制上のペナルティを科す仕組みが導入されました。

この流れで保険のニーズが高まるのは容易に想像ができます。そこでゼネフィッツは個人ではなく、事業者に狙いを定めました。オバマケアによって、50人以上の従業員を持つ事業者には医療保険を提供する強いインセンティブが生じます。ゼネフィッツは人事関連業務の効率化を支援するサービスを無償で提供しながら、サービスを通して従業員向けの医療保険を販売代行し、その手数料で利益を得ることにしたのです。このビジネスモデルによってゼネフィッツは一気に広がりました。ゼネフィッツは後に脱法行為の発覚など様々な問題が起き、最終的にはビジネスモデルを変えましたが、初期の急成長は規制の変化をうまく使った例だと言えます。

日本においても規制の変化が市場自体を大きくさせた例がいくつかあります。人材派遣業界はその一つでしょう。

1999年に改正労働者派遣法が成立し、派遣対象業務が製造業務等を除いて原則自由化され、その後2004年に施行された改正法では製造業務への派遣も解禁されました。[6] その結果、1999年には約1兆4600億円の市場規模だった人材派遣業は、ピーク時の2008年には

6 濱口桂一郎「連合『労働者派遣・請負問題検討会』第1回講演メモ──労働者派遣法の制定・改正の経緯について」、2016年11月30日 http://hamachan.on.coocan.jp/rengohakenukeoi.html

約7兆8000億円となり、わずか9年で約5倍の市場規模となりました。[7] その市場拡大のときに躍進したのが人材派遣会社です。

その後、2008年前後に起きた金融危機のあおりを受けた「派遣切り」が問題となり、規制強化の流れができたため、市場規模は緩やかな縮小に向かいます。この規制緩和が社会が望んだものかどうかはわかりませんが、規制の変化が大きな機会を作った一例とは言えるでしょう。

よりテクノロジーが関わる例として、電子内視鏡の市場を見てみましょう。

現在、世界で電子内視鏡を作っている企業はほぼ日本の企業です。日本企業が電子内視鏡の市場のほとんどを独占できている理由は、技術力が素晴らしいからだ、と考えるのが普通でしょう。しかしその理由は技術力ではなく、日本特有の制度があるからだと言われています。[8]

電子内視鏡は手術で使われるものですが、内視鏡手術は病気が早期に発見されたときに限られて行われます。なぜなら病気が進行していたら開腹手術になってしまうからです。そして日本では病気が早期に発見されやすい環境にあり、そのため電子内視鏡の需要があります。

ではなぜ日本では病気が早期に発見されやすいのでしょうか。それは日本では健康診断制度が法律で定められているからです。他の国では健康診断制度に相当する制度が少ないため、電子内視鏡を作る企業が日本国外にはそれほど多くないということなのです。

日本にたぐいまれな技術力があるから、健康診断制度があるわけではありません。むしろそうした法制度があるから、つまり、そうしたガバナンスが行われているから、電子内視鏡のニーズがあ

7　厚生労働省「労働者派遣事業の事業報告の集計結果について」
https://www.mhlw.go.jp/stf/seisakunitsuite/bunya/0000079194.html

8　藤井敏彦「ルールで市場を囲い込む欧米、取り残される日本」、國分俊史、福田峰之、角南篤編著『世界市場で勝つルールメイキング戦略』（朝日新聞出版、2016）所収
株式会社ベクトル パブリックアフェアーズ事業部、藤井敏彦、岩本隆『ロビイングのバイブル』（プレジデント社、2016）

り、技術力が発展してきたと捉えるほうが適切でしょう。

　では、電子内視鏡を作る企業が海外に進出するにはどうすればよいでしょうか。健康診断制度をその国のガバナンスの一部に取り入れてもらわなければならないでしょう。ガバナンスを変えることで、その国に新しいマーケットが出現し、その結果、ビジネスとして新たな成長ができるようになります。また消費者も、そのマーケットができることで便益を得られるようになります。

　たとえば、コーチングサービスのような一見規制が関わらないように思えるものでも、ガバナンスとの関わりを作ることもできるかもしれません。もしコーチングが行われることによって社会全体の生産性が向上するのであれば、一定以上の社員数を持つ会社に対してコーチングの義務化を行う制度を作るよう働きかける、などです。近年の類似例では、ストレスチェック制度があります。この背景にはメンタルヘルスを原因とする度重なる社会問題があり、２０１４年の労働安全衛生法の改正によって、２０１５年12月から50人以上の従業員を持つ事業場で、１年に１度のストレスチェックの義務化が行われました。この結果、ストレスチェックやアンケート事業を行っている事業者は新たな需要を得ることにつながったのです。

　このように社会の目指す方向が事業と合致しているのであれば、ガバナンスの要素としての国の制度を民間企業から訴えて変えることは可能で、そこに新たなビジネス機会を作ることもできます。そしてガバナンスの担い手が広くなりつつある現在、その機会は増えていると言ってよいでしょう。実際、企業の政治行動は、企業のパフォーマンスと正の相関があったというメタアナリシスの研究結果もあります。[9]

社会規範とビジネス

社会規範を形成したり、変えたりすることは、実は多くの人たちが日々のビジネスの活動で行っていることです。

たとえば、シャンプーの利用頻度は1980年代は週に2、3回だったと言われています。[10] しかし1990年代半ばにはほぼ毎日行われるようになりました。この背景には、清潔であることを良しとする社会規範の変化や、それに基づく人々の習慣の変化があります。その変化を起こしたのはシャンプーメーカーのマーケティングの力が大きいでしょう。シャンプーメーカーは社会規範を変えることで、シャンプーの市場を大きくすることができました。

自動車メーカーは安全運転の啓蒙をすることで、車に関連する社会規範を変え、より多くの人に安全に自動車を使ってもらおうとしています。その結果、より広く自動車を受け入れられる社会になり、自社のビジネスも広がるからです。またNPOなどが寄付を増やすためにするマーケティング活動なども、ある種の社会規範をアップデートするための活動と捉えることができます。

このようにビジネスの世界では普段から、製品の力やマーケティングの力を使って、人々の行動を変えようとしています。つまり、多くのビジネスでは、本書の取り扱う広い意味でのガバナンス

9 Sean Lux, T. Russell Crook and David J. Woehr. 2010. Mixing Business With Politics: A Meta-Analysis of the Antecedents and Outcomes of Corporate Political Activity. *Journal of Management*
https://doi.org/10.1177%2F0149206310392233

10「洗髪の歴史」、花王株式会社ウェブサイト
https://www.kao.com/jp/haircare/history/14-1/

を変えることを日常的に行っているとも言えます。ただこうした社会規範を変える方法については、製品開発やマーケティングに関するビジネス書籍で触れられているため、本書では詳しくは扱わないこととします。

市場とビジネス

ガバナンスの重要な構成要素の一つが市場(マーケット)です。市場をうまく設計できれば、適切なインセンティブ構造が生まれ、市場の中のプレイヤーに規律付けを行うことができます。市場に求められているから特定の行動を取る、というのは容易に想像できるでしょう。日本では特に市場からの規律付けが有効であることが指摘されており[11]、うまく市場を作ることは良いガバナンスを作る上で有効な一手です。

ただし市場の需給のメカニズムに任せていれば神の見えざる手が働いて、すべてが自然とうまくいく、というわけではありません。市場を律するものがなければ、市場はうまく働かないことは様々な研究で示唆されています。たとえば、市場をあまりに自由のままにしておくと、自然環境に配慮しない活動が行われて公害が生まれたりもするでしょう。特定企業の独占や寡占もしばしば起こり、消費者にとって割高な価格でのサービス提供が行われることもあります。これらは市場の失敗と呼ばれます。

11 花崎正晴『コーポレート・ガバナンス』(岩波書店、2014)

市場を律することで悪い状況を避けられる一方で、良い市場を作ることでより良い社会を作っていくことも可能です。

たとえばイギリスでは2013年、公共サービスの調達プロセスにおいて社会的便益を考慮することを義務付ける社会的価値法が施行されました。これにより入札時に単に「安い事業者が勝つ」のではなく、社会的な意義を持つ事業者が勝つ可能性が高まりました。

この背景には、価格のみで競争することのデメリットがあります。たとえば、安さを実現するために違法な労働やアンフェアな取引などが行われることは容易に想像できます。そうした悪影響を避けるため、財務的な指標以外の社会的な指標も見ながら調達先を探す試みが行われているのです。

2020年に行われる予定だった東京オリンピックでも、国連の「ビジネスと人権に関する指導原則」に則って開催することが宣言されています。オリンピックの会場で使用する木材や農産物、畜産物、水産物、紙、パーム油についての調達基準を策定し、人権を守りつつ持続可能な社会が実現できるようなビジネス環境の構築を先んじて行っています。

前述のテスラの例のように、電気自動車などの環境に良い車やテクノロジーに対して補助金を出すことで、市場の需給を変えることも一つの方法でしょう。

このように、市場をうまく作ることで企業の行動を規律して、社会や経済、テクノロジーをより良く治めることが可能になります。ビジネスはそうした市場というガバナンスの中に組み込まれて機能していると言えます。

アーキテクチャとビジネス

ガバナンスの手法として、近年重要性を増しているのがアーキテクチャです。

以前からアーキテクチャは様々な規律付けのために使われていました。たとえば、建築物等の物理的な構造の在り方は、人々を間接的に規律づけてきました。囚人を一望できる構造の監獄パノプティコンや、寝づらい形にすることで寝ることを自然とやめさせるベンチなどは、物理的なアーキテクチャによるガバナンスの例です。

近年、ソフトウェアやインターネットの登場で、企業はソフトウェア上のアーキテクチャによって、ユーザーの行動を設計し、その中でユーザーや市民を「治める」ことが技術的にできるようになりました。デジタル技術の登場によって、政府だけではなく企業の「治める力」が高まったのです。

たとえば自転車は多少壊れても乗り続けることができます。自転車販売企業や政府はそれを制約することはできません。しかし常にネットワークに接続する自動車の場合、たとえば支払いが遅れたら自動車のエンジンがかからなくなる、という設計にすることも可能です。建設機械メーカーのコマツは、GPSなどの仕組みを使って、建設機械が盗難されたらエンジンがかからなくなる仕組みを取り入れることで、盗難率を劇的に下げました。[12]

中古販売されたテスラの車から機能が削除されたという例もあります。最初に買った人がつけて

12 坂根正弘「建設機械に革命をもたらした『KOMTRAX（コムトラックス）』誕生の足跡 コマツ（株式会社小松製作所）」iX、2015年6月15日 https://ix-careercompass.jp/article/28/

いた自動走行機能のソフトウェアオプションが、アップデート時になくなったのです。削除するだけではなく、逆に機能を追加することも可能です。２０２０年の秋に配布されたテスラの自動走行機能のバージョンアップのためのベータ版は、「専門性を持っており、注意深い」少数の運転手にのみ配布されたようです。具体的な選ばれ方は不明ですが、たとえば走行ログから危険運転がないかどうか、といった過去の行動に基づいて機能を提供することで、より安全に使ってくれそうな人から機能を開放していくことは、ソフトウェアを使えば可能です。

　そしてもし安全運転をしているかどうかで機能追加などの恩恵を受けられるのであれば、普段から安全運転をしようと心がける人が増えるでしょう。実施するかどうかはさておき、テスラはそうしたアーキテクチャをデジタル技術を用いて設計することで、ユーザーに安全運転の規律付けを行うこともできます。

　またデータをやり取りするサービスであれば、特定のユーザーに対しては検索や情報の閲覧を可能とし、ほかのユーザーはできなくする、といったことも容易に可能です。

　実際、フェイスブックなどは自社の技術を使うことで、誰に何を見せるかを決めることができます。２０１４年には、ユーザーに無断で行った感情伝染実験の結果を発表しました。楽しい投稿を頻繁に見せられたグループは自分でも楽しい投稿が０・０７％増え、逆に悲しい投稿を多く見せられたグループは悲しい投稿を０・０１％多くするようになった、という内容です。これをフェイスブックが発表したとき、人々は「フェイスブックは自社のアルゴリズムを変えることで、人々の感情を操作したり、律したりすることができ、それを利用できる立場にいる」ということに気づき、フェイスブックを糾弾しました。

もちろん、同じようなことは従来型のメディアでもできていたことでしょう。しかし、メディアは規制で縛られることもあるほか、その放送内容については外部からの監査がある程度可能です。しかしフェイスブックのようなデジタル技術をベースにしたアーキテクチャは外部からなかなか監査できません。それに、できたとしても複雑すぎてすぐにはわかりません。

今や、フェイスブックのようなプラットフォームを使うユーザー数は、一国が抱える国民の数を優に超えるようになってきています。フェイスブックは２０２０年現在で全ユーザー数が26億人、デイリーアクティブユーザーで17億人だと言われています。選挙によって選ばれたわけでもない少数のフェイスブックの幹部らが、やろうと思えば自社のアーキテクチャを操作することで数十億人の人たちに対して強い影響力を行使することができるのです。これは人類史上で類を見ない状況です。

さらにいえば、フェイスブックが実名での登録が義務づけられていることや、Uber や Airbnb などのマッチングプラットフォームにおいて供給側と需要側がお互いを評価できること、場合によっては評価の良い人はより高いフィーを貰えることなどは、そのプラットフォーム上で行儀よく活動してもらうためのアーキテクチャの一種と言えるでしょう。

行動経済学等の分野で発展してきた「ナッジ」（人々が自発的に望ましい行動をとるように促す仕掛け）

が民間企業でも活用されつつあります。たとえばデフォルトで選択されてあるものを人は選択する傾向にある、という癖を利用して、選択肢を提供しつつもデフォルトで「心臓移植に同意する」を選んでおくことで、心臓移植に同意する人を増やしたという国もあります。同様に、ECサイトで商品を購入する際、デフォルトでメールマガジンの購読をオンにされていると、それをわざわざオフにする人はそれほど多くありません。

情報環境系の研究者である濱野智史氏は『アーキテクチャの生態系』の中で、アーキテクチャの特質を「ルールや価値観を被規制者の側に内面化させるプロセスを必要としない」「その規制の存在を気づかせることなく、被規制者が無意識のうちに規制を働きかけることが可能」という二つにまとめています。[13] ユーザーに対して無意識のうちに規制をかけることが、デジタル技術を介することで民間企業にも可能になってきているのが、ガバナンスに関連するここ数年の大きな変化の一つです。

ガバナンスの担い手としての民間企業

ここまで、ビジネスとガバナンスの関係性についてみてきました。ガバナンス、特にパブリックガバナンスに変化を起こすと言うと、あくまでその中心は政治家や行政であり、自分たちには関係がないと思われるかもしれません。

13 濱野智史『アーキテクチャの生態系』(NTT 出版、2008)

しかし前述したとおり、ガバナンスの在り方はこの数十年で大きく変わってきています。その変化の中で**民間企業がガバナンスの設計に大きな影響力を持つことができるようになりつつあります。**

そこでここからは、民間企業が過去にガバナンスを変えた例を見たうえで、これからどう民間企業はガバナンスと付き合っていくべきかについて、考えていきましょう。

ガバナンスをアップデートした事例

ここからは実際に民間事業者がきっかけとなってパブリックガバナンスをアップデートした例をいくつか見ていきます。なお、本書では**「ガバナンスを変える」**ではなく、現代に合ったものに更新するという意味を込めて、**「ガバナンスをアップデートする」**という表現を主に使います。まずは古い例から紹介したいと思います。

標準時の制定

現在では標準時の存在は、国にとっても、企業にとっても当たり前になっています。しかし標準時という概念が作られたのは１８８４年であり、ガバナンスに組み込まれてから１００年と少ししか経っていません。標準時が制定されたのは「鉄道」というテクノロジーが一因だったという説があります[14]。

鉄道ができるまでにも、もちろん時計はありました。しかしそれぞれの地方や街が日時計を基に独自の時間を使っており、それで事が足りていました。多くの人は長距離の移動をせず、他の街に行くとしても馬車で数日かかります。街についたときにその街の時計を見て、自分の時計の針を調整すればよかったのです。

それが変わったきっかけが鉄道でした。鉄道というテクノロジーの社会実装によって、長距離の移動が短時間で可能になりました。その結果、それぞれの地方時間が異なっていると、不具合が起こります。列車の本数が増えるなかで、統一された時間を基に運行しないと、事故につながるリスクがあったのです。同じ線路上で対向する列車の車掌が、それぞれの時計に異なる時刻を設定したために、列車の衝突が起こり死亡事故などの惨事が発生したとも言われています。そこで各地方で統一的な時間の設定が求められるようになりました。

こうした背景から、１８４０年に民間事業者によって鉄道時間が導入され、各鉄道がそれぞれ標準時刻を制定し始めました。標準時刻というのは、実は民間から始まったのです。同時期に発明された電信によって、長距離で時報の送信ができるようになったことから、駅間での時刻の同期が取れるようになったことも、統一的な時間を実現することにつながったようです。その後、１８８４

14 ヴォルフガング・シヴェルブシュ『鉄道旅行の歴史〈新装版〉――19世紀における空間と時間の工業化』（加藤二郎訳、法政大学出版局、2011）

年にはグリニッジ標準時が制定され、国際的に採用されるようになりました。

標準時は鉄道以外にも影響を与えています。標準時が制定されるまでは、各地方で時間が異なっていたため、たとえば法律に「深夜までに酒屋を閉めること」と書かれていたとしても、それがどの地方時間を指し示すかが曖昧でした。しかし標準時が制定されることによってこうした問題も解消されました。

鉄道というテクノロジーとその普及を契機に、社会全体で統一された時間という概念を導入することで、鉄道にとどまらない社会的なインパクトを出すことができたのが標準時です。これはテクノロジーの社会実装をもとに、パブリックガバナンスのアップデートをした一つの事例と言えるでしょう。

FinTech

金融領域は規制が多く、また情報産業との相性が良いため、FinTech の領域ではガバナンスをアップデートした先行事例がいくつかあります。近年の動きを振り返ってみましょう。

日本では FinTech に関係する銀行法の改正が、2016年、2017年と2年連続で行われました。特に2017年に行われた法改正では、銀行のAPI公開が一つの軸となっており、これにより2018年の法施行後、2年以内をめどにAPIを整備することになりました。このAPI公開は画期的なガバナンスの変化の一つでしょう。

銀行ＡＰＩ提供以前は、ユーザーは FinTech 事業者を信頼して、銀行などの金融機関のパスワードを預けていました。FinTech 事業者はユーザーの代わりにログインを行い、たとえば残高などの情報をスクレイピング（抽出）して、アプリやサービスに表示するようにしていました。この場合、ユーザーはパスワードを FinTech 事業者に渡しているため、事業者がやろうと思えば、残高表示以外の振り込みなどの作業もできてしまい、情報セキュリティに懸念がありました。そうなると、ユーザーも本当に信用のおける FinTech 事業者にしかパスワードなどを渡せません。また FinTech 事業者側にとってみても、信頼獲得までの長い期間、ユーザーが増えず事業がなかなか進まないことが予想されるため、新しいサービスを作ろうとは思わなくなるでしょう。

そこで銀行ＡＰＩという解決策が提示されました。銀行側がＡＰＩを用意することで、銀行は事業者への情報提供の範囲を用途に応じて限定することができます。FinTech 事業者もパスワードをユーザーからもらうことがないため、より安全に適切な範囲での情報へのアクセスが可能になります。そうして銀行以外の多くの事業者が銀行のデータに安全にアクセスできるようになると、家計簿サービス、クラウド会計サービス、ＱＲコード決済サービスなど、様々な FinTech 事業が生まれてくることも予想されます。ユーザー側にとっても、サービス側からの情報アクセスを制限できるため、より安心して FinTech の新サービスを試せるようになります。

ただし多くの事業者がアクセスできるようになることで、同時にリスクも増えることは避けられません。そこでAPIを利用する事業者は「電子決済等代行業者」として登録することが義務化されました。一定の規制下に置くことで安全性を高めようという目的です。つまり、APIというテクノロジーを用いて利便性とデータのガバナンスの水準を高めつつ、そのAPIという新たなテクノロジーの普及によって生まれるリスクを、規制というガバナンスで治めようとしたのです。

ガバナンスの仕組みは、最初から完璧なものが作り上げられるわけではありません。銀行APIについても、継続して議論されていく必要があるでしょう。しかし新しいテクノロジーを使うことで新しいガバナンスの形が可能になり、そこから新たなビジネス機会が生まれるという点は、民間企業も押さえておきたいポイントです。

そしてこうした変化は、待っていれば勝手に起こるわけではありません。銀行APIについても、その背景には官民の両方によるガバナンスのアップデートへの努力がありました。詳しい経緯は『FinTechの法律　2017-2018』などにまとめられていますが[15]、ここでは簡単に各プレイヤーの動きを見てみたいと思います。

まず金融庁の動きを見てみましょう。金融庁は金融審議会の下で2014年10月から行われてきた「決済業務等の高度化に関するスタディ・グループ」を皮切りに、各種ワーキンググループを設置しながら、2015年9月に「金融行政方針」として今後の大きな方針を掲げます。同年12月には「FinTechサポートデスク」を設置して、規制等についてスタートアップからの問い合わせを受ける窓口を作りました。さらに「フィンテック・ベンチャーに関する有識者会議」を2016年

15 森・濱田松本法律事務所 増島雅和、堀天子、石川貴教、白根央、飯島隆博『FinTechの法律 2017-2018』（日経BP社、2017）

5月から公開形式で開催しています。この有識者会議のメンバーには、第3章で事例に挙げたマネーフォワード社も入っており、銀行APIの在り方への情報インプットを行っています。また2016年7月から行われた「金融制度ワーキング・グループ」では、金融機関におけるオープンイノベーションの在り方などについて討議を行い、この結果を基に2017年改正銀行法が提出されています。業界の人以外は知らないかもしれませんが、FinTechを後押しするために、規制監督庁も多くの施策を実施していたのです。

経済産業省では2015年10月より「産業・金融・IT融合に関する研究会（FinTech研究会）」を開催し、FinTechを中心にした新しいイノベーションについての議論を始めました。2016年には FinTech の今後について検討する「FinTech検討会合」が立ち上がり、その後2017年に「FinTechビジョン」を取りまとめています。

一方、スタートアップ側は2014年10月から行われてきたコミュニティ活動である「FinTech Meetup」を母体として、一般社団法人Fintech協会を2015年9月に設立しました。Fintech協会では、勉強会を自主開催するだけではなく、関係省庁や関係団体（全国銀行協会等）との連携や意見交換を行い、FinTechに関する調査の公表や提言を取りまとめたりしています。

こうした協議会や業界団体を作ることは、ガバナンスを変えていくためのベストプラクティスの一つです。同様の事例として、キャッシュレスの動きが盛んになった2018年7月には一般社団法人キャッシュレス推進協議会が作られ、こちらにも多くの企業が参加しました。こうした業界団体を用いる手法については、本書でもツール9「業界団体」で解説します。

こうした様々な制度やガバナンスの変更があり、FinTechの事業者が日本でも増加しました。その結果、私たちの日々の決済がキャッシュレスになるなど、より良い金融サービスを享受できています。

日本でFinTechのガバナンスが大きく変わったのは、世界的にFinTechが注目され、その領域の可能性が共通認識になりつつあったという背景もあるでしょう。しかし実務の面では、こうして官民が一体となって議論を行いながら、FinTech事業を可能にするための銀行法の改正や、FinTechビジョンのようなあるべき姿に向けてガバナンスを変えていったことが大きく影響しています。

日本でFinTechという名前のついた書籍が出てくるのは２０１６年以降であり、FinTechに関する書籍が急増したのは２０１７年でした。FinTechという領域に一般の注目が集まる前に、ガバナンスを変える様々な動きがあり、私たちの生活への影響が実感できるまでに数年かかっていることは、ガバナンスをアップデートする取り組みのタイムラインの一つの参考になるはずです。

これからのパブリックガバナンスの変化

これまで標準時とFinTechの例を通して、民間企業やテクノロジーがどのようにガバナンスを変えていったかを見てきました。特にFinTechの例では、銀行のAPIによってFinTech事業者への情報アクセスの範囲を限定するという、デジタル技術を使った新しいガバナンスを実現しています。

今、デジタル技術を使うことで、新しいガバナンスの方法が可能になりつつあります。これはFinTechに限った話ではありません。そしてこの流れを知っておくことで、民間企業もパブリックガバナンスに対してより有効な提案ができるようになり、そこからビジネスの機会を得ることもできるようになります。

そこで以降では、これからのガバナンスの変化について考えていきます。

ガバナンスイノベーション

デジタル技術によって、民間企業がアーキテクチャを運用できるようになり、ガバナンスへの影響力を増してきた点はすでに述べました。しかしデジタル技術はFinTechの例のように、既存のガバナンスの方法やガバナンスの在り方を変化させる可能性もあります。

そうした一連の流れは「ガバナンスイノベーション」と呼ばれています。2020年1月にはOECDでガバナンスイノベーションに関する国際会議が開催されました。また2020年7月に経済産業省は『GOVERNANCE INNOVATION: Society5.0の実現に向けた法とアーキテクチャのリ・

デザイン』という報告書を公表しています。

ではガバナンスイノベーションとは一体何でしょうか。経済産業省の報告書では、デジタル技術のイノベーションを中心に、以下の3つの観点からガバナンスイノベーションが整理されています。

・Governance **for** Innovation——イノベーション**のための**ガバナンス
・Governance **of** Innovation——イノベーション**の**ガバナンス
・Governance **by** Innovation——イノベーション**による**ガバナンス（の変化）

Governance **for** Innovation はイノベーションを促進するためのガバナンス、Governance **of** Innovation はイノベーションがもたらすリスクを社会が適切にコントロールするためのガバナンス、そして Governance **by** Innovation は、主にデジタル技術を中心としたイノベーションによる、ガバナンス自体の革新です。具体的には Governance for Innovation は規制改革、Governance of Innovation はリスクコントロールのための新たな規制の追加などが想像しやすいでしょう。

Governance by Innovation は少しわかりづらいかもしれません。これは**デジタル技術というイノベーションによって、ガバナンスの在り方や手法が変わっていくこと**を示唆しています。

たとえば、工場のガバナンスを考えてみましょう。工場を運営していくうえで、リスクを下げるためには定期的な検査が必要です。また環境汚染物質などを規定以上に排出させないような点検も必要かもしれません。政府の役目は、その基準を決めて、検査を行い、違反があれば罰則を与えることであり、政府と工場が協力しながらこのようなガバナンス体制が敷かれています。

このガバナンスの実行時、それまで工場は資格を持った人が検査していました。工場側は資格を持っている人を教育し、国は認証のための資格試験などを用意、実施する必要がありました。さらに国は、その後も検査が適切に行われているかどうかもチェックする必要がありました。デジタル技術以前では、人が中心となってこうした作業を行っていたのです。

ここでデジタル技術が登場します。もしセンサーなどを用いて計測したデータを政府が手に入れることができれば、どのようなことが起こるでしょうか。工場の検査が自動化できるかもしれません。これまでは人がしていたことが、データによって瞬時に行えるようになります。さらに人が検査するときには、工場を一日止めるなど、生産性を落として品質を担保するような活動がなされていたのが、これからは工場を止めずにデータを見るだけで検査ができるようになるかもしれません。

生活に身近なところであれば、自動車の安全性を担保するために車検というガバナンスが敷かれています。新車登録から3年、以降は2年ごとに車検に出すことで、車が安全であるかどうかをチェックし、場合によっては修理を行っています。もしデジタル技術が十分に使える精度になってくれば、自動車の車検もセンサーを用いることで、車検の間隔をより長くしても車の安全性を担保できる、ということも起こりえるかもしれません。このようにデジタル技術の発展によって、工場や車のかつてのガバナンスの在り方が変わる可能性が出てきているのです。

皆さんの身の回りで起こった変化としては、ｅＫＹＣ（electronic Know Your Customer）がデジタル技術を使ったガバナンスの大きな変化の一つでしょう。この数年で、銀行に直接行ったり様々な郵送手続をしたりしなくても、オンラインの手続きだけで金融サービスの利用を始めることができるようになりました。これは、本人確認書類の画像と本人の容貌の画像、もしくはＩＣチップ情報と顧客の容貌の画像の送信などによって、本人確認が済ませられるようになる法改正が２０１８年になされた結果です。

従来、こうした本人確認を行うためには、実際に銀行に赴いたり、免許証のコピーを郵送したりするなどの手続きを経る必要がありました。人がそれらを確認することで、情報の送り手の身元を確認していたのです。そのためには郵送の手間や日数などが必然的に発生していました。そうした手間の中で登録を諦めたり、忘れたりする人も多くいたでしょう。一方、ｅＫＹＣはスマートフォンの普及という変化を背景に、デジタル技術を活用することで、従来の方法よりも利便性を高くしながら、従来のやり方と同等か、それ以上の安全性と確実性をもって本人確認を行う方法を考案しました。そしてそれが社会に採用された一つの例と言えるでしょう。

金融サービスではこうした本人確認手続きが犯罪収益移転防止法によって規定されていますが、そうした規定がまだないシェアリングエコノミーなどのＣ２Ｃサービスにおいても、ｅＫＹＣと同様の手法を使って安全性を高めようとする自主的な動きが出始めています。プラットフォームをユーザーが安心して使えるようにするための試みです。こうしたＣ２ＣサービスでのｅＫＹＣの活用は、従来よりも高い安全性を新しいデジタル技術を使って簡便に実現しようとしている例と言えます。

これまでの主なガバナンスの議論は、デジタル技術のイノベーションを促進するために規制などのガバナンスを変えるという文脈でされてきました。しかしこのeKYCの例に見るように、デジタル技術のイノベーションによって、ガバナンスの方法をより良いものにできる機会が生まれてきているのです。[16]

本書でのガバナンスとは「関係者や関係するモノの相互作用を通して、法律（制度）や社会規範、市場、アーキテクチャなどを形成・変化させることで、効率・公正・安定的に社会や経済を治めようとするプロセス全般のこと」としました。そのうち、アーキテクチャがデジタル技術によって変わりつつあることは先述の通りです。さらにデジタル技術を前提にすることで、法律や制度といたものの設計自体が変わるかもしれない、というのが昨今の変化です。

デジタルによるガバナンス技法の変化

ここで少し後ろに引いて、ガバナンスというものの仕組みを見てみましょう。ガバナンスのためには関係者同士の規律付けが必要です。では規律付けはどのように進むでしょうか。

規律付けの方法は、主にルールや原則の「形成」とルールや原則の「運用」に分かれます。そしてルールの運用プロセスは「モニタリング」と「エンフォースメント」の二つに分けられます（図

16 同様の指摘は、若林恵『NEXT GENERATION GOVERNMENT 次世代ガバメント――小さくて大きい政府のつくり方』（日本経済新聞出版、2019）でもされています。

17 エンフォースメントには、正と負のサンクションがあります。正のサンクションは報酬であり、負のサンクションは罰などです。

6・3)。モニタリングはルールの遵守状況を監視すること、エンフォースメントはルールを破ったときに罰を与えるなどの法執行をすることです[17]。

ルールとしての法を設定したところで、そうした運用プロセスがなければ、誰もルールを守りません。ルールは単に設定するだけではなく、そうした運用面まで考えて設計しなければなりません。しかしモニタリングにもエンフォースメントにも、それ相応のコストがかかります。

先述の工場の例は、デジタル技術によってモニタリングのコストが劇的に下がる可能性がある、というものでした。たとえば工場のデータがリアルタイムに近い形で入ってくれれば、モニタリングのコストは下がります。その結果、さらにエンフォースメントもある程度自動的に行えるかもしれません。工場が何かの違反をした場合、何らかの猶予期間を設けたうえで生産をストップすることや、取引先にそのような情報が伝わって、取引を中止する、といったこともできるかもしれないのです。

こうしてモニタリングとエンフォースメントの手段が変わること

図 6.3　ガバナンスの技法

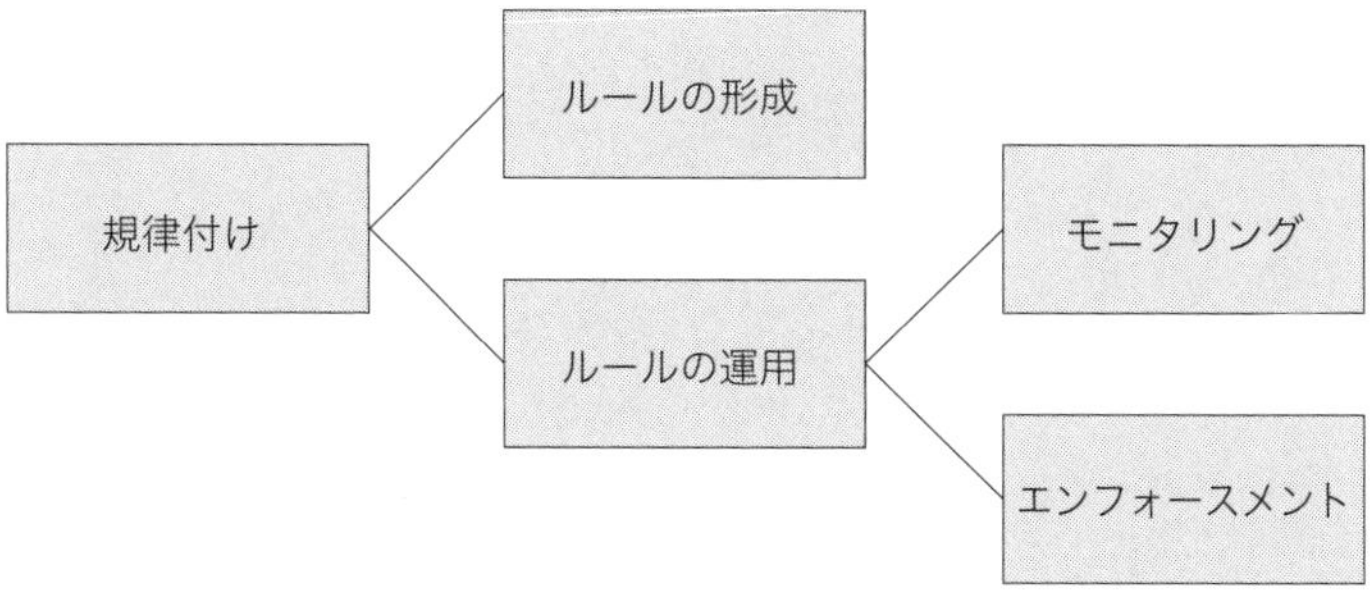

参考文献：増島雅和「ガバナンスイノベーション——デジタルを用いたリアルタイムモニタリングの規制デザインの視点」、2019 年 10 月
https://www.slideshare.net/masamasujima/governance-innovation-how-to-design-real-time-monitoring-norm

で、ルールの作り方も変わります。たとえば、データがリアルタイムで手に入ることで、ルールを破ったか破っていないかという「ゼロか1か」ではなく、より段階的な認定ができるようになります。

また、現在は車の制限速度は道や時間によって決まっていますが、道路の混雑状況のデータを取ることができれば、混雑の程度によってリアルタイムに制限速度を上下させて、移動効率を上げることもできるかもしれません。リスクの章で取り上げた電動キックボードも、同様の手法でより効果的に治めることができる可能性があります。電動キックボードのリスクは、速度が出ているときに歩行者と接触事故が起こるかもしれないことでした。では、もし歩道や混雑している一部区域では速度制限がかかるような仕組みをソフトウェアに入れ込んでおき、速度が出ないようにしていればどうでしょう。事故の可能性は下がります。その結果、社会的にもそのリスクを許容できるようになるかもしれません。また、走行のログを分析して、危険運転をしているユーザーに対してペナルティを付与することなども可能でしょう。事業者側も、安全性を増すためにそうしたアーキテクチャを設計し、しかもそれを政府に提案できるのです。

同様に、ドローンについても考えてみます。従来の発想であれば、飛行可能区域を地図などで定め、侵入したら罰則を与えることなどになります。そのためには常時のモニタリングや、犯人の特定、その後のエンフォースメントが必要になります。しかしもし、デジタル技術を使えばどうでしょう。ドローンに対するソフトウェアアップデートなどで、飛行可能区域を時間帯や日によって

18 鈴木健『なめらかな社会とその敵』（勁草書房、2013）から。

変えることができるかもしれません。実際、インドでは国内のドローン事業者やパイロットに対してDigital Sky Platformというプラットフォームへの登録を制度化し、飛行可能なエリアを国が定めています。

こうしてデジタル技術の導入による段階的かつアップデート可能な制約を行えるようになると、慎重さと大胆さを兼ね備えたルールを作ることも可能になり、ルールの作り方自体も変わってきます。**デジタル技術というイノベーションを使えば、新しいガバナンスが可能になるのです。**

これまでのアナログの世界では、どこかで「ゼロか1か」でばっさりと区切らざるを得ませんでした。一方、デジタルの世界では、データに基づいて細やかに分類することができます。ITの世界ではこうした状況を指して、しばしば「なめらかな」[18]という表現が使われますが、これからはそうしたなめらかなガバナンスが技術的に可能になる、というわけです。そうしたなめらかさは良し悪し両面あるため、使い方を十分に気を付ける必要がありますが、新しい方法を考えられるようになることは間違いないでしょう。

図6.4 一般的なデータモニタリングの進化ステージのイメージ図

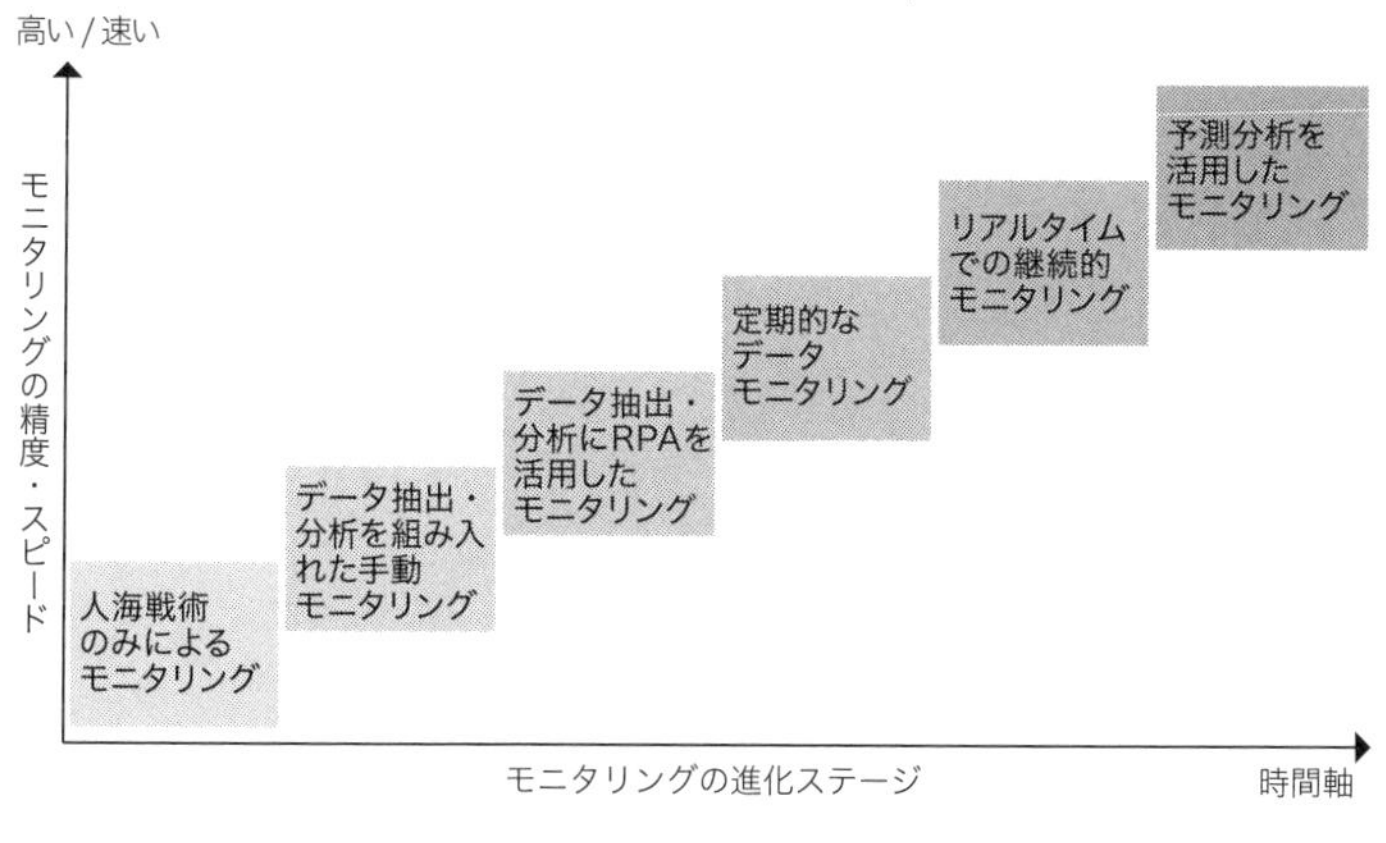

出典：経済産業省「GOVERNANCE INNOVATION: Society5.0 の実現に向けた法とアーキテクチャのリ・デザイン」、2020 年 7 月
https://www.meti.go.jp/press/2020/07/20200713001/20200713001-1.pdf

振り返ってみれば、私たちの現在のルールやガバナンスは電気や電気製品が当然のように手に入る前提で設計されています。今後デジタル技術が電気と同じようなインフラになることで、ルールやガバナンスに応用されるようになるのは、考えてみれば自然な流れではないでしょうか。そしてデジタル技術の持つ特有の性能によってこうした新しいガバナンス技法が可能になると、ルールに対してよりクリエイティブに取り組むことができます。経済産業省のガバナンスイノベーションに関する報告書でも指摘されていますが、新しい法やアーキテクチャの作り方が可能になりつつあるのです。そしてその適切な答えは、まだどの国も出せていない状況です。つまり今は、これから各国が競争しながら新しいガバナンスの体系を作り上げていくタイミングです。その変化に、民間企業も積極的に関わっていくことで、より効果的なガバナンスと、市場の拡大ができるはずです。

政府の役割の変化と民間の役割の増大

政府や国家の役割と動きが徐々に変わりつつある点も、これからの変化として押さえておきたいポイントです。

デジタル技術が共通基盤となるにつれて、単に政府が民間事業者に規制を課すだけではなく、政府が主導的立場をとってデジタルインフラを整えたほうが効率的になるケースもあります。

たとえばインターネットの回線速度が十分ではなかったり、インターネットが使えない地域が多かったりすれば、人々はインターネットのサービスを活用することができません。そうした状況だと、インターネットのサービス自体に市場がないと見なされ、新しいサービスが出てきづらくなります。逆に新しいインフラの敷設は、新しいサービスを生むことがあります。たとえばスマートフォンと4Gが普及することによって動画サービスが一気に普及したように、インフラが整うことで新たなサービスが可能になりました。今後5Gの敷設によって、新たなビジネス機会が生まれるかもしれません。今は民間企業がこうしたインフラの整備を行っていますが、インターネットや通信回線を道路のようなものだと思えば、その整備を行うのが政府側だとしてもおかしくはありません。実際、シカゴ市では投票者の90%がブロードバンドインターネットは公共サービスであるべきだ、という投票がなされています。[19]

法的な整備もインフラの一つでしょう。法律に矛盾があったり、国内もしくは国際的に法的な「でこぼこ」があったりすると、ビジネスを拡大することが難しくなります。たとえば現在の日本国内の個人情報保護のルールはある意味そうしたでこぼこがある状態です。というのも、日本国内では個人情報保護法という法令がある一方で、各自治体が個人情報保護の条例を個別で定めており、個人情報に関する定義や運用ルールが少しずつ異なっています。つまり、自治体の数だけルールがあるという状況です。また官民で異なる法令にもなっています。こうした状況は、1700以上ある日本の自治体の数と、その他の法令と規則の数を合わせて「個人情報保護法制2000個問題」

19 In Chicago, 90% of voters agreed the internet should be a public utility, *QUARTZ*, November 5, 2020
https://qz.com/1927596/90-percent-of-chicago-voters-say-the-internet-should-be-a-public-utility/

と呼ばれています。

こうしたでこぼこがあると、特定の自治体で実施できたことがほかの自治体でできるかどうかを毎回確認する必要があり、ビジネスの展開を遅くしてしまうことにつながります。また自治体間での連携もしづらくなります。本人の同意があっても、医療や介護サービスに関する情報の第三者への提供を認めないとする自治体もあり、その結果消費者がサービスを使えず、不利益につながっているケースもあります。今後、こうした情報に関する法制度を整えていき、データを適切に流通させる仕組みを作ることもインフラ整備の一つでしょう。

教育も一種のインフラです。皆がある程度同じようにデジタル技術を使えなければ、デジタル技術を使った効率化がされないからです。デジタル技術が普及するにつれて、初等教育や中等教育で伝えるべきリテラシーも変わってきます。従来のリテラシーは読み書きや計算でしたが、今ではさらにデジタルリテラシーやプログラミング教育も加わってきます。

またデジタル技術に慣れ親しんでいない層への教育も要求されることになります。これまでは人生の最初の20年程度で学んでおけば、その知識がほぼ一生使えるような前提で教育が行われていましたが、長寿化や技術の変化を受けて、人生の途中で学びなおすことが求められるようになるかもしれません。

政府がこうしたインフラを整えることで、そのインフラの上でよりよい商業サービスや行政サービスが提供されるようになります。つまり国や地方自治体は、従来のインフラと呼ばれている、水道、ガス、電気、そして道路など、目に見えて触ることのできるインフラを整えるだけではなく、データやインターネットといった新たな情報インフラの敷設と維持にリソースを割く必要が出てきます。

ただ、従来のインフラに加えて新しいデジタルインフラの整備を行おうとすると政府側のリソースが足りなくなります。もちろんデジタル技術によって、従来の業務の一部は効率化するでしょうが、デジタルに関わる新しい業務にリソースを割かざるをえないことで、業務の総量はそれほど変わらないか、むしろ増えるようになるでしょう。

以前から日本の行政には人材が足りていません。ＩＴ系に限ってみても、たとえば人口560万人程度のシンガポールにはＩＴ部門に関わる行政職員が2600人いますが、人口1400万人の東京都のＩＴ関連職員は2020年現在で100人程度だと言われています。一方、旧来からあるインフラに関わる建設局には約5000人の職員がいます。もし仮に一気にＩＴ関連職員を増やす動きが出てきても、民間のＩＴ企業がより高い給与を払う状況であれば、そうやすやすと職員数を増やすことはできないでしょう。

そこで行政が行うべきサービスの一部を、民間事業者に委託したり、市場化したりすることによって、行政サービスから切り離す動きが出てきます。そこから新たなビジネス機会が生まれることにもなるでしょう。また、その中でどこからどこまでを政府が持ち、どこからを民間が持つべきなのかを効率や国防の観点から議論するのは、今後のパブリックガバナンスの在り方を語るうえで外せない観点となるでしょう。

ルールだけではなく、ガバナンス全体の調整へ

ガバナンスの在り方の変化に気づいている一部の事業者やコンサルティング会社は、ルールメイキングの領域を開拓しようとしています。たとえばデロイトトーマツグループはルールメイキングの分野で民間企業へのコンサルティングを提供しています。彼らはルールメイキングのフレームワークとして、「標準（Standards）」と「規制（regulations）」の二つを挙げています。[20]

標準化の効果はコストダウンと市場の拡大にあります。[21] たとえば自社の技術が高く評価されるような指標を標準化規格に盛り込むことで、自社の優位性が築けます。また規制についても、自社に有利な規制を作り上げることで、自社が利潤を得ることができるかもしれません。

このようにルールを作ったり変えたりしていくことは、ガバナンスの一つの手法です。特に国際的な競争下におけるルールの形成は、プラットフォーム企業のデータの独占などを防ぐうえでも非常に重要なことです。

ただし、フォーマルなルールの変更はガバナンスの一つの手法でしかありません。私たちはルール以外に慣習を変えることもできるかもしれませんし、市場を変えることもできるかもしれません。比較制度分析で著名な青木昌彦氏は「制度はルールとは異なる」と指摘し、制度（institution）を簡

20 デロイトトーマツグループのウェブサイト
https://www2.deloitte.com/jp/ja/pages/strategy/solutions/cbs/rule-making-regulatory-strategy.html

21 産業技術環境局基準認証ユニット「標準化実務入門」経済産業省、2016年1月7日改訂
https://www.meti.go.jp/policy/standards_conformity/files/2015text_zenbun.pdf

単に法律やルールで変えられるというのは危うい考え方だと指摘しました[22]。ここでの制度とは、法や契約などのフォーマルなルールだけではなく、インフォーマルな規範や慣習も含みます。つまり、本書のガバナンスに近いニュアンスです。青木氏の指摘と同様、フォーマルなルールを変えればガバナンスも変わるかというと、そんなことはありません。ルールを変えるだけでは不十分なケースも多いのです。だからこそ、ガバナンスという全体の視点が重要だと考えます。

たとえば2020年に、電子署名の有効性を認めるガイドラインが法務省から出されました。しかし、フォーマルなルールが変わったからといって、はんこによる押印プロセスが電子署名にすぐに置き換わったわけではありません。企業間の商慣習や各企業の規範や内部のガバナンスが変わらなければ、はんこは使われ続けるでしょう。フォーマルなルールを変えることは変化を促すために有効な一手ではあるものの、それだけでは十分ではありません。規範や企業のガバナンスを変える必要もあります。

日本で2011年に成立した寄付金の税額控除制度は、国が認めた団体への寄付については最大約5割の税額控除を受けられるという、世界的に見ても大きな寄付金控除となっています。しかし、寄付はまだまだ日本社会に根付いているとは言えません。これもルールを変えたものの、文化や制度は変えられず、ガバナンスを変えることができなかった一例と言えるでしょう。

変化させる対象をフォーマルなルールや制度だけに絞ってしまうと、見落とす部分が生じてしまいます。またルールという自社の外部にあるものだけを変える対象として見ていると、企業内

22 青木昌彦『比較制度分析序説——経済システムの進化と多元性』(講談社、2008)

のガバナンスの問題に取り組むことも難しくなります。さらに言えば、ルールメイキングと言ってしまうと、官僚や政治家、弁護士、コンサルタントやシンクタンクといった、ある一部の人々しか関われないような印象を伴いがちです。しかし本来、社会の変化や社会を治めるという行為には、もっと多くの人たちが関わることができるはずです。ルールはもちろん重要な位置要素です。しかし**ルールよりももっと射程を伸ばして、ガバナンス全体を考えることで、より多くの打ち手が見つかる**のではないでしょうか。

新しいガバナンスの問題に、新しい方法で対処する

これまでのガバナンスの議論は、既存のガバナンス体系がある中で、それをどうアップデートしていけばいいか、という議論が中心でした。しかし新しい技術の登場に伴い、その技術をどのように治めていくか、という議論も行わなければなりません。つまり、これからのガバナンスに関する議論は、大きく二つのことを並行して考えていく必要があるのです。

①旧来のガバナンスを、デジタル技術によって、新しいガバナンス体系へとアップデートする
②新しいデジタル技術によって起こる、新しいガバナンスの問題に対して、新しいガバナンス体系を作り上げる

これまでの議論は主に前者についてのものでした。たとえば、銀行のオンライン化によって旧来の決済処理のシステムをどう効率化するかという問題や、Uber や Airbnb といったデジタル技術が可能にした新しいビジネスに対して既存の規制をどうアップデートしていくかといった問題です。

一方で、デジタル技術は新しい問題を提起します。たとえばフェイスブックやツイッターにおけるフェイクニュースの問題は、従来の社会には存在しなかった問題、もしくは存在していたとしても影響が大きくはなかった問題です。こうした問題をどのように扱っていき、どうガバナンスの体系を作り上げていくかは、民間企業と政府とが協働しながら考えていく必要があります。

また新しいビジネスは新しい問題を不可避的に生んでいきます。たとえばアイルランドでは Airbnb というビジネスが可能になることで、都市部の住居が宿泊者向けに利用され、賃貸物件が逼迫し、家賃が高騰することにつながりました。その結果、ホームレスになる家族が年率20％以上も増える年があったようです。この背景にはグローバル企業の誘致による高所得者層の増加による家賃の高騰などの要因もあり、Airbnb だけが原因ではありません。それでも、新たなビジネスによって誘発・助長された問題は、政府と民間事業者側が責任をもって解決していく必要があるでしょう。

個人情報保護法も、個人情報や個人データに関するデジタル技術の急速な進展によって導入されたガバナンスの一例です。民間企業はユーザー個人に関するデータを自由に使わせてほしいと言うかもしれません。しかしそれを無制限に許してしまえば、個人の権利や利益を侵害してしまう危険性があります。個人情報を自由に使わせてほしい、という民間事業者の要望は、「自動車を自由に走らせるために速度制限のない道路を作ってほしい」と言っているようなものです。それでは安全が担保されませんし、人権の侵害なども起こってしまうでしょう。私たちはデータについても安全を守りつつ、ビジネスで効果的に使えるような扱い方を産官学民で協議しながら定めていく必要があります。

事業者が自分たちの事業での経験から政府に対して要求を出すことはやっていくべきです。しかし、単に「規制緩和をしてほしい」という訴えるだけではもはや不十分になってきています。とはいえ、生半可な知識でガバナンスの変更の提案をすることも避けるべきです。だからこそ、ガバナンスの仕組みや考え方をきちんと学んだり（コラム「ガバナンスの変化の歴史」参照）、ガバナンスのプロフェッショナルと協働したりしながら、自社の事業活動を最大限可能にしながらも、個人の権利や利益が守られるようなガバナンスの理論を自分たちで組み立て、それを提案していける能力と倫理観がますます求められています。

民間企業がパブリックガバナンスに関わっていくための方法

本書でのガバナンスとは「関係者や関係するモノの相互作用を通して、法律（制度）や社会規範、市場、アーキテクチャなどを形成・変化させることで、効率・公正・安定的に社会や経済を治めようとするプロセス全般のこと」としました。

ここでの法や制度、規範といったものは、言ってしまえば経済や社会を適切に治めるためのツールでしかありません。日本では法や制度といったものは絶対的なもののように思われがちですが、あくまでガバナンスを行うためのツールです。適切なガバナンスを実現するためであればそれらのツールを磨いたり、変えたりすることが必要です。

今後はそうしたツールを改善できる力が、社会実装のカギを握ることになるでしょう。そしてそのためには、民間企業と国が一緒になって取り組んでいく必要があります。特に民間側のイノベーションのスピードが、国の動きに比べて相対的に速いことが多い現状ではなおさらです。政府にガバナンスの業務をすべて任せる前提で政府のガバナンスが変わるのを待っていては、他国に比べて社会実装のスピードは遅くなり、その結果、民間企業の国際的な競争力は失われていくでしょう。だからこそ、民間企業は国と協力しながら適切なガバナンスを探索していく必要性があるのです。

では、民間企業はどのようにガバナンスの在り方のアップデートに関わっていけばよいのでしょうか。ここからはいくつかの方向性を提示したいと思います。

インパクトに基づく規制の変更とアーキテクチャによる補助を提案する

ここまで説明してきた通り、政府の役割が変わり、デジタルによる新しいガバナンス技法が生まれつつある中で、ガバナンスに対する民間企業や市民の影響力が増しています。民間企業は、自社の目指す社会的インパクトに基づいて、新しいガバナンス技法に基づいた新しいガバナンス像を提案していくことができる状況にあるのです。その一つが規制の変更です。

もし古い規制があるのであれば、異なるやり方で同じアウトカムを達成できる方法を考え、それを提案していきましょう。リスクのある新しい試みであれば、安全性を担保するようなソフトウェアやアーキテクチャを組み込んで、そのテクノロジーのガバナンスの信頼性を高めることもできます。たとえば、電動キックボードの地区別の速度制限等はその一例です。

ただしインパクトにどれだけ公益性があるからといって、筋の悪い規制の変化は受け入れられません。インパクトや公益性だけで押し通すことはせず、しっかりと納得できる理論を考えて変更の提案をするようにしてください。なお、こうした規制を変化させる方法については、ツール7「規制の変更」でまとめています。また「ソフトローと共同規制」という方法論についてもツール8で紹介しているので参照してください。

インパクトに基づく市場と社会規範を作る

これまで市場をどう設計するかは主に各国政府や国際機関の役割でした。しかし徐々に民間企業も市場の設計やマーケットガバナンスに対して影響力を持ち始めています。スティーヴン・K・ヴォーゲルが『日本経済のマーケットデザイン』で指摘するように、「市場は造られるもの」であり、「より良い市場は私たちの手で造っていくことができる」のです。[23]

その方法の一つが、企業の調達に制約をつけることです。前述した調達基準を設けることは公的機関だけが行っているわけではありません。民間企業も調達基準を設けて市場を変え始めています。

ユニリーバは「責任ある調達方針」を掲げて、調達の基準を定め、サプライヤーなどのパートナーに対して社会・環境への影響に配慮する義務を課しています。[24] また、ザ・ボディショップはコミュニティトレードを行っています。コミュニティトレードとは、企業が地域共同体と協力して、インフラや生産能力、持続可能な発展を築き上げていく手法です。[25]

この取り組みの中でザ・ボディショップはコミュニティから持続可能な地産製品を購入し、納入業者の社員に生活できるだけの賃金を保証、納入業者が地域の中で持続的な成長プロジェクトをできるよう支援しました。また同時に公正取引ガイドラインを作ったほか、ユニリーバと同様、自社のパートナーに対し、「動物実験を行った原材料の購入をやめる」といった義務を課しました。こうした特定の環境要件を満たす工場しか使わないようにするという基準や、フェアトレードも、市場

23 スティーヴン・K・ヴォーゲル『日本経済のマーケットデザイン』(上原裕美子訳、日本経済新聞出版社、2018年)

24 「ユニリーバ 責任ある調達方針――サプライヤーと連携する」ユニリーバ、2017年 https://www.unilever.com/Images/unilever-rsp-2017-japanese_tcm244-509008_en.pdf

25 前掲 ベビア『ガバナンスとは何か』

を作り上げる民間企業ができることです。

こうして民間企業の調達に社会的な要件が含まれてくれば、それに沿って社会的に良いことをする相手先企業が増えてきます。逆の視点から言えば、社会的に良いことをしている企業がパートナーとして選ばれやすくなる環境ができつつあります。

企業買収（M&A）という観点からも同様の流れが生まれてきています。たとえばユニリーバは2019年にザ・ランドレスという環境にやさしい衣類用洗濯洗剤の新興企業の買収を行っています。また同社が2016年に約1000億円で買収したと言われるダラー・シェイブ・クラブも、製品である髭剃りが従来のプラスチックの髭剃りよりもエコであることがユニリーバに評価された、という面もあるようです。エコであるという点だけで選ばれることはないでしょうが、社会的に良いことをしていることでパートナー企業として選ばれやすくなる、という動きは今後様々な事業面で起きてくるでしょう。

さらに民間企業は、市場での活動を通して社会規範に影響を及ぼすこともできます。

たとえば前述の自動車の安全運転という社会規範もその一つです。トヨタのビジョンには「人々を安全・安心に運び、心までも動かす」という文言が含まれています。こうした安全や安心は、自社の車という製品をより良くすることや、規制やアーキテクチャで実現可能な部分もありますが、最終的にはその運転をする人たちに委ねられる部分も大きいものです。そのとき、安全運転という社会規範がなければ、トヨタのビジョンは達成できません。そのため、安全運転という社会規範を作り上げていくことは企業の一つの役目であるとして、トヨタは交通安全に関する啓発活動を行っています。

前述のザ・ボディショップは、「動物実験を行った原材料の購入をやめる」といった規則や慣行をパートナーに義務付けるだけではなく、こうした方針を他社も取り入れるべきだというキャンペーンを展開しています。これは自社で市場を変えようとするだけではなく、社会規範までをも変えようとした例です。

なお、民間企業に任せずとも、私たちは市民として、特定の倫理基準を破った企業に対して不買などの態度を見せることができます。それも市場に対してのガバナンスを効かせる行為だと言えるでしょう。

これらの事例が示すように、市場や社会規範をガバナンスする主体は政府だけではありません。慣行や調達基準、規範や価値観といった、企業や個人が影響を及ぼせるマーケットガバナンスもあります。私たちが欲しがるものが出てくる市場を作るために、私たち自身が市場をデザインし、ガバナンスの形を少しずつでも変えていくことは可能なのです。社会課題は儲からないと言われますが、社会課題を解決することで儲かる仕組みは、民間企業や私たち一人ひとりの手によって作り上げていくことも可能であり、またその可能性は大きくなってきています。

インパクトとコーポレートガバナンスによる両輪の経営戦略

こうしたパブリックガバナンスをアップデートしていくためには、それを仕掛ける主体に信頼がなければ説得力がありません。文書管理やデータの取り扱いなど、政府内部のガバナンスがきちんとしていなければ市民からの信頼が得られず、政府が説得力を持ってパブリックガバナンスの変更を市民に訴えかけられないのと同じです。民間企業がもしパブリックガバナンスに対して活動を行いたいのであれば、まずは自分たち自身の信頼性を向上させる必要があります。その一つの手段が**コーポレートガバナンスの強化**です。

世界でガバナンスという概念が広まった1990年代には、コーポレートガバナンスという概念にも注目が集まりました。ＯＥＣＤがコーポレートガバナンスに関するグループを設置したのが1996年、その後1999年6月には世界銀行とＯＥＣＤが覚書を交わし、コーポレートガバナンス改革のための動きを強めることになりました。

コーポレートガバナンスの強化は当初、主に企業の度重なる不祥事へ対応するためのコンプライアンス（法令と倫理の遵守や社会的要請に適応すること）の取り組みという位置づけでした。しかし2000年代に入って少しその目的が変わり始めます。コーポレートガバナンスの目的として、経営陣が適切なリスクを取って中長期的な戦略を取っているかといった、攻めの面が強調されるようになったのです。「守りのガバナンス」から「攻めのガバナンス」へという言葉もよく使われます。

日本でもこの動きは強まっています。2013年にとりまとめられた日本再興戦略では成長戦略の一環としてコーポレートガバナンスの見直しが言及され、2014年の改訂案でコーポレートガバナンスコードの計画が公表、2014年12月にはその原案が公表されました。ここで提起されたガバナンスの在り方は、3つの点で従来と異なるとされています[26]。

一つ目は先述の「攻めのガバナンス」です。中長期的な企業価値の向上のためのガバナンスに目が向けられました。従来のコンプライアンスに重きを置いていたガバナンスとは大きく異なる視点です。

二つ目は原則主義（プリンシプルベースアプローチ）です。これは従来のルールベースアプローチと対比させるとわかりやすいでしょう。ルールベースアプローチでは、あくまで規則に則っているかどうかが注目されます。一方、プリンシプルベースアプローチでは原則だけを定めて、詳細な規則などは制定しません。企業の自主的な取り組みに基本的には任せ、企業は原則に従いつつ（コンプライ）、原則に従わない場合は説明する（エクスプレイン）という選択ができるアプローチです。これはコンプライ・オア・エクスプレインとも呼ばれます。

コンプライ・オア・エクスプレインでは、規則等のルールではなく企業の考えの原則を示して、その原則に従うこと、もし従わない場合にはその理由を説明することを求めます。逆に言えば、原則を定めるものの、適切にエクスプレインさえすれば原則と異なる意思決定を行える、というのがこの考え方でもあります。

26 江川雅子『現代コーポレートガバナンス――戦略・制度・市場』（日本経済新聞出版社、2018）

第三はソフトローの活用です。法的拘束力を持つ規範に頼るのではなく、私的な取り決めや業界の規範などを用いることです。ここでも法的なルールではなく、企業や業界の自主性に委ねる傾向を強めています。

コーポレートガバナンスの変化が促されてきた背景には、ESG投資の流れもあります。機関投資家などをはじめとした発言力を持つ投資家が、投資先企業を選ぶ上で、投資先企業が攻めのガバナンスを行っているかどうかを重視するようになり、企業にガバナンス関連の情報開示を強く求めるようになっているのです。

ESGのうち、Gはガバナンスであり、コーポレートガバナンスのことを指しています。そしてE（環境）とS（社会）は、本書ではインパクトという概念と関連しています。こうしたESG投資の流れを、インパクト、ガバナンスというキーワードから見てみると、企業は社会課題を解決してインパクトを目指しながら、攻めのコーポレートガバナンス体制を築くことで、投資家に選ばれやすくなり、ESG投資を重視する投資資金を呼び込むことができます。つまり、**インパクトとガバナンスの両輪が企業のファイナンスのしやすさにつながりつつある**ということが言えるのではないでしょうか。1990年代以降、経営戦略とファイナンス戦略の近接が起こったという指摘がありますが[27]、現在はさらに経営戦略とインパクトとガバナンスが一体となり、それに対してファイナンス戦略が有機的に結びつきつつある時代と言えるでしょう。

前述の通り、日本でもコーポレートガバナンスコードの設置が急ピッチで行われ、その潮流に乗

27 平野正雄『経営の針路――世界の転換期で日本企業はどこを目指すか』（ダイヤモンド社、2017）

ろうとしています。しかし形式を満たすだけの企業も少なくありません。たとえば東証の定めるコーポレートガバナンスの目標を満たすために、本来は外からの目で経営を監視する役割である社外取締役を内輪から採用して数を調整する、ということもやろうと思えばできてしまいます。

コーポレートガバナンスのそもそもの目的は、競争力の強化であり、経営陣に対するモニタリングのはずです。しかし「形式にさえ合わせればいい」という文化が根付いてしまっている企業は、なかなかそれを変えることはできません。本来の目的に準じたコーポレートガバナンスを設定できるのは、本気の企業か、もしくは若いスタートアップのような企業だけでしょう。それはファイナンスの面から見ても大きな機会であるとも言えます。

スタートアップがそうしたことを考えるには早すぎる、という考えもあるかもしれません。ある意味ではその通りで、企業のサイズによって最適なコーポレートガバナンス体制は異なります。スタートアップの場合、コンプライアンスやガバナンスはまだ未発達のところも多く、組織の拡大や事業成長の過程において徐々に整備されていくことになるでしょう。ただ、初期からインパクトやミッションを中心としたコーポレートガバナンス体制を構築していけば、上場後も投資家や消費者から選ばれる企業になり、長期的な競争優位性を築くことにつながります。

また、蒸気機関から電気への移行の際に、工場のガバナンスの在り方が障壁になったように、コーポレートガバナンスの在り方もテクノロジーの社会実装をするうえでの障壁となりえます。はんこから電子署名への移行がなかなかできない背景に、企業内ではんこを使った押印プロセスによって不正行為が起こらないようにしているから、というコーポレートガバナンスの側面が関係していることは見逃せません。社内のガバナンスに既存のテクノロジーが複雑に組み込まれているからこそ、新しいテクノロジーが簡単には導入できないのです。

企業内も一つの社会です。自社内でテクノロジーの社会実装ができていなければ、テクノロジーの社会実装を社会に訴えるときに説得力を持てないように、パブリックガバナンスのアップデートを提案するときに必要になるのは、高い水準のコーポレートガバナンスです。

コーポレートガバナンスについては多くの書籍があるので本書では詳しく扱いませんが、自社のガバナンスの強化がパブリックガバナンスへの影響度を高め、自社のビジネスの成功にもつながってくることは、大きな流れとして注目しておくべきでしょう。

守りのパブリックガバナンスと攻めのパブリックガバナンス

コーポレートガバナンスの文脈では、守りのガバナンスと攻めのガバナンスという言葉が使われることに触れました。守りのガバナンスは社会的責任やコンプライアンスのためのガバナンス、攻めのガバナンスは経営陣が適切なリスクテイクをして企業価値を高めていくためのガバナンスです。

コーポレートガバナンスのように、パブリックガバナンスにも「守りのガバナンス」と「攻めのガバナンス」の両方が必要とされます。そして今、求められているのは、私たちの社会全体で「攻めのパブリックガバナンス」をどのように構築していくか、という観点ではないでしょうか。

実際、各国政府はそうした攻めのパブリックガバナンスを検討しています。毎年ダボス会議を開いている世界経済フォーラムは**アジャイルガバナンス**のワーキンググループを作り、各国のガバナンスをよりアジャイル（敏捷）にしようとしています。後述する規制のサンドボックスなど、規制の実験を行える環境などを各国が作っており、政府がイノベーションのボトルネックにならないような制度を整えつつあります。

また先験的規制（Anticipatory Regulation）という取り組みも行われています[28]。これはイノベーションを誘導していくための取り組みで、具体的には以下の六つの方針で行われています。

- 包摂的で協働的
- 未来志向
- プロアクティブ
- イテレーション（反復）
- アウトカムベース
- 非中央集権化された実験

28 "Anticipatory regulation", nesta
https://www.nesta.org.uk/feature/innovation-methods/anticipatory-regulation/

政府側はよりアジャイルに、そして未来志向になろうと努力を重ねています。しかし政府だけがアジャイルになって未来志向になったとしても、事業者や市民が新たなガバナンスを提示できないのであれば、その効果は見込めないでしょう。そして日本は、他国に比べて、政府よりもむしろ事業者のほうがこの変化に十分対応できていないように見えます。

こうした中で民間企業が提案できる攻めのガバナンスの方向性として、**企業戦略と公共政策のシナジー**[29]を目指すことが挙げられます。単に企業利益を大きくするためではなく、公益を最大化するための議論をしたうえで、それを達成する手段を提供していく、つまり、公益性のあるインパクトを基盤に、規制担当者となる官僚たちとコミュニケーションしながら規制を変えていくという方法です。決して自社の利益だけを考えて行うものではなく、ルールなどのガバナンスを時代に合わせてアップデートしていく行為として捉えたほうがいいでしょう。

また攻めのガバナンスに類するものとして、ＥＬＳＩの分野では「先験的ガバナンス（Anticipatory Governance）」という取り組みが始まっています。先験的ガバナンスは、イノベーションの先にある社会の姿を共有したうえで、現在必要な指針を考える取り組みです。[30]こうした活動に企業側も積極的に加わっていくのも一つの方法でしょう。

その際に気を付けたいことは、海外の考え方や理論をきちんとサーベイすることと、海外のガバナンスモデルをそのまま日本に持ってくることが本当に適切なのかをきちんと考えることです。

欧米のガバナンスの議論は、綿密な調査の上で理論や倫理、さらには国防の観点などに基づいて

29 東京大学未来ビジョン研究センターの城山英明教授による指摘を、西谷武夫『パブリック・アフェアーズ戦略――ルールを制する者が市場を制す』（東洋経済新報社、2011）より抜粋。

30 標葉隆馬『責任ある科学技術ガバナンス概論』（ナカニシヤ出版、2020）

行われています。しかし日本の民間企業が有識者会議などを通してガバナンスに関わろうとしたとき、そうした理論や倫理への配慮が見られることは少ない傾向にあります。その結果、単に「ビジネスをしやすい環境を作ってほしい」「アメリカのように規制緩和をしてほしい」という主張になりがちです。

しかしアメリカの事前規制が緩いのは事後の司法救済制度が発達しており、懲罰的な損害賠償制度や集団訴訟制度などによる抑止力があるためです。そうした背景を知らずに日本企業が規制緩和だけを求めるのは、「事前規制も事後救済も緩くしてほしい」という主張になってしまいます。それでは消費者の保護が手薄になります。また日本の事業者にプライバシーを軽視する態度がしばしば見られるのは、倫理的な側面の検討や、どういった社会であるべきかの議論をしてこなかったことに由来しているように思えます。

だからこそこれからの民間事業者は、単に現在のガバナンス体制に批判を浴びせるだけではなく、自分たちも一緒に考えること、特に自社のミッションやインパクトをもとにした攻めのパブリックガバナンスを構築していくことを真摯に考えるタイミングが来ているのだと言えます。

そのためには社内にパブリックアフェアーズ[31]の機能を作るといった、これまでになかった民間事業者のやり方が求められていくはずです。こうした方法については、ツール10「アドボカシー活動とパブリックアフェアーズ」の部分で解説します。

31 企業など民間団体が政府や世論に対して行う、社会の機運醸成やルール形成のための働きかけ。

リスクを社会に分散させる

良いガバナンスを作ることによって緩和されるものの一つとして、新規事業のリスクが挙げられます。

事業者は、政府と一緒に市場の制度を適切に構築することで、事業のリスクを社会に分散させることができます。社会にリスクを分散させることで新しいリスクを取れるようになり、ひいては市民もより良いサービスを手に入れることができます。

そのほかにも、新しい技術のリスクを社会全体で請け負うためのガバナンスもあります。たとえば自動運転によって事故が起こったときは、誰が責任を取るべきでしょうか。もし事業者が全責任を負い、賠償額が膨れ上がる想定であれば、誰も自動運転事業をやろうとは思わないでしょう。しかしそうなると、新しい技術によって便益を受けられる人がいなくなります。本当に便益があるなら、社会全体である程度そのリスクを負担するほうが、誰にとっても有益になるはずです。どうすれば社会にリスクを分散させ、多くの人に便益をもたらしつつ損害を最小にできるのでしょうか。そしてその上で、事業者にレントシーキング（自らの都合の良い規制の設定や規制の緩和をすることで超過利潤を得ること）の機会を与えず、公正なリスクを負ってもらうにはどうしたら良いのでしょうか。こうしたバランスを考えるのもガバナンスの問題と言えるでしょう。

良くも悪くも、こうしたガバナンスをうまく使ってリスクを自社以外に分散させた事例は、

2007年の金融危機までの金融産業でしょう。1980年代以降のアメリカを中心とした金融の規制緩和によって、金融市場にガバナンスの変化が起こりました。同時に金融業界によるレントシーキングも行われ、業界に都合の良い政策や規制も増えました。さらに金融工学の発展により複雑な商品が増加して、市場は大きく拡大しました。その結果、多くの人たちが金融サービスを受けられるようになり、家や土地を購入できるようになりました。

しかしその商品のリスクについて金融業界で十分なガバナンスを利かせられなかった結果、2007年から2008年にかけて金融危機が起こり、大きな損失が業界に発生したものの、「大きすぎてつぶせない」という政府側の判断により、金融業界の損失を国全体で補填するという結果につながりました。これを業界内部から見ると、利益は自らが確保し、危機時には損失を回避したわけです。ガバナンスの変化を起こすことで、自業界のリスクを公共に分散させることに成功していたとも言えるでしょう。一方で、市民は、そうした規制の変化について十分な監視ができず、そのつけを払わされる結果になりました。

ガバナンスを変えることによって、リスクを分散させることで、事業者が新しいリスクを取り、新しいサービスが生まれる環境を作りだす。その設計には、十分な注意と監視が必要ですが、ガバナンスの有効な使い方の一つと言えるでしょう。

企業内法務機能の強化

最終的には、ガバナンスの議論はプロフェッショナルに委ねていく必要があります。たとえば法律をどう解釈し、整合性を取っていくかなどについては、政治家、官僚、法学者や弁護士の仕事です。そのため、**民間企業には戦略と法律の統合をするための社内弁護士の機能の強化が求められるようになるでしょう。**

従来の法務機能は、いかに自社のリスクを減らすかが主な争点であり、ビジネスを成長させることよりも、ビジネスを失敗させないことに対してのインセンティブが強いものでした。しかし新たなテクノロジーの社会実装をし、インパクトを目指していくうえで、法務機能に大きな変化が求められています。

たとえば、新しいビジネスモデルを始めようとしたり、オープンイノベーションなどで社外との取引をしていこうとしたりすると、リスクや不確実性、多義性や無知にあたる事象と相対せざるを得ません。もし社内の法務部門がそうした活動に慣れていなければ、リスク回避的な行動につながり、新規事業にストップがかかってしまいます。そうなると新しいビジネスや新しい取引関係を築きづらくなってしまい、コレクティブインパクトを目指すこともかないません。

これからは企業内の法務機能に別の軸が必要になってきています。

Airbnb リードカウンセル・日本法人法務本部長の渡部友一郎弁護士は、新たな法務の機能として、

32 渡部友一郎「法務機能の理想像」、経済産業省 法務機能強化実装ワーキンググループ資料、2019年3月28日
https://www.meti.go.jp/shingikai/economy/homu_kino/jisso_wg/pdf/002_05_01.pdf

33 経済産業省「国際競争力強化に向けた日本企業の法務機能の在り方研究会　報告書」、2019年11月19日
https://www.meti.go.jp/press/2019/11/20191119002/20191119002-1.pdf

リスクマネジメント、ビジネスナビゲーション、ビジネスクリエイションという3つを挙げています[32]（図6・5）。また経済産業省が2019年11月に公開した『国際競争力強化に向けた日本企業の法務機能の在り方研究会　報告書』でも同様に、法務にはガーディアン機能、ナビゲーション機能、クリエイション機能が求められるとされています[33]。

まず法務のベーシックな機能が、レベル1のガーディアン機能（リスクマネジメント）です。これはリスクを適切にマネジメントしていくことです。法律に照らし合わせて、その事業が黒か白かを判断し、違反行為の防止やリスクの低減、万一の場合の対処などをすることで、価値の毀損を防止する機能です。

次にレベル2のナビゲーション機能（ビジネスナビゲーション）です。これは「こうすればいい」というビジネスの方向付けをしていく機能です。具体的には、法的なリスクを回避するための助言をしたり、ビジネスとしてもう一段レベルを上げるための助言をしたりすることが想定されています。事業と経営に寄り添って、リスクの分析や低減策の提示などを通じて、積極的に戦略を提案する機能です。

レベル3のクリエイション機能（ビジネスクリエイション）は、

図6.5　新たな法務の3つの機能

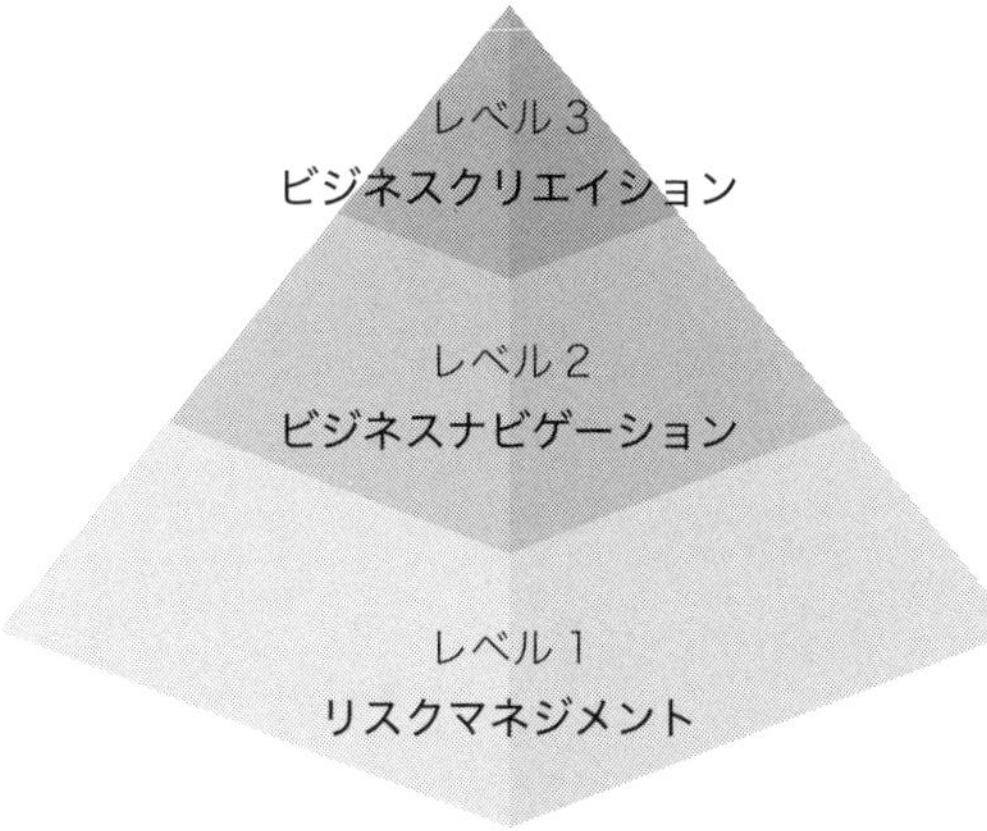

出典：前掲 渡部「法務機能の理想像」

イノベーションを阻害している法的な課題を整理して、必要があれば政治や行政に携わる人たちへ関わり、公益性を守ったうえで適切に法律を変えることを通して、新たなビジネスの機会を作り出していく機能です。

従来の企業法務機能はレベル1のリスクマネジメントの機能に特化していました。しかしこれからデジタル技術がより広い領域に応用されるにつれ、レベル2の機能やレベル3の機能が求められるようになり、場合によっては企業内弁護士がパブリックガバナンスに対して影響を与えていく、ロビイングの機能なども求められるようになるでしょう。

齋藤貴弘弁護士が自身の経験をもとに書いた『ルールメイキング』[34]では、風営法改正からナイトタイムエコノミーの振興を実現するまでの一連の流れが描かれています（この取り組みによって2016年6月に改正風営法が施行され、従来は原則午前0時までとされていたクラブや飲食店でのエンターテインメント営業などが、一定の条件下で朝まで営業可能となりました）。これは事業者やアーティストなど、多くのステークホルダーを巻き込みながら、ある種のムーブメントを作る取り組みでした。こうした事例を見てみても、弁護士が行う業務が従来の法解釈やリスクマネジメントに留まらず、法知識を活用しながらビジネスムーブメントを作り上げたり、ときには法律を変えたりすることも視野に入れながらパブリックガバナンスのあるべき姿を提案していくことへと広がりつつあると言えます。

もちろん、こうしたことができる企業内弁護士はそれほど多くないでしょう。しかし日本組織内

34 齋藤貴弘『ルールメイキング――ナイトタイムエコノミーで実践した社会を変える方法論』（学芸出版社、2019）

弁護士協会など、様々な団体がこの領域の知見を共有し始めており、企業内法務は今まさに変わりつつあります。企業内法務機能の強化によって、より多くのビジネスが生まれ、それと同時により多くのパブリックガバナンスがより良い方向へと変わっていけば、事業全体の機会が広がるだけではなく、日本社会における機会と可能性も広がっていくはずです。

新しいガバナンスの実装領域の戦略的な選択

ここまで新しいガバナンスを作り上げる方法について解説してきました。ガバナンスのアップデートを実現させるためには、その方法をどこで使うか、つまり使いどころも考える必要があります。

ライドシェアや民泊といった、海外でも成功例のある領域でガバナンスをアップデートするのも一つの「使いどころ」でしょう。そうすれば、日本でも類似の事業ができるようになります。しかし「成功している海外企業の仕組みを日本でも可能にする」という場合、本当に国内の事業者に利潤が発生するかどうかはわかりません。もちろん、ガバナンスの仕組みを海外と同じようなものに更新することで日本でも類似の事業を行えるようになり、消費者はより良いサービスの選択を得ることができますが、その際には海外の事業者も同様のことができることになります。そしてその場合、すでに成功してノウハウを得ている海外の事業者のほうが勝率が高くなることが想定されます。

かつてはタイムマシン経営のような、国家間での時間差を活かした事業展開も可能だったかもしれませんが、現在は企業の国際展開はとても早く、時間差を活かせるとは限りません。

したがって、事業者が本当に新しい事業を生み出すのなら、海外の成功事業を日本に輸入するためだけにガバナンスをアップデートする、というのは安直すぎるかもしれません。むしろより国際的・将来的な視点から、日本が優位に立てるような領域かつ日本に最も求められている領域を選んで、他国に先んじて効果的な新しいガバナンス体系を構築することを目的とするほうが、その後の国際展開などを見据えた事業の構築につながるのではないでしょうか。そしてもしそうした取り組みが成功すれば、日本からルールやガバナンス体系の輸出も可能になり、現在の日本における自動車産業のような一大産業を作れることにもつながるかもしれません。つまり、民間企業の側からの意見の場合も、国としての「規制のアービトラージ」、つまり各国の規制の差を利用して得られる利益が取れる領域をどこに作るべきかを考えながら、提案していく必要があるのです。

このように国際的な競争力が得られるガバナンスの在り方は何かを考えるという方向性がある一方で、社会課題を解決することで利益が出る市場になるような制度を作る、あるいはそのように制度を変えることで、社会課題を市場化することも一つの方向性です。社会課題を解決することにインセンティブが生まれれば、多くの人たちがその市場へと入ってくることになり、その結果、社会課題を解決できる可能性も高まります。たとえば国としてEVを推進することで、テスラのような企業が成長したようにです。これは、規制を考える政府側も求めている方向性でしょう。

1年間で提出できる法案数には制限があるのと同様、一度にアップデートできるガバナンスには限りがあります。社会的な優先順位を考えて、どのガバナンスから変えていくべきかを議論していく必要があるのです。国家戦略を考える官僚や議員はこうした視点を求めており、単に「海外と同じことがしたい」「自社の領域を優先させてほしい」というだけではなかなか動きません。

ガバナンスのアップデートに関わる提案は非常に難しいものです。しかし同時に非常にクリエイティブな作業でもあります。こうした未開の領域に、民間事業者がどれだけ積極的に関わっていけるかが、国家やその国での事業者が今後どれだけ成長するかを占う一つの試金石になるはずです。

ガバナンステック

デジタル技術を活用して、より効率的なガバナンスを実現していくためのサービスを拡充していくことも、民間事業者が貢献できる一つの領域です。

デジタル技術を使った行政手続きの効率化や、行政内部の仕組みの改善を支援するサービスなどを、GovTech（Government Technology）と呼ぶことがあります。また、ブロックチェーンを使ったＩＤ管理やデータ連携を実現する、といった政府側の新しい試みを官民連携で行っていく、という動きもあります。

政府内部の仕組みだけではなく、規制当局が決めた規制を、民間企業がより効果的かつ効率的に守っていくための民間企業向けのサービスも、ガバナンスに関わるテック領域だと言えます。これには主に金融系の規制を扱うRegTechや、監督省庁による規制業務を支援するSupTechなどがあります。

たとえばFinTechの領域では、特定の規制に対応するプロセスを行うサービスをAPIとして提供し、それを用いればより簡単にFinTechのサービスを自社のサービスに統合できるようにする動きがあります。シェアリングエコノミーの領域では、サービス供給側である個人のバックグラウンドチェックのサービスや、信頼のおける相互評価の仕組みを簡単に導入できるようにするサービスを行うことが、シェアリングエコノミー事業のガバナンスの質を向上させていくために役立つかもしれません。さらに各企業のガバナンスをセキュリティ面や透明性の維持のために支援するサービスの提供は、コーポレートガバナンスを高めていくことに貢献してくれるでしょう。

こうした政府のガバナンス強化や、民間企業のガバナンスの強化にデジタル技術を応用する試みに加えて、デジタル技術を使って市場によるガバナンスを作るという試みも行われています。その一つが、ブロックチェーンを使ったインセンティブ設計や市場設計です。

ブロックチェーンを使えば、比較的低コストで、信用や透明性を確保しながら、独自のインセンティブ構造を持つ市場を作ることができると期待されています。たとえば、とあるAIを使っているサービスが、AIの学習のためにユーザーからのデータを必要としているときに、ユーザーがレアなデータを送ってAIの学習に貢献すると多くの報酬が得られるような、そんな取引ルールとインセンティブ構造をブロックチェーン上のスマートコントラクトの中に組み込んでおくことで、ある種の市場とも呼べるものがデジタル技術で実現される、というわけです。もしこうしたことが実現できれば、政府やプラットフォーマーがルールを設定していた従来の市場とは異なった、より分散・分権型の市場を作ることができるかもしれません。

デジタル技術はこのように、様々なガバナンスをこれまでと違うやり方で作り上げていくことができます。これらを総称して、Government Tech と対比して「Governance Tech（ガバナンステック）」と呼べるかもしれません。

これまでお話ししてきた通り、もはやガバナンスは政府が関わるだけのものではありません。そしてデジタル技術によってガバナンスの在り方が変わりつつある今、こうした「ガバナンステック」領域で民間事業者の発想が社会からも市場からも求められているのです。

ガバナンスは仕組み、最後はあくまで「人」

本章では、ガバナンスを相互作用の体系と見立て、主に民間企業の立場からどのようにガバナンスに影響を与え、公益に利するビジネスが展開できるかについて解説してきました。かつては国家業に求められる能力も変わってきています。

だけが持つと思われていたガバナンスに関わる力が、現在は分散的になりつつあること、そして今後もより分散的になっていく見通しが強く、その中で民間企業の役割は増してくることについても触れました。そして民間企業がパブリックガバナンスの中で大きな位置を占めるにつれて、民間企業に求められる能力も変わってきています。

ガバナンスへの影響力が増すにつれ、これから民間事業者に求められる責任は増していくでしょう。消費者や個人のデータを預かるからにはこれまで以上にセキュリティへの投資が求められるだけではなく、データを活用した自主規制や透明性確保のための開示、あるいは自社が得たデータを準公共財として行政に提出したり、会計監査のようにデータ監査が義務付けられたりといった変化もいずれ出てくるでしょう。実際、すでにフィンランドでは交通事業者に対し、時刻表やリアルタイムの位置情報などをオープンデータとして提供することを法律で義務付けています。[35] つまり納税義務と同様に、データを公のために納め、公開することが、交通事業者の義務となっているのです。

ただ、こうした開示責任や提出責任は、単に責任が多くなるだけではありません。自社の事業範囲を広げることができるビジネス機会でもあります。

単に自由度を上げて機会を拡大してほしいと望むのではなく、「ビジネスの自由度を上げてくれれば、その代わりにこうした責務を負う」あるいは「こうした責務を負うから、ここの自由度を上げてほしい」という交渉を行政や市民と行っていくこと、そして「こうしたガバナンスの仕組みがあれば、安全性を確保しながら国際的にも新しい取り組みができるのではないか」と言って新しい

35 日高洋祐、牧村和彦、井上岳一、井上佳三『Beyond MaaS 日本から始まる新モビリティ革命——移動と都市の未来』(日経 BP 社、2020 年)

ガバナンスの在り方を提案していくことは、これからの民間企業に求められる態度のように思います。その提案の中に、新しいテクノロジーを使った、これまでより柔軟なガバナンスのやり方を含めることができるかもしれません。民間企業にも、そうしたデジタル技術によるガバナンスイノベーションの可能性が開かれているのです。

そして社会のガバナンスの変化に関する提案の土台となるのは、公共性のあるインパクトです。しかしインパクトを基にどんなにガバナンスをうまく設計したとしても、一人ひとりが変わって、お互いが約束したガバナンス通りに動かなければ、新しく作ったガバナンスの体系は機能しませんし、社会実装は進みません。

そこで次の章では、そうした一人ひとりが納得しながら社会実装を進めていく方法、センスメイキングについてお話しします。

INTERVIEW

世界のガバナンスと社会実装

須賀 千鶴

世界経済フォーラム第四次産業革命日本センター センター長。２００３年に経済産業省に入省し、途上国支援、気候変動、クールジャパン戦略、コーポレートガバナンス、FinTechなどを担当。２０１６年より「経産省次官・若手プロジェクト」に参画し、１５０万ＤＬを記録した「不安な個人、立ちすくむ国家」を発表。２０１７年より商務・サービスグループ政策企画委員として、提言にあわせて新設された部局にて教育改革等に携わる。２０１８年７月より世界経済フォーラム第四次産業革命日本センターの初代センター長に就任。２００３年東京大学法学部卒、２００９年ペンシルベニア大学ウォートン校ＭＢＡ（医療経営専攻）修了。

世界経済フォーラム第四次産業革命センターについて教えてください。

ＡＩ、ＩｏＴ、ビッグデータなどの第四次産業革命のテクノロジーが社会を大きく変えていく中で、ルールと最先端テクノロジーのギャップ、つまり「ガバナンス・ギャップ」を解消しなければいけないという問題意識のもと、創設された組織です。ギャップを埋めるにはどういった変化の方向が望ましいのか。官民を交えたマルチステークホルダーで議論して、グローバルにコンセンサスを形づくっていくためのプラットフォームとして、世界各国に拠点があります。

２０１７年３月にサンフランシスコに本部が設立され、日本のセンターはサンフランシスコに次いで世界で二番目にできた拠点です。世界経済フォーラム、日本政府、アジア・パシフィック・イニシアティブという独立系のシンクタンクの三者がジョイントベンチャーとして立ち上げました。日本政府の窓口として経済産業省が創設メンバーになっているほか、厚生労働省、農林水産省、国土交通省、財務省からも若手官僚にフェローとして参画いただいています。また15社のパートナー企業からも、資金提供に加え、各分野の優秀な社員にフェローとして参画いただきながら、官民が入り交じって議論をしています。

どのようなことが議論されているのでしょうか?

第四次産業革命にまつわる、様々なテクノロジー・ガバナンスについて議論が交わされています。その一つが、第四次産業革命における最重要課題であるデータ・ガバナンスです。日本政府として、Data Free Flow with Trust（DFFT：信頼性のある自由なデータ取引）を提唱し、データに関するルールやグローバルなコンセンサスを作っていこうとしています。

DFFTの論点にはいくつかありますが、その論点の中でもポイントとなるのが、自由で開かれたデータ流通と、データの安全・安心を両立させるために、第四次産業革命時代の信頼（Trust）をどう再設計していくかという点です。

信頼の仕組みを作るための道具として規制があります。規制は、その規制が作られた当時の社会構造や時代背景を前提として設計されているので、時代の変化に合わせてアップデートしなければなりません。特に第四次産業革命による変化は、非連続で大きなものです。規制のアップデートを的確かつ迅速にしていく方法が、今世界中で議論されています。

世界での規制の議論は、どんな状況なのでしょうか?

世界を見渡してみると、データの流通基盤についてはインドやエストニアが先行していますが、データに関するガバナンスのイノベーションについては、日本とイギリスが先行しています。

私が規制にこそアップデートが必要だと気付いたのは、経済産業省でFinTechを担当していた2017年頃、「イノベーションと法」勉強会を開いていたことがきっかけです。[1] そのときにFinTech企業の方々が、金融の法制度がおかしい、ビジネスの実態に合っていないと、様々な問題を指摘されていました。私も初めは規制当局がおかしいのかと思っていたのですが、勉強会を一年間行って議論した結論は、当局が必死で改正しても追いつけないほど、規制の時代背景が変わってしまったのだということでした。

この勉強会の結論を公表したのとほぼ同時期、2018年4月に世界経済フォーラムも最初の「アジャイルガバナンス」に関する報告書を出しており、新しいガバナンスを必要とするテクノロジーにどう対処するかが、世界的にも大きなアジェンダになってきていました。さらに世界経済フォーラムでは、各国で様々な問題に応じて編み出されているテクノロジーに対する政策について、情報共有と議論が始まっていました。第四次産業革命日本センターは、そうしたグローバルでの議論と同期しながら、日本からもグローバルに対して知的に貢献するために日々活動しています。

第四次産業革命の時代における新しいガバナンスとは、どういうものでしょうか?

まずは、AI、IoT、ビッグデータなどのテクノロジーに対する新しいガバナンスを提案する必要があります。そして、それだけではなく、AIやIoTなどのテクノロジーをガバナンスに応用することができると思っています。

わかりやすいものとして、車の例を紹介させてください。

現行法のもとでは、「車は人を傷つけない」という社会の信頼を確保・維持するために、運転者に免許証を持たせ、更新する仕組みを作っています。さらに車は2年に1度車検を通すことを義務化して安全性を確保し、道ごとに速度制限を課しています。

1 「イノベーションと法」勉強会 提言、2017年12月7日
https://www8.cao.go.jp/kisei-kaikaku/suishin/meeting/wg/toushi/20180227/180227toushi03.pdf

しかし、第四次産業革命時代には、ソフトウェアアップデートで随時進化する自動運転車が登場します。それに合わせて信頼確保の仕組みもアップデートすることが必要です。

たとえば車検の代わりにデータを使うことができます。車をリアルタイムにモニタリングをして、不具合があったらまずは製品側が自己診断をする。今すぐに車を止めたほうがいいのか、走り切った後に修理に出せばいいのか、そういったことを製品側が判断して対応するのです。そうすると従来の画一的な「2年に一度」という車検の仕組みをもっと柔軟にできるかもしれません。また、速度制限を課さなくても、特定の道では一定以上の速度が出ないようにすることで、歩行者がより安全に歩きやすい道を作ることも可能でしょう。

実際にどのようにガバナンスをアップデートしていけばよいでしょうか？

二つの手法があると思っています。一つは、免許、目視、立入りなどの人間の存在を前提としている規定を見つけ出して、機械やコンピュータによる代替を検討していくことです。二つ目は、定期検査や定期点検の義務づけなど、法律で手段を規定しているケースを抽出し、手段ではなく達成すべき性能だけを規定するよう変更することです。たとえば、先ほどの車の例にあったリアルタイムのモニタリングや自主点検、ソフトウェアの導入等によって企画・設計段階からコンプライアンスを確保するコンプライアンス・バイ・デザインなどが挙げられます。

こうしたことを行うためには、法律の立法趣旨に立ち戻る必要があります。生命や財産など、どのような法益を守り、どのようなリスクを回避したくてこの規制があるのかを遡ってよく考え、法システムを解きほぐします。そのうえで、法律の本来の趣旨に即しながら、第四次産業革命のテクノロジーを前提にしたときに、最適な規制の手段は何かを考えなおしていくのです。私は規制の「リファクタリング（プログラムの外部から見た動作を変えずに、ソースコードの内部構造を整理するという意味のプログラミング用語）」と呼んでいますが、こうした作業を国全体として進めていくことで、今の時代に合わせた信頼を再設計できるのではないでしょうか。

COLUMN

ガバナンスの変化の歴史

ガバナンスの変化の歴史を追うことで、ガバナンスがどの方向に向かいつつあるのか、そしてどの方向には戻らなそうなのかを理解できるようになります。これからビジネスの中でガバナンスに関わっていくうえで、時代遅れのガバナンス観を持っていては、その議論に加わることはできないでしょう。

そこで本コラムでは、1980年代以降のガバナンスを取り巻く動きを概観し、これからのガバナンスに関する議論の土台を提供します。

1980年代以降——市場中心アプローチによるガバナンス

かつてガバナンスにおいて大きな存在感のあった政府(ガバメント)は、1980年代以降、その存在感が相対的に低くなりました。

最も大きな要因は個人の自由と市場原理を優先する新自由主義のトレンドでしょう。新自由主義の考え方によって、多くの国で「小さな政府」が志向され、さらに公的セクターの機能の一部の市場化が行われました。

具体的には、1980年代、政府や大学、病院などの公共機関に、よりビジネス的な競争原理を導入し、管理していこうという動きが高まりました。いわゆるニューパブリックマネジメント(NPM)の潮流です。「官僚的」という言葉が示すように、硬直的で階層的であることが旧来のガバナンス=ガバメントでしたが、それを市場化してダイナミックにしていこうというのがニューパブリックマネジメントの動きでした。つまり、階層型から市場型へのガバナンスの移行です。

クリントン政権のアルバート・ゴア副大統領や米国の州知事など、行政リーダーのアドバイザーを務めていたデビッド・オズボーンらは、1992年に出版した『行政革命』の中でニューパブリックマネジメントを10のポイントに整理しています。[1] ①触媒としての行政、②地域社会が所有する行政、③競争する行政、④使命重視の行政、⑤成果重視の行政、⑥顧客重視の行政、⑦企業化する行政、⑧先を見通す行政、⑨分権化する行政、⑩市場志向の行政です。こうした新たな行政像が打ち出され、イギリスやアメリカなどの英語圏の国家を中心に、ニューパブリックマネジメントに基づく行政改革は加速しました。

この改革の背景には主に二つの考え方があったとされています。[2] 一つは市場の慣行と規律を公的セクターに持ち込むことで、市場競争原理が効率やイノベーション、消費者への素早い対応などへのプレッシャーを生み出し、公的セクターをよりよくしていくという考え方。二つ目は、公務員を管理運営の業務から解放することを意図したもので、行政は政策立案による舵取りを行い、政策の遂行や行政サービスのデリバリーはNPOや民間企業などの第三者機関にアウトソーシングすればいい、という考え方です。

その結果、行政サービスのNPOや民間企業などへの委託が始まり、PPP（Public-Private Partnership：官民連携）と呼ばれる取り組みが世界中で行われるようになりました。かつて公的サービスとして提供されていたサービスの執行主体が、非営利や民間の各セクターにも拡散していったのです。それに応じて、政府（ガバメント）の役目は直接統治から間接統治へと比重を移すことになりました。そして、これによって諸外国ではNPOやNGOの存在感が増しました。

日本でも追随する流れが起こりました。日本はもともと比較的小さな政府だったのですが、1990年代後半からの公務員バッシングなども重なり、現在では日本の公務員の数はOECD加盟国の中で最下位に位置しています。2017年の調査では、全雇用者における公務員

1　デビッド・オズボーン、テッド・ゲーブラー『行政革命』（野村隆監修、高地高司訳、日本能率協会マネジメントセンター、1994）
2　マーク・ベビア『ガバナンスとは何か』（野田牧人訳、NTT 出版 、2013）

の割合はOECD平均が18・1%なのに対して、日本平均は5・9%です。言い換えれば、他国では約6人に1人が公務員なのに対して、日本では約20人に1人が公務員だということになります。一方、北欧諸国は25%を超えており、4人に1人以上が公務員という割合になっています。日本は「最も市民を雇わない国」だとも言えます。

日本では小さな政府化が進むにつれて、地方自治体が担っていた役割が変化していきました。提供する行政サービスの多様化・複雑化と、地方公務員の削減、さらに上述のニューパブリックマネジメントの流れと相まって、NPOやNGOにサービス提供を委託するケースが増えました。日本でも、公的なサービスが様々な人の手によって提供されるようになってきたのです。

とはいえ、公的なサービスが民間の手によって行われるのは実は新しいことではありません。そもそも国家や行政によって統一的に公的サービスが行われるようになったのは歴史的に見ればつい最近のことであり、それまでは同じ地に住む住民がその地域の公的サービスを担ってきました。[3] たとえば福祉や介護といったものは、公的サービスとして提供されるようになる前は、近隣住人らが協働して担っていました。自助・共助・公助の分類でいえば、「共助」で行われてきたのです。現在の状況と比較すれば、昔は共助をベースにした相互扶助として行われていたものが、現在は市場化されたサービスとして行われている、という点が大きな変化と言えるでしょう。

こうしたニューパブリックマネジメントの潮流による公共サービスの市場化には課題も多く、見直しが図られようとしています。たとえばコストについて言えば、ランニングコストの約3%が削減できた程度で、それほど効果がなかったという指摘もあります。[4] また非営利組織に任せてしまうと、特定の課題に対してサービス供給が集中してしまう、ボランタリーの失敗（voluntary failure）が起こりやすいという指摘もあります。[5] 市場化した結果、長期的かつ戦略的な取り組みが行われず、

3 東京大学社会科学研究所、大沢真理、佐藤岩夫『ガバナンスを問い直す I――越境する理論のゆくえ』（東京大学出版会、2016）
4 前掲 ベビア『ガバナンスとは何か』
5 L.M. サラモン『NPOと公共サービス――政府と民間のパートナーシップ』（江上哲監訳、大野哲明、森康博、上田健作、吉村純一訳、ミネルヴァ書房、2007）

短期的な利害のための取り組みに集中してしまう点もしばしば問題として挙げられます。

公的セクターはある程度の冗長性を持つことも大切です。なぜなら、その冗長性が災害などの際に最低限の市民サービスを提供する備えとなるからです。サービスが市場化して効率化してしまうと冗長性が失われ、災害時などのいざというときにリソースが一気に逼迫してしまい、機能不全に陥るという現象も起こりえます。2020年のコロナ禍において、保健所や公立病院のリソースが逼迫したのはその一例と言えるでしょう。

効率性を優先して冗長性やゆとりを失ってしまうと、システム全体としてゆらぎに弱くなってしまうことは、製造業の工場におけるTOCやプロジェクトマネジメント全般でもよく知られた話です。工場ならゆとりを復活させることはまだ比較的簡単ですが、専門的な人的サービスが関わる場合は、一度雇用がなくなるとその領域で教育を受ける人も減ってしまうため、緊急的に資金を付けたとしてもすぐにサービスを回復することは困難です。

世界的に見てもニューパブリックマネジメントについては賛否両論ありますが、こうした考え方が時流に乗って普及した歴史があります。

1990年代以降――社会中心アプローチと国家中心アプローチ

1990年代になって、ニューパブリックマネジメントや新自由主義的改革に対しての理論的対抗軸として出てきたのが、社会中心アプローチであるニューガバナンス論です。

これは単一のアクターでは社会課題を解決できないという前提に立ち、様々なアクターが協力関係のもとガバニング（統治）をしていくというアプローチです。ネットワーク研究者のロッド・ローズらを中心に提唱された「単一のガバメントから多種多様なガバナンスへ」「ヒエラルキーからネットワークへ」という考え方が基盤となっています。このアプローチの中でもガバナンスにおける国家や政府の相対的な存在感の低下は強調されますが、単にそれを市場で解決するのではなく、非営利組織などを含むより広いアクターらが連携することでの解決を目指します。この流れに応じて、ネットワークガバナンス、リレーショナルガバナンス、ジョインドアップガバナンスといった、アクター間のネットワークや連携を重視するガバナンスの在り方が提唱されるようになりました。この背景には、環境問題をはじめとした、解決のために様々なステークホルダーの協力が必要となる問題が増えてきたこともあります。

ここまでの流れを表で整理すると以下のようになります。

ただ、ネットワーク型のガバナンスにも問題があることが明らかになってきました。ネットワークに参画するのは非政府組織や民間組織が主で、市民はほとんど参画していなかったのです。そこで出てきたのが、市民も参画することを目指すコラボレーティブ（協調型）ガバナンスです。

このネットワーク型から協調型へとガバナンスの移行

	階層型	市場型	ネットワーク型
ガバナンス	権威	価格	信頼
構成員間の関係基盤	雇用関係	契約と財産権	資源の相互交換
構成員間の相互依存度	高い依存	相互に独立	相互依存
対立の解決と調整の手段	規則と命令	値切り	外交
組織風土	服従	競争	互恵

出典：前掲 ベビア『ガバナンスとは何か』を参照した。

が志向された背景は、効率化のためというよりも、むしろ民主主義におけるプロセスの正当性や倫理を推し進めるためといった側面が強いでしょう。また市場型のガバナンスでは、市民を公共サービスの顧客としてとらえる向きが強く、民主主義の参加者としての市民という側面が抜けていた面の反省もあります。

　いずれにせよ、ステークホルダーが多く、従来の国家‐市民の階層的な関係ではないという点、また中心的な存在がおらず各ステークホルダーの相互作用が重要であるという点、水平的な関係性を志向しているという点ではネットワークガバナンスもコラボレーティブガバナンスも類似しており、世界的に見てもそうしたマルチステークホルダーによるガバナンスに向かいつつあるようです。

　市場型にせよ、ネットワーク型にせよ、こうしたガバナンスの見方の変化に共通しているのは、政府機関の存在感の低下です。ある種、ガバナンスにおける「国家の空洞化（hollowing out of the state）」[6]が共通認識としてあったと言えるでしょう。

　しかし一方で、国家の存在感は相対的に下がったものの、いまだ中心的な位置を占めるという「国家中心アプローチ」も出てきました。この立場をとったのが政治社会学者のボブ・ジェソップらです。彼らは国家の役割が「メタガバナンス」へと移っていることを指摘します。

　メタガバナンスとは、いわばガバナンスをガバナンスするということです。ガバナンスの主体は民間企業や市民社会になるものの、そうしたガバナンスを可能にするガバナンス体制を作るというメタな役割が政府の役目となるのです。このアプローチでは国家は単なる一つのアクターではなく、独自の重要性を持っているという立場が取られます。

　具体的には、国家はガバナンスの基本規則を定めること、控訴審の役割を務めること、力の不均衡を調整すること、ガバナンスの失敗に対して責任を負うことなどが求められます。つまり、政府は直接的にガバナンスをするのではなく、ステークホルダーに対して間接的な

6 R. A. W. Rhodes, *The Hollowing Out of the State: The Changing Nature of the Public Service in Britain* (1994)

影響力を行使します。ほかにも、ステークホルダー間のネットワークの組み合わせの舵取りを行ったり、規制をしたりすることを期待されます。そして政策の実行や行政サービスの提供は各ステークホルダーが行い、ステークホルダーが自治権を持ちます。つまりこの考え方では、政府の役目は「市民社会を統治する組織」を統治すること、まさにメタレベルの役割を持つということになります。

2010年代以降――インタラクティブガバナンス

その後、国家中心アプローチをとったガイ・ピーターズとジョン・ピエール、社会中心アプローチをとったヤコブ・トルフィングとエバ・ソレンセンらが、国家中心アプローチと社会中心アプローチの統合を図るべく提示したのが、インタラクティブガバナンスという概念です。インタラクティブガバナンスの考え方では、ガバナンスの主体は民間企業や市民社会へと移行します。民間企業や市民はこれまで以上の自治権を持ち、相互作用を通して

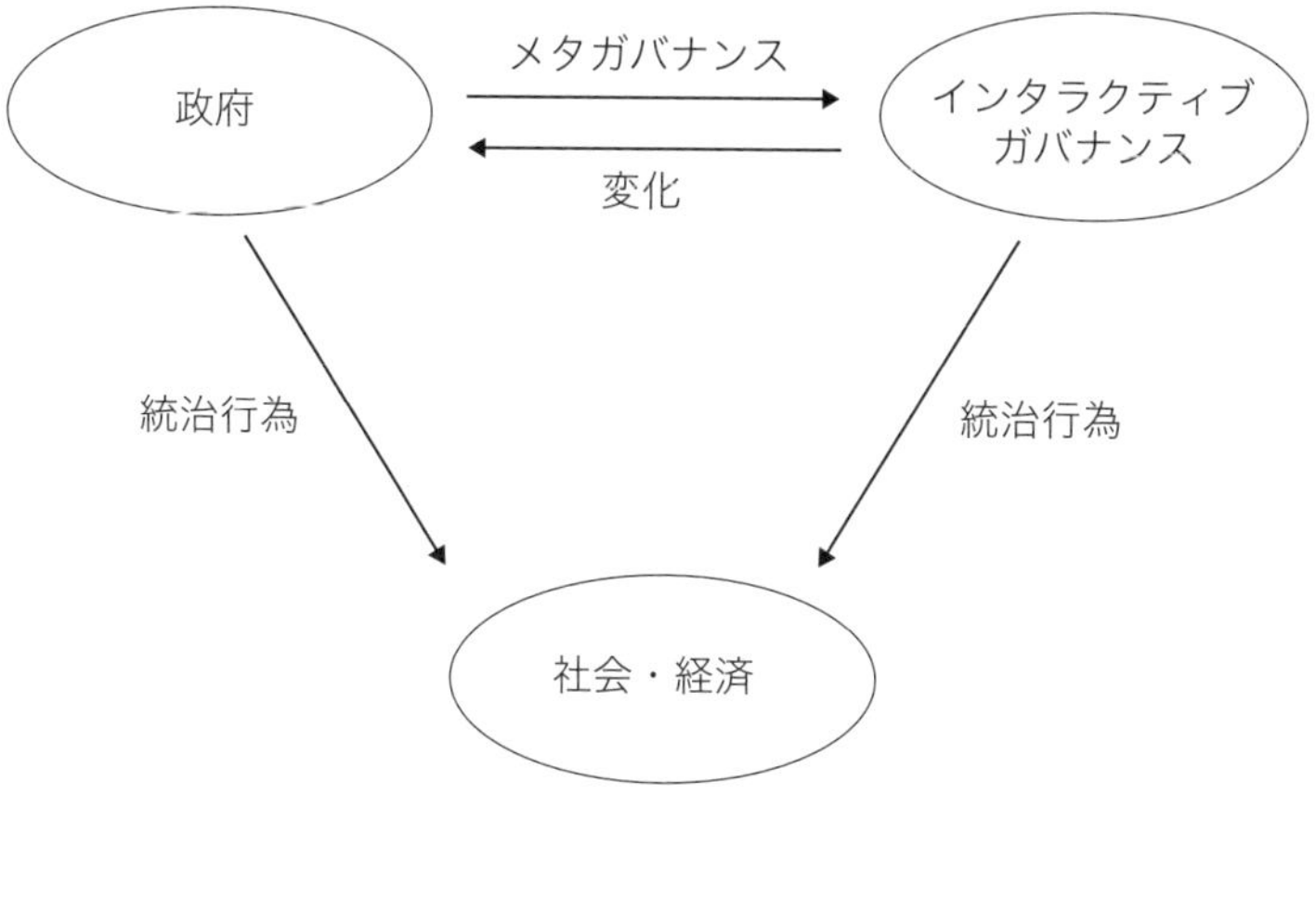

出典：Jacob Torfing, B.Guy Peters, Jon Pierre, *Eva Sorensen, Interactive Governance: Advancing the Paradigm* (Oxford Univ Pr on Demand, 2012)
訳は今井良広「公共ガバナンス論の展開」 金川幸司著『公共ガバナンス論――サードセクター・住民自治・コミュニティ』（晃洋書房、2018）所収

（インタラクティブに）、社会や経済を自分たちの手でガバニングしていくことになります。一方で政府はメタガバナンスの役目を担います。

ただし政府が一方的にメタガバナンスを行うのではなく、ステークホルダーは政府のメタガバナンスの在り方を提案したり、変化を促したりすることもできます。場合によっては、政府よりも民間企業のほうが先を見通していることもあるため、その際には、どのような社会的目標に向かって進めるべきかを民間企業が政府に対して提案し、社会の動きを牽引していくこともできます。

ここまで見てきたように、この数十年でガバナンスにおける国家や政府の位置づけが大きく変わり、それを理論的にどう捉えるかが検討されてきたと言えます。

行政の現場を見てみても、わずか数十年の間に、市場型ガバナンスが試みられ、その後にはネットワーク型ガバナンス、コラボレーティブガバナンスと、実務の面でも大きく変わってきています。さらに今後は、本論で扱ったように、テクノロジーがガバナンスの手法を変える兆候も見え始めています。

日本ではいまだ規制緩和を中心とした、市場中心アプローチのガバナンスへの移行を唱える財界人が多いように見えます。さらに、政府（ガバメント）の役割をメタガバナンスと捉える認識もあまり浸透していないようです。市場中心アプローチそのものが、そうした産業界の発言権を強くしてきた側面もあり、その影響力が続く限りまだしばらくこの認識が続くかもしれません。

しかし世界では、よりインタラクティブで協調的なガバナンスや、新しいガバメントの在り方が盛んに議論されています。このことをよく知っておかなければ、どのようにガバナンスを構築していくかについて、そしてどういったビジネス機会があるかについて国際的な議論を交わすことが難しくなり、グローバルのアジェンダからも取り残されてしまうでしょう。

少なくとも、こうしたガバナンスの議論が積み重ねられてきており、市場中心アプローチの限界が方々で指摘されていることを知ったうえで、今後のガバナンスについての議論に参加していくことをお勧めします。

なお、日本語で読めるガバナンスに関する最近の文献としては、以下の書籍を参照されることをお勧めします。

・マーク・ベビア著、野田牧人訳『ガバナンスとは何か』（NTT出版、2013）
・東京大学社会科学研究所、大沢真理、佐藤岩夫編『ガバナンスを問い直す――越境する理論のゆくえ』（東京大学出版会、2016）
・東京大学社会科学研究所、大沢真理、佐藤岩夫編『ガバナンスを問い直すII――市場・社会の変容と改革政治』（東京大学出版会、2016）
・金川幸司編著『公共ガバナンス論――サードセクター・住民自治・コミュニティ』（晃洋書房、2018）

7 センスメイキング——納得感を醸成する

前章では、信頼をシステムによって確保するためのガバナンスについて解説してきました。

信頼が確保される法律や市場の設計も大事である一方で、法律や市場を設計しても実際にその通りに動くかといえば、そうとは限りません。お得なポイントをもらえる制度があるからといって、すべての人がすぐにそれを使うとは限らないようにです。しかし人々が動かなければそのシステムも機能せず、良いガバナンスを設計したとしても無駄に終わります。

そこで本章では、人々が実際に動き始めるための、ボトムアップでの信頼を培う一連のプロセスを「センスメイキング」というキーワードでまとめ、社会との実装を進めていくためにステークホルダーと効果的に関わる方法論について解説します。

センスメイキングとは何か

事業者が社会実装の取り組みをするときには、ユーザーや市民にその取り組みの意義を理解してもらう必要があります。

まず人々に対してインパクトを提示します。すると、理想と現状とのギャップが見えてきて、課題も同時に提示することになります。「実はここに問題があります」というような、自分の身の回りに課題があるという指摘は、人々を不安にする面がどうしても生まれてしまいます。さらにその課題に対する解決策として、突然誰かがテクノロジーの社会実装を提案してきたとしても、それを信用できる人はどれだけいるでしょうか。

リスクを緩和するために新しいガバナンスの仕組みを導入するから大丈夫だと言われたところで、それが本当に機能するかどうかもわかりません。どんなに一所懸命にコミュニケーションをしても、理解をしてもらうことはなかなか難しいでしょう。もしそこでユーザーや市民といった関係者を押し切るように社会実装をしようとしたら、大きな反発が生まれてしまいます。

ではどうすればいいのでしょうか？　一つの答えは合意形成です。ただし、その合意に辿り着く前に、人それぞれの頭の中で「この社会実装とは一体何なのか」と、意味を形成していくプロセスが発生します。その意味形成の際にセンスメイキングという考え方が重要になってきます。

センスメイキングとは、不確実性の高い環境において、人が能動的に経験から意味を得るプロセスだと言われています。センスメイキングはもともと組織変革のフレームワークであり、組織論でしばしば使われる概念です。２０１４年のセンスメイキングに関する包括的なレビュー論文[1]では、センスメイキングの定義を「期待に反して促されるプロセスで、環境のヒントに注目したり除外したり、解釈と行動のサイクルの中で主観的な意味を作りだしたりすることで、秩序ある環境を実現して、そこからさらなるヒントを引き出すプロセス」としています。字面だけでは少しわかりづらいので噛み砕いて説明しましょう。

1　Sally Maitlis and Marlys K. Christianson. 2014. Sensemaking in Organizations: Taking Stock and Moving Forward. *The Academy of Management Annals*, 8(1)

センスメイキングのコンセプトは「make sense」という言葉から来ています。これは英語圏では日常的に使われる言葉で、「理にかなっている」や「意味を成す」という風に翻訳されます。場合によっては「わかった」と和訳されることもあるでしょう。

つまり、**センスメイキングとは、ステークホルダーが「理にかなっている」「意味を成す」「わかった」と感じることによって、人々が動き出すプロセス**のことです。このセンスメイキングに「有意味化」という日本語訳をあてる人もいます。経営学者の入山章栄氏は日本語なら「腹落ち」や「納得感」という言葉でセンスメイキングを表現できるのではと述べており[2]、本書を読み進めるうえでは、こちらのニュアンスのほうがわかりやすいかもしれません。

私たちの調査で見えてきたことは、まさにこのセンスメイキングに関連する行為が、成功する社会実装では行われており、社会実装を進めるうえで重要な役割を果たしているのではないか、というものでした。

「社会実装には関わる人たちの腹落ちが必要だ」と聞くと、それはその通りだと納得する人も多いのではないでしょうか。まずはその理解から始めて、センスメイキングという概念をより深く見ていければと思います。

センスメイキングの性質

2　入山章栄『世界標準の経営理論』(ダイヤモンド社、2019)

まずは少しだけ、学問の分野でのセンスメイキングについて解説させてください。センスメイキングという概念を組織論に導入した、組織行動学者であり心理学者のカール・ワイクはセンスメイキングの性質を以下の七つにまとめています。[3]

①アイデンティティに関わる
②回顧的である
③有意味な環境をイナクト（制定）する
④社会的である
⑤進行中である
⑥手掛かりが焦点となる
⑦正確性よりももっともらしさ

これらをもう少し詳しく解説していきましょう。

センスメイキングは**アイデンティティに関わる**プロセスだと言われます。どういうことかというと、たとえば不確実性が高い状況や危機に陥った際、あるいは驚きを感じたときや新しい状況にぶつかったとき、人々は自分というアイデンティティに不安を感じ、不安定な状況に置かれます。そんなときに、**社会の中で**自己の一貫性を保ちたいという欲求や「わかりたい」という欲求が生まれ、

3　カール・E・ワイク『センスメーキング イン オーガニゼーションズ』（遠田雄志、西本直人訳、文眞堂、2001）

予期していなかった出来事を解釈しようという試みとして、センスメイキングのプロセスが始まります。

また、人は何か行動することによって環境に影響を与え、その結果、周囲の環境も変わります。その結果、人はいつもと異なる状況に身を置くことにもなります。たとえば、旅という行動をすると、自分の知らない地域を歩くことになるでしょう。そうなるといつもと違う、少しだけ不安定な状態となります。しかし同時に、私たちは行動を通して**手掛かり**を得ることができます。旅をしているときは、歩き回ってみたり、周りの標識や風景を見たりすることで、今自分がどこにいるかが徐々にわかってきます。歩き回るなかで、これまでに通ってきた風景やできごとを**回顧して**、今いる場所の理解が進むこともあるでしょう。こうして物事を**進行させながら**、手掛かりを得ることによって自らがいる環境を知り、さらに自分から環境に影響を与えることができるようになって、**自分にとって意味のある環境に変えていくことができる**と、センスメイキングに一歩近づきます。

ここでのポイントは、その手掛かりや情報は、**正確性よりも当人にとってのもっともらしさ**が重要だということです。

センスメイキングは相対主義を前提としており、人々はそれぞれが環境に対する主観的な理解を持っているという考え方が根底にあります。さらにその理解は、必ずしも合理的な解釈を経ているとは限りません。バイアスやヒューリスティクス、事前知識のようなものも大きく影響します。

「人は自ら信じることを見、信じないことは見ないという点こそ、センスメイキングの核心をなしている」とワイクが語るように、人々がすでに持っている信念も影響します。

そうした多様な理解がある中で行動をしようとすると、集団としての行動のベクトルは定まりません。

センスメイキングは、徐々にその方向を一致させていく意味付けのプロセスなのです。社会の中でセンスメイキングをするうえで重要なことは、決して誰かが一方的に与えるのではなく、**関係者と一緒に共同構築していく**のだという認識です。ワイクが著書の中で「センスメイキングは、発見というより発明に近い」と述べるように、センスメイキングはふとした瞬間に見つけたり、ぱっと閃いたりするようなものではありません。人々が徐々に事象に対して参加しながら、自ら納得感を深めたり、腹落ちをしたりしていく、時間のかかるプロセスなのです。

多くの人が社会実装に能動的に関われる仕組みを作る

センスメイキングのポイントは、人々が能動的に意味を形成していくプロセスだというところです。つまり、人々は単に情報を受けるといった受動的なプロセスでは納得や腹落ちをせず、能動的にその物事に関わっていくことで納得していきます。

テクノロジーの社会実装においても、この能動的にという点が重要です。社会実装に影響を受ける人たちは、能動的に関わることで自ら意味を形成し、そして新しいテクノロジーを受け入れていきます。

もちろんすべての社会実装にすべての人たちが能動的に関わるわけではなく、受動的に社会実装に関わる人も多いでしょう。しかし、社会実装の初期には、その社会実装のムーブメントを作り上げていく人たちが必要になってきます。そうした人たちが能動的に社会実装に関わり、行動することを通して、その社会実装に意味やストーリーが見出され、それがより多くの人たちの行動につながり、最終的にたくさんの人に届いていくのです。

とある実験の例を見てみましょう。ある作業をした学生に報酬を10ドル払い、そのうち3ドルを研究税として払うように言いました。一つのグループではその税金の使い方を指定でき、もう一つのグループでは税金の使い方を指定できず支払うだけにしました。そうすると、税金の使い道を指定できなかったグループは約50%しか税金を支払わなかったのに対し、税金の使い道を指定できたグループは70%が税金を支払ったのです。つまり、自分たちが税金の在り方により深く関われている状況を作られたグループのほうが、積極的に支払いを行った、というわけです[4]。

これを社会実装の観点で見直してみると、ステークホルダーが能動的に関わり、彼らのなかに「自分たちが関わっている」という感覚が醸成されるような仕組みをどのように作っていくかが、社会実装を進めるポイントになります。

本章で話していることの多くはコミュニケーションの話のように思えるかもしれません。ではな

4　ターリ・シャーロット『事実はなぜ人の意見を変えられないのか――説得力と影響力の科学』（上原直子訳、白揚社 、2019）

ぜ、本章でコミュニケーションという言葉を使わずにセンスメイキングという言葉を使うのでしょうか。その理由の一つはセンスメイキングには豊富な研究や調査があるからです。そうした研究や調査を使って考えを進めることができます。

もう一つの理由は、コミュニケーションという言葉には、単に情報の伝え手と受け手が存在するというニュアンスしかないものの、センスメイキングという言葉には、センス（意味）をメイキングする（作り上げる）主体がいるというニュアンスがあります。つまり、センスメイキングをする一人ひとりの人間がいて、そのコミュニケーションの結果としてセンスメイキングは生まれるものなのです。しかもセンスメイキングという言葉を使うと**主役は情報を受け取る側**に移ります。一方、単にコミュニケーションと言ってしまうと、情報の発信側が主役のようなニュアンスが強くなってしまいます。

営業現場やプレゼンの場でもしばしば指摘されることですが、説得を行うコミュニケーションにおいて、主役は話し手ではありません。説得をして考えを変えてもらうことが目的であるため、説得対象となる相手が主役であるはずです。この考え方と同様に、センスメイキングという言葉を使うことで、メイクセンスする主役はあくまで受け手側にあることを忘れずにいられるというメリットがあると考えます。

事例の振り返り

過去に取り上げた事例を振り返りながら、成功した社会実装がどうやってセンスメイキングを行ってきていたのかを簡単に見てみましょう。

加古川市の見守りカメラ

加古川市の見守りカメラの事例を振り返ってみましょう。

まずは加古川市の現状として、「犯罪率が低くはない」という共通認識が市民の間にもありました。さらに目標となる「子どもの安全を守る」というインパクトは、反対意見の出にくいものでした。こうして現状とインパクトの差分がおおよそ見えていることから、課題自体は多くの人がセンスメイキングできていた、と言えます。

そのうえで社会実装するテクノロジーである、見守りカメラのセンスメイキングプロセスが始まります。

見守りカメラ自体は技術的に難しいものでもなく、新しくもないため、技術自体にそれほど多くの不安はなかったでしょう。ただ、個人の生活を見られてしまうことや個人情報にきちんと配慮しているかといった点にリスクを感じる人たちもいたはずです。

そこで加古川市では、見守りカメラ設置のセンスメイキングを行うために、町内会を中心としたオープンミーティングを実施しました。単に説明をする場というわけではなく、地域の人の意見を聞くことがオープンミーティングの目的です。さらにそこには市長が参加しました。トップのコミットメントの高さ、本気度を示したと言えるでしょう。そして10回以上のオープンミーティングを通して、地道に市とステークホルダーは交流を行っていきました。その中で、市民は質問という形で能動的な行動の機会を得ることもできました。

こうしたことができた背景には、もともとの行政と市民との良好な関係性や、行政と市民の間をつなぐ町内会のような組織が機能していたことが大きいと言われています。

さらにカメラが権力者によって悪用されないよう、ガバナンスとして条例を制定し、目的外の情報利用を封じるようにしました。見守りカメラの設置場所も公開し、その場所には広告を張るなど、透明性を担保しました。こうした試みによって、市民はセンスメイキングのための手掛かりを集め、この社会実装は「もっともらしい」と腹落ちしていったのでしょう。

Airbnb

Airbnb の場合、地方自治体も重要なステークホルダーでした。Airbnb では自治体への働きかけの中で、「モバイライゼーション」という取り組みをしています。日本語にするのであれば「動員」です。この言葉は政治的な集会に動員するときなどに使われますが、Airbnbは企業として、行政に対するアドボカシー活動をするためのモバイライゼーションをまとめるチームを有しており、その活動を組織化しています。このチームが、ホストやゲストといったAirbnbのユーザーをアドボカシー活動に巻き込み、各地域でその地方の条例の変更や容認といった活動を行います。そうすることで、実際に利用しているユーザーやホストと行政との間で交流が生まれ、行政側の意識が変わっていくのです。

日本でもAirbnbは京都市でモバイライゼーション部隊が主体となって、Airbnbのホストを営む人たちと、京都市の行政との会話の場を作り、そこから相互理解を深めたそうです。相互の熟議の場を作ったことは、お互いの見ているインパクトの相互理解を深め、新しいガバナンスを作っていくという面においても重要な役割を果たしたと言えるでしょう。

またモバイライゼーションに協力してくれるユーザーがいたのは、Airbnbのビジネス自体にユーザーが社会的な意義を感じていたからということもあるでしょう。公益性の高いインパクトがあれば、こうしたことも可能になるはずです。

社会実装におけるセンスメイキングの対象

本書のフレームワークに従えば、デマンド、インパクト、リスク、ガバナンスそれぞれについてセンスメイキングが必要になってきます。そこで、まずはデマンドとインパクトに関連する、課題のセンスメイキングから解説を始めます。

課題のセンスメイキング

センスメイキングのプロセスで最もよく躓くポイントは、何よりも「課題」のセンスメイキングでしょう。課題に対して納得できていなければ、デマンドも生まれず、テクノロジーの社会実装という解決策の話まで至りません。まず最初に必要なのは、なぜそれが課題なのかについてのセンスメイキングです。第4章で述べた「イシューレイジング」のような、課題を認識してもらう活動が必要なのです。

また、一部の人たちが課題だと思っていても、その認識が十分に広がらないこともあります。人によって課題の優先度が違うことは、課題認識が十分に広がるうえでの障壁です。課題だと感じているとしても優先度を上げるほどではない、という状態であれば、その優先度を上げるためのセンスメイキングも必要になってきます。たとえば保育所の存在は子どもを持っている人たちにとってはとても切迫度の高い問題ですが、子どもが成長した人や子どものいない家庭、独身者にとってはそこまで優先度の高い課題ではないかもしれません。

不便さを感じてはいるものの、その不便さは解決可能だと知らず、課題だと思っていない人が多いために、課題認識が広がらないケースもあります。調査の中でも、とある地方議員の方から、こんな話を聞いたことがありました。「電車などの交通が不便になってきているのに加え、高齢化によって運転もままならなくなっている。Uberのような移動のシェアリングができれば解決できるかもしれないのに、多くの人がUberのことを知らないので、現状はどうしようもないという風に認識されてしまっている」。このように課題が解決可能だという認識がなければ、それを仕方ないものだと思ってしまい、課題として認識できません。

ぼんやりと課題だと思っているものの、どの程度の深刻さかわかっていない、課題の解像度が高くない、というケースもあります。たとえば過疎地域での救急車の問題[5]を考えてみると、誰もがそれなりに現状に課題がありそうだという認識はあるはずです。ただ現状の何が課題なのかをはっきりと解像度高く言える人は、なかなかいないでしょう。そうしたときに、「現状では、あなたの住む地域には、救急車が20分以内に到着できない。さらに搬送には40分かかる。緊急時には病院に1時間以内に到着できなければ、命が危ない」と言い換えてみるとどうでしょう。危機感が高まってくるのではないでしょうか。さらに、過疎地域周辺では専門医も少ないため、「近くに病院がある

5 「搬送者は増加中、搬送時間は平均39分18秒…救急自動車の出動状況をさぐる(2019年時点最新版)」Yahoo!ニュース、2019年1月31日 https://news.yahoo.co.jp/byline/fuwaraizo/20190131-00113108/

から大丈夫」だと思っていても、その病院にはその人の病気を治せる人がいない、ということもあります。このように現状をより想像しやすい形で共有することでも、危機感は共有できるはずです。

課題とは理想（インパクト）と現状の差分だという話をしました。「あなたの解決しようとしている問題は確かに課題だ」とセンスメイキングしていくためには、理想と現状のそれぞれの認識に納得感を持ってもらう必要があります。かつ、その理想と現実の差分が重要であるということにも納得してもらわなければなりません。

ビジョナリーな人の多くはインパクトやビジョンなどの理想のセンスメイキングから始めてしまいがちです。しかし最初は現状認識について相互理解を深め、その課題が課題であることに腹落ちすることから始めるようにしましょう。

現状のセンスメイキング

私たちの調査では、インパクトを語る以前の課題として、**現状の認識が人によって大きく異なるために社会実装が進まない**という事例がいくつもありました。

現状のセンスメイキングをした事例として、小型の水循環システムを提供している、スタートアップWOTAの例をご紹介しましょう。この会社では現在の水循環システムに対するデマンドを確認すると同時に、なぜ小型の水循環システムが今後の社会で広く必要になってくるのかを多くの人に知ってもらおうとしていました。上下水道システムの財政破綻リスクが全国的に発生していることを、メディアでのアウトリーチや実際にプロトタイプを見せることを通じて人々に伝えることを試みたのです。

現在の上下水道システムの主な問題は、上下水道インフラの維持費用です。上下水道インフラは、「水は空気のように入手できるべきだ」という意識のもと、経済の成長と人口の増加とともに拡張されていきました。しかし多くの自治体では今後の人口減少や人口流出が確定的になってきており、その維持管理に財政的な問題が出てきています。住む人が少なくなった地域では、税収が少なくなるものの、人が少なくなったからといって上下水道の維持管理費用が下がるわけではありません。拡張された上下水道の維持は地方自治体の大きな負担となっています。その負担は過疎地域以外の住民への負担にもつながり、さらなる都市への人口流出が起き、さらに税収が減る……という悪循環を招いてしまいます。

もう一つ問題があるのが、耐用年数です。日本において上下水道の敷設が本格的に行われ始めたのは１９５０年代からで、その後１９８０年には90％を超えました。一方で、水道管の法定耐用年数は40年程度とされています。40年という数字はあくまで目安で、現在主流となっているダクタイル鋳鉄管は最大80年使えると言われるものの、いずれその実質的な耐用年数を超える時期はやってきます。現時点で40年を超えて使われている水道管は、全国では約２割弱だと言われており、改修がそろそろ必要なところも増えてきました。しかし水の利用は２０００年前後をピークに、減少を続けています。すべてを改修するにはコストが高くおそらく無理ですが、改修をしないと判断された地域では実質的に人が住めなくなってしまうでしょう。

つまり、現状維持を行うことも難しい状況になっているのです。もし今後水道インフラを現状のサイズで維持していくのであれば、水道料金の6割値上げも視野に入っているとされています。[6] これは課題と言えそうですが、その現状について、そこに住む市民の理解が合致しているかというと、おそらくそんなことはないでしょう。こうした場合、現状についてのセンスメイキングから必要になってくるのです。

繰り返しになりますが、課題とは、理想と現状との差分です。そのとき「現状」は確定している事実のように思えるかもしれません。しかしセンスメイキングの考え方では、今ある現在もほかの人たちから見たときには解釈が異なるという立場を取ります。上下水道の例では、自治体が見ている現在と、多くの住民が見ている現在は解釈が異なっていると言えます。

人によって異なる現状認識を持っているケースがあることは、皆さんの経験を振り返ってみてもよくあることではないでしょうか。たとえば日本において、男女の職業差別があるかないか、という話では、性別で大きく現状認識が食い違うときがあります。もう差別がほとんど解消されていると思っている人に、男女差別を少なくするというインパクトを提示しても、納得してくれることはないでしょう。

現状認識が食い違っていると、課題の話に移ることが難しくなります。まずは、現状認識をすり

6 総務省自治財政局公営企業経営室「水道事業経営の現状と課題」
https://www.soumu.go.jp/main_content/000555182.pdf

合わせて、事業者が提示する現状についてセンスメイキングをしてもらうことが必要なのです。

インパクトのセンスメイキング

現状の共通理解が生まれた後は、理想としてのインパクトについてのセンスメイキングを行っていきます。

インパクトのセンスメイキングは、こうした社会を作りたい、というイメージへの納得感を醸成する段階と言えます。達成したいインパクトを共有したうえで、関係者たちと協議をはかり、場合によっては協議の結果として目指すインパクトの変更も検討しながら進めていきます。

加古川市の例の場合、子どもたちの安全という「お互い同じインパクトを見ている」というメッセージがありました。このメッセージによって、人々はその話を聞こう、と思ってくれるようになります。このように、インパクトを提示するときには、インパクトの背景にある価値観をお互いが共有できているか否かが強く影響します。

同志社大学の中谷内一也教授らは、東日本大震災時において公的機関内の信頼についての調査を行い、価値共有、能力、動機づけのうち、なにが信頼を規定しているのかを分析しました。分析の結果、様々な状況において「価値共有認知」が最も信頼につながっていることを発見しました[7]。つまり、相手が主要な価値観を共有していると認知することで、人はその相手を信頼する傾向にあり

7 中谷内一也『信頼学の教室』(講談社、2015)

ます。さらにこの調査では、信頼が高いほど、リスク管理への評価も高いことがわかっています。

ここから言えることは、**まず価値観を共有することが大事だ**ということです。つまりインパクトを共有するときには、その背景にある自分たちの価値観を説明することが大事なのです。自分たちがなぜそのインパクトが大事だと思うのかや、なぜそれが公益に即したものであるかを説明してみましょう。そしてステークホルダーと共通の価値観を持っていることを強調してください。その結果、信頼が高まれば、社会実装のリスクも受け入れられやすくなります。

一方で、インパクトを示したとしても、多くの人は理想を追い求めることよりも現状維持をしたがります。もし「現状のままでいい」という反応があったときには、インパクトを「現状のまま」という風においてみてください。それも一つの大きなゴールとなりえます。上下水道システムのように、現状維持にも多大な努力が必要だからです。

それに今後日本では労働力の減少が見込まれています。大勢の人たちのマンパワーによって現在のサービスが支えられている現状、今現在受けているサービスレベルを維持するためには、減った労働力を何かしらの手段で補う必要があります。そのためには、何かしら新たなアウトプットやアウトカムが必要です。こうした場合、「今のまま」というのも、実は実現が難しいインパクトであることをセンスメイキングしてもらうこともできるでしょう。

こうして課題のセンスメイキング、つまり現状とインパクトの両者をセンスメイキングした後に、そこにある差分についてセンスメイキングしていくことで、課題を解決したいというデマンドが生まれる土台が出来上がってきます。

ただし、全員がすぐにそうした認識に至るわけではありません。そんなときは少数の人でもいいので、強いデマンドを持っている人たちにターゲットを絞って、そこから変えていくことも一つの方法です。

最初は一人でもいいかもしれません。ある研究では、人は自分以外の全員が間違った回答をすると、自分の答えに自信があってもその間違った答えになびいて自説を曲げてしまいがちである一方で、他に一人でも自分の答えと同じ回答をしている人がいれば、人は自分の考えを曲げない傾向にあることがわかっています。[8] 映画『十二人の怒れる男』で、一人の異なる意見が最終的には全員の意見を変えたように、集団の中に一人でも異なる意見の人がいれば、他の人にも自主的な行動をとってもらうことも可能になります。

解決策とテクノロジーのセンスメイキング

これまで「現状」「インパクト」、そしてその差分である「課題」について納得感を持ってもらうことの重要性をお話ししてきました。このセンスメイキングができてはじめて解決策の話ができるようになります。つまり、ここまでお膳立てしてようやくテクノロジーに関するセンスメイキングの話ができます。

8 榎本博明、立花薫『なぜ人は「説得」されるのか——説得の心理学』(産業能率大学出版部、2015)

テクノロジーの社会実装を考えるとき、解決策とテクノロジーは不可分です。しかしこのとき、テクノロジーにフォーカスしすぎた説明は場合によっては逆効果になります。新しい方法や技術は多くの人たちにとって奇異に映るものです。

イノベーター理論の提唱者であるエベレット・M・ロジャーズによると、新しいもの好きの人たちはわずか2・5％です。新しい技術だから、ということで納得してくれる人はほとんどいません。その次に位置する、アーリーアダプターと呼ばれるトレンドに敏感な人たちで13・5％と言われています。ということは、合計しても16％程度であり、その他の人たちは、単に新しいということ以外の話で進めていかなければなりません。

そこでまずは、テクノロジーの説明はさておいて、**解決策の導入によるアウトカムから説明を始めましょう。**

たとえば、ライドシェアのサービスの説明をするときに、それを実現するテクノロジーの説明をするのではなく、「もしライドシェアの社会実装が実現されれば、スマートフォンで安価に車が呼べて移動ができる」といったメリットを説明することです。この説明ではほとんどテクノロジーについて触れていません。なぜなら多くの利用者にとって重要なのは、その解決策を通して自分にとってどういうアウトカムや便益があるかであり、どういった最新テクノロジーが使われているかではないからです。たとえば、スマートフォンの買い替えのときには「きびきびと動く」ことや「より綺麗な写真が撮影できる」が多くの人にとって重要なのであって、新しいスマートフォンの

ＣＰＵの種類の違いやカメラの画素数は、そのアウトカムが実現できていれば特に考慮しない、ということも多いのです。

また、新しいテクノロジーや新しい機器の場合、「なんだかよくわからない」「使ったことがない」から使わない、というケースもあります。そんなときはプロトタイプなどを通して実体験してもらうとよいでしょう。ほんの少し触ってみることや関わってみることで、新しいものを受け入れようという気持ちは増すものです。

リスクと倫理のセンスメイキング

解決策のセンスメイキングをした後は、リスクのセンスメイキングを進めていくフェーズとなります。

テクノロジーの社会実装にリスクがあることを事前にコミュニケーションしておくことは、信頼を培っていくうえで重要な活動です。リスクのセンスメイキングは、主にリスクコミュニケーションの手法が使えます。これについては、ツール５「リスクと倫理への対応方法」で紹介したいと思います。

人にはそれぞれの主観的なリスクの捉え方があります。それをリスク認知と言います。リスクそのものとリスク認知は食い違うことも多く、専門家とそうでない人たちの間は特に差異が大きいものです。さらにリスクの許容水準も人によって異なります。そのため、単にリスクを共有するのではなく、リスクをセンスメイキングすることはとても大切です。

なお、リスクコミュニケーションと一見似ているもので、別の概念としてクライシスコミュニケーションがあります。この二つは別物であり、平時に行うのがリスクコミュニケーション、事故や災害などが起こったときに行うのがクライシスコミュニケーションです。本書ではクライシスコミュニケーションについては取り扱いませんが、もし新しい社会実装を進めていく中で何かしらのリスクが現実化し、緊急事態が発生した際に備えて、クライシスコミュニケーションについても考慮しておくとよいでしょう。

ガバナンスのセンスメイキング

新しく作ったガバナンスの体系をどのように人々に理解してもらうかも、重要なセンスメイキングの活動の一つです。

ガバナンスのセンスメイキングで難しいポイントは、そもそもガバナンスの変化、ルール変化に対しての合意を取ることが難しい点にあります。特に縮減社会における合意形成の難しさは第2章でも述べたとおりです。

またガバナンスの変化に感度の高い人には情報が届くものの、そうでない人たちには届かないという難しさもあります。そのため、事前に能動的に関わってもらうことが難しく、何か起こったときにはじめて「知らされていなかった」「情報を伝える努力が足りない」といったように責められることもあります。

そして新しいガバナンスの設計の前提には未来への予測が入り込みます。未来について確実なことは言えない中で変更を提案していかなければなりません。それに対して拒否反応を示す人はそれなりにいます。そこで、未来の社会の予測を伝えるのではなく、未来の社会をどうしたいかというインパクトの観点でセンスメイキングを進めていくのがよいでしょう。

そうしたガバナンスのセンスメイキングを進めていくために、ツール10「アドボカシー活動とパブリックアフェアーズ」でも紹介するパブリックアフェアーズの手法などが活用されつつあります。また、ガバナンスの変更を取り仕切る人や組織への信頼という過去からの積み重ねも、ガバナンスのセンスメイキングを進めていくうえで重要になってくるでしょう。

多くの人のセンスメイキング

一般的に、作るよりも普及させるほうが難しいと言われます。良いものを作っても、それが勝手に広まるわけではありません。GAFAと呼ばれるようなテック企業は、自分たちの潤沢な資源を使って他社が真似できないような高品質なサービスを作っていますが、それでも高給を払ってマーケターやセールスパーソンなどを雇って拡販しています。いかに普及させることが難しいかを物語っているのではないかと思います。

社会実装をしていく場合、最初は少数の人たちだけに向けたセンスメイキングだけでいいかもしれませんが、最終的にはより多くの人たちに腹落ちをしてもらう必要が出てきます。マーケティングやセールスも一種のセンスメイキングのための活動であり、その分野には様々な蓄積があります。本書では深くは触れませんが、より多くの人にセンスメイキングしてもらうにはどうすればいいかを考えていくのも、社会実装を進めていくうえでは重要な視点と言えるでしょう。

社会実装におけるセンスメイキングの手法

ここまで、社会実装を進めるうえでどのような観点でセンスメイキングを行わなければならないかを解説してきました。

従来からデシジョンメイキング（意思決定）の質を上げる方法については経営や政策の分野で多く語られてきました。トップがどのように意思決定をするかが物事の成否を左右すると考えられていました。ガバナンスの仕組みも多くはトップダウンによって決まるものでしょう。しかしステークホルダーが増え、分権化していく中では、**デシジョンメイキングの方法だけではなく、そこに関わる人たちのセンスメイキングを醸成する方法も重要になりつつあります。**

そこでここからは、社会実装の事例を振り返りながら、センスメイキングの効果的な手法を紹介したいと思います。

ナラティブ

センスメイキングは主観的な理解を基にしていると言われています。**その主観的な理解に大きな影響を与えるのが物語、つまりナラティブです。**人々はナラティブによって動かされ、行動を変えていきます。ワイクも「手短に言ってしまえば、センスメーキングに必要なのは、優れた物語である」と述べています。[9] そしてセンスメイキングは共同構築するものであり、人々は単に物語を受け取るだけではなく、自らナラティブを紡いでいきます。

私たちの調査では、社会実装においても、自社やプロジェクトのストーリーをうまく構築できていた場合、さらにはステークホルダーが各々でその社会実装のナラティブを語っている場合に、プロジェクトが上手く進みやすいという傾向が見えました。

事実やロジックだけで人はなかなか動かないことは皆さんも経験したことがあるはずです。ロジックやデータで経営陣を説得しようとするイメージの強い戦略コンサルタントの領域でも、ス

9 前掲 ワイク『センスメーキング イン オーガニゼーションズ』p.83

トーリーラインを整えることの重要性は度々触れられます。[10] またナラティブは人々が行動を移すときのカギとなるという指摘[11]や、スタートアップにおいては事業の物語性やミッションが重要であるという研究[12]もあります。

センスメイキングの領域では、ストーリーではなくナラティブという言葉がよく使われます。その背景の一つにはナラティブアプローチを意識していることがあるでしょう。ナラティブアプローチとは、1990年代に臨床心理学の領域で始まった、問題を抱える当事者のナラティブを通して、その人らしいケアやカウンセリングを見出すアプローチです。このナラティブアプローチは、今では組織論などの経営の分野にも広がりつつあります。

ナラティブアプローチもセンスメイキングも、社会との相互の影響の中で物事が形作られていくという社会構成主義の考え方に基づいています。またストーリーというと第三者が用意した出来上がったストーリーがあるかのように聞こえますが、ナラティブというと一人ひとりの語りといった主体性や、語りかける相手である聞き手がいる対話のニュアンスも出てきます。この一人ひとりが自分で語ることは、自らの世界観やアイデンティティを再構築しながら、同時に環境に影響する行為であり、まさにセンスメイキングのプロセスと類似しています。

このナラティブをうまく使ったスタートアップが、テスラです。彼らは「脱石油社会」というナラティブをトップのイーロン・マスク自身が何度も語り、環境に優しい車としてロードスターを売り始めます。高級車であるものの、そのナラティブに魅了されてレオナルド・ディカプリオ

10 安宅和人『イシューからはじめよ――知的生産の「シンプルな本質」』（英治出版、2010）など
11 Christopher Fenton and Ann Langley. 2011. Strategy as Practice and the Narrative Turn. *Organization Studies* 32(9)
12 同上

やブラッド・ピットなどの有名俳優がこぞってその車を初期に買い、彼らをはじめ購入した人たち自身がその製品体験や思想への共感を語りました。つまり、環境問題に取り組むというナラティブがブランドを生み出し、それが高い付加価値となって高級車でも売れるようになったのです。

事業者自身がナラティブをうまく語るだけではなく、関わる人たちもナラティブをうまく語ることができる状況を作れるかどうかがセンスメイキングのポイントだと言えます。

ここで重要になるのが、**ナラティブは与えるものではなく共同構築[13]していくもの**だという視点です。人々の理解や解釈は、社会や他人との相互作用の中で構築されていきます。ストーリーのように、出来上がったものを一方的に与えるものではなく、相手に語ってもらうのがナラティブであり、センスメイキングのための行動です。ストーリーを理解してもらうのではなく、ステークホルダー自身がナラティブの語り手となってもらうためにどういったことが必要なのかを考えてみましょう。

ナラティブには大きく二つの方向性があります。一つはホラーストーリーと呼ばれるもので「何かをしないとネガティブなことが起こる」という語り方です。もう一つは、「何かをすることでより希望が得られる」という語り方です。いずれも人の行動を大きく変える語り方ではあります。

しかし研究では、**脅威に基づく行動要請よりも、ポジティブな結果を示唆する行動要請のほうが、変化を導くには有効**だと言われています。本書の文脈であるテクノロジーの社会実装で言うと、「今動かないと日本はダメになる」というよりも、「こうすればきっと日本は良くなる」といったポジティブなインパクトを示したほうが、変化を起こしやすいということでしょう。

13 Mitchel Y. Abolafia. 2010. Narrative Construction as Sensemaking: How a Central Bank Thinks. *Organization Studies*, 31(3)

もちろんホラーストーリーが有効な場合もあります。ホラーストーリーが効果的なのは「何もしないほうがいい」という現状維持を勧めるときです。人々は「ストレス下」で「そのままでいい」と言われたときに、最も説得されやすいという実験結果があります。[14]

この結果の背景の一つは、人がストレス下においてはネガティブな情報に反応する傾向があることです。また、説得をするうえで不安がうまく機能する二つの条件は、説得する相手が「すでに不安定な状態にある」ことと、「何もしない」ように仕向けられていることだということも関係しているでしょう。たとえば、ワクチンを打つと自閉症になりやすいという噂を聞いて不安を感じている親に対して、ワクチンを受けないように勧めることは、「不安定な状態にある」人を「何もしない」ことに誘導していることから、効果的な不安の煽り方になります。[15] しかし、行動を変容しようとするときには、ポジティブな話や好奇心を引き出す話のほうが効果的だと言われます。

ポジティブなナラティブの例として、飛行機の機内用安全ビデオを挙げましょう。従来の飛行機の機内用安全ビデオは、重要なお知らせにもかかわらずほとんどの人が見ていませんでした。それをヴァージンアメリカが気楽で楽しいビデオにしたことで、機内で見られるようになっただけではなく、機内用安全ビデオであるにもかかわらず、ユーチューブ上でも好んで再生されるようになったそうです。同じ内容でも、ポジティブで好奇心を引き出すナラティブのほうが注目をひき、人々の心に残ります。

こうしたナラティブを語るときに使える一つの手法がビデオです。ビデオは一度作れば何度も

14 前掲 シャーロット『事実はなぜ人の意見を変えられないのか』
15 同上

繰り返し使えますし、文章や写真よりも人々の興味関心を引くことができます。たとえば2020年のBlack Lives Matterの運動が、動画投稿から大きく広まったことも、動画の影響力を示す一つの事例でしょう。私たちが日々ユーチューブやテレビにくぎ付けになってしまうのも、動画の持つ力を示しているように思います。

マイクロソフトではProductivity Future Visionというビデオを公開し、2040年や2050年の世界を描くことで、自分たちの成し遂げたいインパクトを表現しようとしています。こうしたイメージビデオを公開することは様々な企業でもすでに行われていることですが、センスメイキングという文脈で捉えることで、その目的や効果を改めて考えることができるでしょう。ただし費用対効果という点では、後述する事例のビデオのほうがいいかもしれません。

人が語る事例も一つのナラティブと言えます。事例があることで人々はその社会実装のイメージをありありと思い浮かべることができます。怪しげなダイエット商品や健康食品などでも、統計的な数字や研究などを見ずに、少人数のダイエット成功事例やがんの回復事例を見て説得されてしまう人が多数いることは、皆さんもご存じなのではないかと思います。

ビジネスの文脈でも、日本では特に事例が有効であるという話をしばしば聞きます。「競合がやっているのであれば自分たちもやる」という横並びの意識があるとも言われますが、事例というナラティブに影響されやすい面もあるのかもしれません。

小さくてもいいので事例を作ることは、社会実装を進めるうえでの一つの有効な手立てです。一

人でも、自社のサービスを使って幸せになったユーザーがいるのであれば、その例を事例として使えるようになります。そして単に事例の作成で終わらず、そのユーザーに様々な場所で語ってもらうことで、それは有効なナラティブとなります。事業者自らのナラティブではなく、ユーザー自身に物語ってもらうことほど効果的なものはありません。

実際のユーザーとキーパーソンとの会合をセットするのも一つの手段です。議員がキーパーソンの場合、実際に困っている人や社会実装によって喜んでいる人たちと会って話すことで新しいナラティブが生まれます。

もし実際に会ってもらうことが難しい場合は、ビデオを活用することも有効です。いくつかの事例では、製品やサービスを使うユーザーの動画を撮影して、それをキーパーソンに見てもらうことで、そこから興味関心を得ることができたという話がありました。特に昨今、スマートフォンなどを使うことで簡単に高品質なビデオを撮影できるようになってきています。ビデオの編集ソフトも手に入るようになったほか、インスタグラムやTikTokなどのためにビデオの編集をしたことがある人も増えてきています。そうしたスキルをセンスメイキングに活用することもできるでしょう。

フレーミングを変える

ナラティブの語り口やフレーミングを変えるのも、一つのやり方です。風営法改正の取り組みは、フレーミングを変えることによって多くの人たちを巻き込んだ事例でしょう。[16]

2010年、日本でダンスクラブが相次いで摘発されました。摘発は風営法に基づいて行われていましたが、当の風営法は1948年に制定されたものです。戦後間もない時代、ダンスクラブで買春などが行われていたため、買春の防止などを目的にダンスクラブも風営法の規制対象に入っていました。

その風営法を現代に合わせてアップデートしようという試みが、風営法改正の動きです。しかし風営法改正と言うだけでは、なかなか賛同者を集めることができません。むしろ、ダンスクラブというと、規制されるべきではと考える人も多かったことでしょう。

そこで意識されたのが多くの人を巻き込んでムーブメントを起こすためのフレーミングです。ダンスクラブの不当な摘発の防止や「風営法改正」という狭いスコープを広げ、インバウンド需要を含む夜の経済圏をどうするかという「ナイトタイムエコノミー」にリフレーミングをすることで、より公益を意識した広い議論ができるようになりました。ダンスクラブ以外のエンターテインメント産業や観光産業、交通機関、さらには地方自治体なども含めた議論となり、最終的には風営法改正にもつながっていったのです。

場合によっては、現状に関してもリフレーミングを行う必要があるでしょう。そうしなければ課題が浮かび上がってこないからです。

たとえば、少子高齢化が問題である、としたときに、その根底に流れる課題を、若者のやる気の問題だとフレーミングするのか、若者の経済難という問題だとフレーミングするかによって、議論

16 齋藤貴弘『ルールメイキング――ナイトタイムエコノミーで実践した社会を変える方法論』(学芸出版社、2019)

の仕方や取り組み方は大きく変わります。

一方で、フレーミングがネガティブな方向に利用されることもあります。米国では、富裕層の一部が遺産税を軽減したいという意図から、遺産税を「死亡税」と言い換えることで、死んでからも税金が取られるというイメージに仕立て上げました。その結果、富裕層だけではなく、本来であれば遺産税から便益を得られるはずの貧困層も、遺産税の減税に賛成し始めたのです。[17]

ナラティブは人々の心を良くも悪くもつかみます。悪用は避けるべきですが、何かの社会実装を進めるうえで、人々の関心を引けるナラティブになっているかどうかは、注意を払う価値があるでしょう。

言葉や概念を作る

言葉や概念を新たに作ることで、人々のセンスメイキングを手助けしていくこともできます。

たとえば「セクハラ」や「ブラック企業」という言葉が作られたことで、同じようなことに悩む人たちがその問題に気づくようになりました。近年では男性が女性を見下して何かを解説する行為を指す「マンスプレイニング」や、日常の中の何気ない差別や偏見を意味する「マイクロアグレッション」なども、言葉ができて初めて多くの人が改めて認識したという面は大いにあると思われます。

日本でも２０１６年には匿名ブログでの「保育園落ちた日本死ね」という言葉がＳＮＳを中心に

17 このフレーミングによる誘導は、ブッシュ政権下のチェイニー副大統領を描いた映画『バイス』でも、描かれています。

大きく広がり、流行語大賞のトップ10にも選ばれました。2017年にはセクシュアルハラスメントの被害体験を共有する「#MeToo」という言葉も広まりました。

こうした言葉や概念ができることで、人々に回顧的なセンスメイキングを引き起こすきっかけとなります。「あのときに自分もされた嫌なことは、こういうことだったのか」という腹落ちが生まれるのです。その言葉や概念が生まれた背景自体にナラティブがあるだけではなく、そうした言葉や概念が人々の経験を思い出させて、さらなるナラティブが生産されていくのです。

こうした言葉はビジネスでも使われます。Airbnb や Uber などの取り組みを見て、「シェアリングエコノミー」という言葉を作ることで、それに類する取り組みが可視化され、取り組んでいる人たちの団結を生みます。本書でしばしば使っている言葉である「社会実装」や「政策起業」なども新しい言葉の一種です。こうした言葉をうまく生み出すことで、新しい課題や、新しい集団、新しいムーブメントを生むこともできるでしょう。

良い言葉を作り、流通させていくことが、ナラティブを生み出し、人々のセンスメイキングを行ううえでは有効だと言えるでしょう。

データを示す

データを使って説得することは一般的にもしばしば行われます。多くのビジネスの現場でも、データを用いて何かを提案することが多いのではないでしょうか。

しかしスタートアップや社会起業の領域では、まだその市場が大きくなっていなかったり、問題が認知されていなかったりするため、データがすでに市中に出回っているわけではありません。たとえば、Airbnb や Uber が出てくる前に、シェアリングエコノミーに関するデータは市場に流通していなかったでしょう。そしてそうしたデータがなければ、社内で「シェアリングエコノミーのビジネスを始めよう」という説得も難しいのではないでしょうか。

一般的に、新しい領域や新しい社会課題は、政府や自治体にも専門部署がないためデータが集まりづらく、データが集まらないことでステークホルダーを説得できず、説得できないため専門部署も作られずデータも集まらない、と構造的に硬直してしまう傾向にあります。

そうした悪循環から抜け出すための一つの手法として、自らデータを収集して公表する、つまり民間企業やNPOが主体となって民間白書（ホワイトペーパー）としてまとめて出版するというものがあります。通常、白書といえば行政が作るものですが、民間白書では民間企業やNPOが特定分野の調査を行い、それを取りまとめて発刊します。民間白書をまとめることで、新しく生まれつつある特定の分野の現状や、今後の見通しを広く社会に知らしめることができます。

若年就労支援活動を続けるNPO法人育て上げネットは、若年無業者の実態を調べて分析した『若年無業者白書　その実態と社会経済構造分析』を出版しています。若者無業者の支援の現場で求められる客観的なデータは、他の支援団体にとっても役立つ情報です。そして、こうした領域は個々の経験談やエピソードばかりが注目されがちでしたが、データとして示すことで、大きな問題であることが伝わりました。課題が確かにあることを社会やメディアに知ってもらうことで、課題を社会化する、つまり「社会課題」として広く認識してもらうことにつながったようです。

民間企業や業界団体でもこうした手法は使えます。新しいビジネスの領域が生まれつつあること、社会的な重要度が増しつつあることを訴えるのも一つの手でしょう。スタートアップに関して言えば、一般財団法人ベンチャーエンタープライズセンターが刊行する『ベンチャー白書』というものもあります。必ずしも、白書という名前を使わずとも、レポートを出していくというのもよいと思います。

白書やレポートといった大きめの調査だけではなく、小規模から中規模のアンケートを実施することも一つの方法です。アンケートをうまく使えば、一人では声を上げづらいような人たちの声を集めることができます。たとえば、個人の医師としてはオンライン診療に賛成しているものの、医師会や病院といった組織がある手前、組織の意向に歯向かうような個人の意見は表明しづらい、という状況があったとしましょう。そのときに民間企業やNPOなどがアンケートという形で医師個人の意見を吸い上げ、統計データ化したうえで、「現場の医師は本当はこう思っている」というデータが出せるようになれば、組織や団体のほうも認識を変えはじめるかもしれません。

データというと、多くのデータを集めなければならない、と思われる人も多いでしょう。説得力を高めるためには、多くのデータがあったほうがよいことは確かです。しかし、**大勢でなくとも数**

十人の声を集めるだけでも説得力はずいぶん違います。

東京都新宿区の「保育園の使用済みおむつ持ち帰り問題」の例を見てみましょう。布おむつが主に使われていたころの慣習からか、保育園では使用済みのおむつを持ち帰る習慣が残っていました。単なる慣習として以外にも一応の理由もあり、保護者が持ち帰ることで子どもの健康状態をチェックしてもらう、というものでした。

しかしそれを持ち帰る保護者は大変です。保育園から持ち帰るタオルや着替えなどの荷物もあわせると、毎回6、7キロぐらいの大荷物を持ち歩くことになります。雨が降っていると片手は傘を持たなければならないので、さらに身動きが取りづらくなってしまいます。保育園で働く保育士の観点からも、保管のためにおむつを子どもごとに分別するという作業が発生していほか、保護者が来るまでおむつを保管する間の雑菌からの感染リスクの懸念もありました。

これは課題だと、とある保育園の保護者会の役員たちが２０１８年9月に立ち上がります。[18] ただ役員の誰もが、こうした行政への要望の取り組みは初めてでした。まずは保育園の園長先生に相談してみたものの、行政の方針に沿う必要があると言われ、区に要望を上げることになります。何とかして捕まえた区長や、区の保育課に相談するものの反応が悪いため、手詰まりになりました。

そこで、東京都武蔵野市などで同様の活動が行われていることをインターネットで知り、その活動を支援していた起業家の廣田達宣氏に連絡を取ります。廣田氏はちょうどそのころ、「くらしの悩みを地元の議員さんに簡単に相談できる」issues というウェブサービスを準備しており、「行政

18 @TatsunoriHirota「『普通のママさん』達の声が政策に反映されるまでの１年間の軌跡。新宿区で『保育園の使用済みおむつ持ち帰り問題』が解決するまで。」2020 年 5 月 10 日
https://note.com/tatsunorihirota/n/n2bf4fb9d493f

へ要望をしたい住民の活動を無償でサポートする」という実験的な取り組みをしていたところでした。

役員たちは廣田氏の支援を受けながら、10月に保育園の保護者会でアンケートを実施します。その結果、約90件の回答が集まり、しかも9割以上が「おむつを園で廃棄してほしい」という意見でした。

役員たちはその結果を持って、廣田氏からのアドバイスを基に、色々な会派・政党の議員に話を持っていきました。わずか90件で話を聞いてもらえるのか、何が変わるのか、と思われるかもしれません。しかし議員たちがアンケートの数字の結果を見て大きな反応を示し、動き始めたのです。その後、区議会を経て２０１９年2月には区の方針が変更され、7月から新宿区のすべての公立子ども園・保育園で使用済みおむつの園内廃棄が実施されることになりました。動き出してから約１年で問題が解決されたのです。おむつの園内廃棄が実施されるようになった後、保護者の荷物は軽くなり、さらにそれまで気になっていた園内のにおいも改善されたそうです。

こうした子育てに関する問題は、子どもが成長するとすぐに当事者ではなくなってしまうため、一過性や期間限定のものになりがちです。そのため、当事者の声も少数しか集まらないかもしれません。場合によっては「数年我慢すれば良い」「私たちも我慢した」といった批判も出てくるでしょう。しかしこのように、わずか数十人の声であったとしても、それを数として客観的な形にすると現状の課題についてセンスメイキングする人が現れ、そこから人が動き出して、人だけではなく政治までも動くときはあるのです。

とはいえデータは扱いが難しいものです。そもそもデータを説得に使えるかどうかはデータの質にもよります。ツイッターでアンケートをして得られた世論のデータと、電話番号を無作為抽出するＲＤＤ（ランダム・デジット・ダイヤリング）によって得られた世論のデータは、データと呼べるという点では同じかもしれませんが、その信頼性が異なります。そうした信頼性の観点を踏まえたうえでデータを読み込める人は、それほど多くはありません。

そしてデータの取り扱いにはさらにもう一つ注意点があります。事実やデータの正確性よりも、もっともらしさが人を動かすというのがセンスメイキングの重要なポイントであることを思い出してみてください。

たとえばワクチンが危険であり、子どもに接種させたくないと信じている人たちに対して、データ上はワクチンは安全（許容可能なリスクの範囲内）である、という情報を渡したとしても、納得してくれる人はほとんどいません。私たちは、自分の立場が明確な場合は、自分の信念にあうようなデータを信じて、そうでないデータについては受け入れない傾向にあるからです。

むしろ、データを用いて相手の間違いを証明しようとすればするほど、相手はかたくなになっていくという研究もあります。説得のために自分の意見と異なるデータを示されると、暗に主張が対立しているから承伏させようとしているのだと受け取ってしまうのです。そうなると人は、自分の意見に沿うデータをどこかから探してきて、自分の論を補強してしまいがちです。特に認知能力が優れている人ほど、自分の意見に合わせてデータをゆがめて解釈してしまうと言われています。そうすると、お互いが自分の論に固執し、お互いの主張を否定しあうような議論の応酬が続いてしまいます。

対応策が一つあるとすれば、まず同じインパクトを目指しているところの合意から始めてみることです。ワクチンの場合、お互いに子どもの安全を危惧している、というところは共通のはずです。ただワクチンという手法において異議があるのだ、という合意にまず至るところから始めてみるのです。

同じインパクトを見据えているという了解を得たうえで、データをどのように使うか、という前提を確認しましょう。説得の手法としてデータに頼るのは、そうした前提が出来上がってからでも遅くはありません。

たとえばシェアリングエコノミーを推進したいとしましょう。そのとき反対者が一般的に懸念するのは、個人がサービス提供者になることで、サービスの質が担保されなかったり、危険が生じたりする可能性が高いかもしれない、というものです。もしすでにサービスを始めているのであれば、自分たちのサービスでの事故の発生確率と既存の類似サービスでの事故の発生確率のデータを持っておき、それぞれを比較して、安全性について問題がないことを訴えることは可能です。もし国内でまだサービスを始めていなければ、外国のデータを持ってくることも可能でしょう。こうしたデータを持っておくことは重要ですが、センスメイキングするうえでデータを積極的に使うことは、効果的な場合とそうでない場合があります。そのデータをどのタイミングで出すかは、戦術的に考えていかなければなりません。はじめからデータで説得するというよりも、データを裏で持っておき、反論に備えるに留めておく程度のほうがいいのかもしれません。

またデータを用いる際には、数字のまま見せるのではなく、それをビジュアライゼーションすることも一つの手法です。

ナイチンゲールは政府に対して野戦病院の衛生状態の改善が必要なことを訴えるため、「鶏のとさか図（coxcomb chart）」と呼ばれる図を使ったことが知られています（図7・1）。データを視覚化することで、見る人にとってのもっともらしさが高まり、早くセンスメイキングに至ることができた好例です。

データを図で示すことで説得力を高めながら、その意味をナラティブで補強することもできるでしょう。データは良いタイミングでうまく使うことで、その効果をさらに優れたものにしていけます。

ただしナラティブを重視するあまり、データを無視したり、改ざんしたりするようなことがあってはなりません。特に公共性の高いものについては信頼性の高いデータを用いて議論していくべきでしょう。また、お互い

図7.1 鶏のとさか図

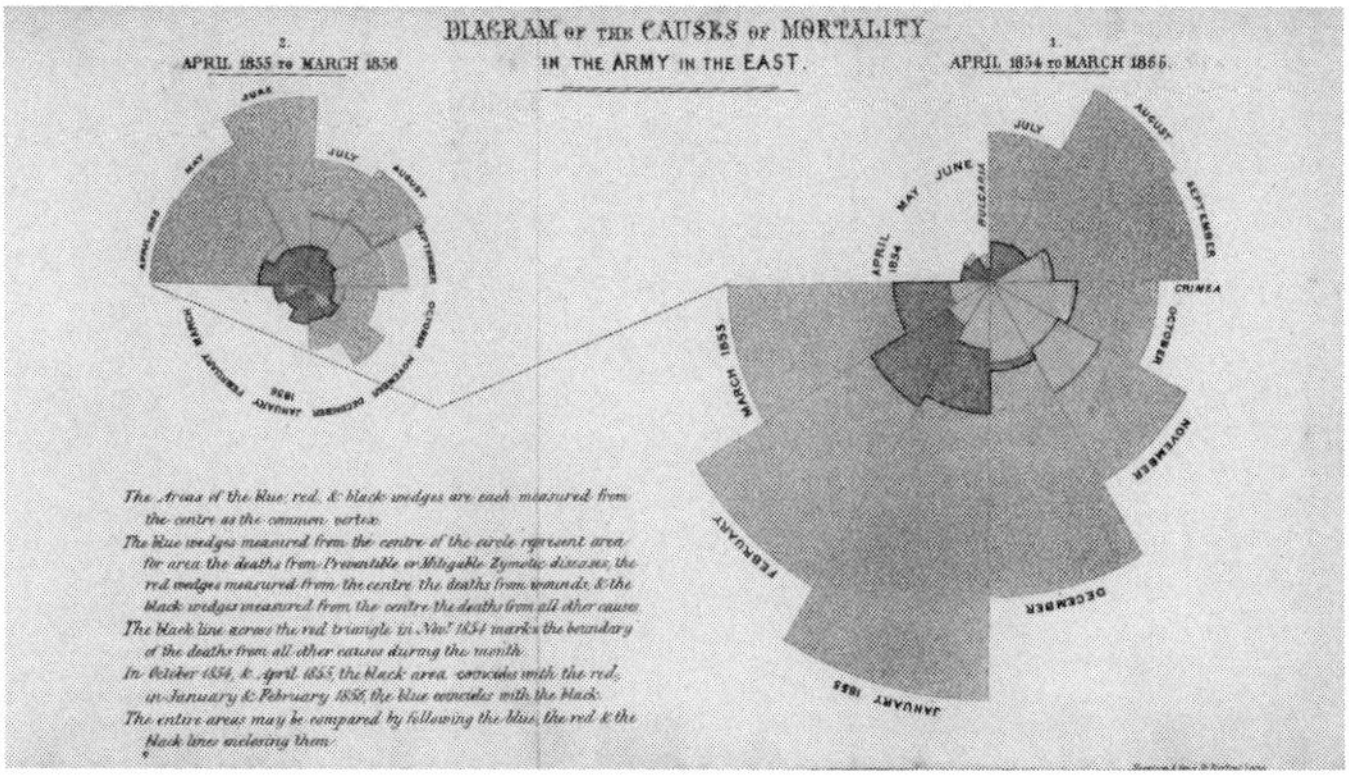

出典：https://commons.wikimedia.org/wiki/File:Nightingale-mortality.jpg

データを重視しながら議論をしていく、という前提が共有できていれば、データによる議論も生産的になります。ナラティブとデータのどちらを重視するべきかは、状況や議題に応じてうまく使い分けるようにしましょう。またデータも見せ方次第では、人をだますことになってしまう危険性もあります。[19] 強力なツールである分、注意深く活用するようにしてください。

参加型の取り組み

これまで私たちが調べてきた事例の中には、**市民参加型の取り組みを社会実装のプロジェクトの中で行うことで、センスメイキングを行ってきた事例が多数ありました。**

その一つの手法はイベントです。イベントやカンファレンスを通じて多くの人にメッセージを伝えることができます。多くのデジタル企業はオンラインでの情報発信が得意であるにもかかわらず、大規模なカンファレンスも同時並行的に行っています。一か所に技術者やビジネスパーソンを集めて、その場で自分たちのテクノロジーの有効性を納得させるのはいまだに有効な手法なのでしょう。またワークショップもイベントの一環と言えます。カンファレンスなどに比べるとより小規模にはなりますが、参加者同士の関わり合いの中で、テクノロジーや社会実装に関する納得感が生まれやすくなるようです。

より参加型の仕組みとして、パーティシパトリー（参加型）デザインや参加型テクノロジーアセ

19 ダレル・ハフ『統計でウソをつく法――数式を使わない統計学入門』（高木秀玄訳、講談社、1968）、谷岡一郎『「社会調査」のウソ――リサーチ・リテラシーのすすめ』（文藝春秋、2000）、同『データはウソをつく――科学的な社会調査の方法』（筑摩書房、2007）等を参照してください。

スメントと呼ばれる手法もあります。こうした手法は社会的論争のある科学技術をどのように設計するか、というデザインのためだけではなく、参加を通して納得感を醸成する仕組みとして活用されています。

これはセンスメイキングの特徴である、「有意味な環境をイナクト（制定）する」ということにも関わる部分です。実際に行動することによって意味が生まれ、そのプロセスを通して人は課題や解決策に徐々に納得していくのです。

日本でもリビングラボという取り組みが各所で行われています。主に研究室と自治体、そして地域に住む人たちが協力し合い、実際に住んでいる環境に新しい製品などを導入しながら使ってもらうことで、関係者全員でその製品を改善していく取り組みです。参加型のオープンイノベーションとも呼ばれる、比較的製品寄りのアプローチでしょう。

また倫理面のアプローチとして、コンセンサス会議という形で一般市民が科学技術の評価に参加する場合もあります。この手法は特に１９８０年代から90年代にかけて、ヨーロッパを中心に行われてきました。論争がある科学技術についてコンセンサスを取るために、運営委員会、専門家、市民が集まるものです。市民が専門家に質問をして、専門家が答え、そしてまた市民が質問をして小さなグループに分かれ、その後小さなグループで討議をして、最終的に大きなグループで一つのコンセンサスを取る、という手法です。専門家だけではなく、一般市民が参加して、専門家の意見を聞きつつコンセンサスを作っていく点が参加型だと言えます。

政策面での参加型の取り組みとしては、参加型政策分析（プランニングセル）と呼ばれる手法もあります。プランニングセルは、市民の中から無作為に選ばれたメンバーが少数のグループ（セル）に分かれて討議し提言を行うもので、都市計画や環境政策などの市民と密接に関わる政策決定の際に使われます。

こうした専門性の高い意思決定に専門家以外を巻き込むことは、1970年代にはじまりました。このころは主に専門家や利害関係者だけを集めて行われていました。これが参加型の取り組みの第一世代と呼ばれています。しかしそれでは不十分だということで、第二世代は議会を中心に市民が参加する形で進み、専門家と一般市民とが関わる形となりました。特にデンマークとオランダでは市民参加型が発展してきています。第三世代として議会主体ではない、行政機関やNPOなどが中心となって行う場合が出てき始め、技術の中間的な消費者やユーザー、業界団体、地方自治体、ジャーナリストなど、専門家と一般市民だけではない、多様な人たちが参画するようになってきました[20]。

さらに一歩進んで、解決策を考えるだけではなく、課題そのものを市民と考える取り組みも行われています。東京都文京区の2016年のレポート[21]では、公共プロジェクトを「事業成果の重視型」と「協働プロセスの重視型」に分類しています。前者の事業成果重視型は、行政がゴールや手法を設計し、実際のサービスのデリバリーをNPOなどのソーシャルセクターが行う形での連携です。このなかにはNPOなどが下請けとなっている状況も散見されました。一方、協働プロセス重

20 平川秀幸、奈良由美子『リスクコミュニケーションの現在——ポスト3.11のガバナンス』（放送大学教育振興会、2018）

21 「文京区新たな公共プロジェクト成果検証会議報告書」文京区新たな公共プロジェクト成果検討会議、2016年9月
https://www.city.bunkyo.lg.jp/var/rev0/0172/8739/houkokusyohonpen.pdf

視型では、NPOなどのソーシャルセクターが行政と共に課題の背景まで切り込み、真の課題と解決策の在り方を模索しています。このように単なる解決策の提供だけではなく、課題の同定も含めた部分での関わり方が増えています。

こうした取り組みは一見迂遠なように見えるかもしれませんが、関係者がそうした新しい取り組みについて知ることは当然の権利です。また近年は市民や消費者の影響力が相対的に強くなってきているため、初期から市民に参加してもらっておいたほうが、最終的には早いとも言われています。あとで「知らなかった」と批判が湧くと、大きく遅れてしまいます。市民や消費者の権利が強くなっていることは、企業人の立場としてはやりづらいと思われるかもしれませんが、市民の立場から見てみれば、それは獲得してきた権利です。「やり直す」ことが起こりえることを学んだ結果、こうした慎重なやり方が発展してきたと言えます。

またこうした参加型の手法が効果的であることは、心理学の実験などからも示唆されています。とある実験では、参加者全員に、税金の使われ方に関する最新情報が与えられ、もし怪しげな税制の抜け穴があったとして、税金が1割減るとしたらその抜け道を使うかを聞きました。[22] ただし、一つのグループでは、途中で自分の払った税金をどのように使ってほしいかを聞き、もう一つのグループでは税金の使い道の意見を求めません。すると二つのグループのうち、税金の使い道への意見を求められなかったグループは66％が抜け穴を使うと答えたのに対し、税金をどのように使ってほしいか意見を求められた人たちで抜け穴を使うと答えたのは44％だったのです。

22 前掲 シャーロット『事実はなぜ人の意見を変えられないのか』

つまり**他人の行動を変えたければ、その人に対して主体感やコントロール感を与えるべきだ**ということがこの実験からは示唆されています。情報を与えるだけでは十分ではなく、私たちは「選べる」「参加している」という状況に安心感を持つようです。選択肢が多すぎると狼狽えてしまうこともありますが[23]、適切な数の選択肢であれば、選択肢を提示して主体的に選んでもらったほうが人はコントロール感を得ることができます。パブリックコメントを受け入れる仕組みなどもその一つでしょう。フィードバックを送ることができるだけでも、参加している感覚は生まれますし、フィードバックを通してより良い社会実装を行うことも可能になります。

センスメイキングは「発見というより発明」だと言われます[24]。答えを見つけるというよりも、答えを一緒に作り上げていく、といった態度でいたほうが、センスメイキングに一歩近づけるのです。

共同での作成

センスメイキングを「一緒に作り上げる」という文脈では、**実際にテクノロジーを使って、何かを一緒に作っていく取り組みも有効だと言えます。**

アムステルダムのワーグという機関では、技術がどのように社会に影響を与えるかを研究しつつ、その一環として体験型のワークショップの実施を行っています。たとえばＡＩがテーマの場合、普通であれば単にセミナーをして情報を与えたり、よくてワークショップのようなものを行ったりす

23 シーナ・アイエンガー『選択の科学――コロンビア大学ビジネススクール特別講義』（櫻井祐子訳、文藝春秋、2010）
24 前掲 ワイク『センスメーキング イン オーガニゼーションズ』

るのが通常でしょう。しかしワーグのワークショップでは、たとえばＡＩが都市に入るとどうなるかというテーマを基に実際にプログラミングしてプロトタイプをつくることを通して、コミュニティのメンバーがその技術を学んでいきます。老若男女問わず参加できるこのワークショップは、実際にモノづくりをすることを通して、技術への忌避感をなくしていくことにつながります。[25] こうした参加型デザインは、リーチできる市民の数が少なく、時間もかかるものの、有効な手段です。

日本では、市民の理解を得たりすることを一つの目的として、しばしば工場見学のようなものは行われています。ただ工場で一緒にモノづくりをすることはなかなかできません。デジタル技術であれば初期のプロトタイピングを市民と一緒に、安く、迅速に行えます。

ステークホルダーを巻き込んだワークショップもしばしば使われる手法です。ツールセットで紹介する変化経路図などの図解のツールは、こうした共同作業に向いています。出来上がった図を見せるのではなく、様々な関係性を図示しながら一緒に作っていくことは、センスメイキングのプロセスにおいても有効に働きます。

また、デジタル技術で可能になった「共同制作」の一つは、参加型のソフトウェア開発でしょう。GitHubなどでソフトウェアのソースコードを共有、公開し、希望すればそのソースコードへの改善提案ができるという仕組みは、インターネットが普及し、多くの人がプログラミングという生産技術を身につけた今だからこそ可能になった共同制作の仕組みです。直接的な貢献へとつながるのも大きな特徴です。デジタル技術を用いた、行政サービスの改善や社会課題の解決を目指した市民

25 smart citizens lab "25 years of impact"
https://vimeo.com/372205569

参加型の活動は、シビックテックとも呼ばれます。日本でもコード・フォー・ジャパンなどが、IT技術を活用した地域課題の解決に取り組んでいます。

最後に、最も簡単な参加型のアプローチの一つは、実際に使ってもらうことです。参加型のデモをしたり、オープンラボを行ったりすることで、地道に人々の印象を変えていくことができます。

ただし参加型アプローチがすべてを解決するわけではありません。こうした取り組みに参加できる人はそれなりに余裕がある人が多く、一方で本当に困っている人はなかなか時間を捻出できず参加できない場合もあります。たとえば貧困にあえぐ人たち向けの社会実装の場合、日々の生活だけで精一杯であれば、こうした取り組みにボランティアで参加してもらうことは難しいでしょう。そんなときには参加に対していくらかの謝礼を用意するなど、様々な人を包摂していくためにできる手段を講じる必要があるかもしれません。

プロトタイプを作って世に出す

社会実装に取り組んだ人たちにインタビューをする中で、**関係各所の合意を取り付けるのに効果的だったという声が多かったのが、プロトタイプの作成です。**最初から完璧なものを作るのではなく、まずはバージョン1として世に出してみることも、ここではある種のプロトタイプとして取り扱います。

アプリでもサービスでもプロトタイプがあることで、説得力がぐんと増すことに加え、他の人たちをより容易に巻き込むことができるようになります。プロトタイプを作って見せることは、「これは確かにできるかもしれない」という手がかりになるでしょう。またプロトタイプをユーザーに見せることでフィードバックが具体的になるため、改善をしやすくなるというメリットもあります。スタートアップが投資家を説得する際にも、プロトタイプがあると説得力が違います。そしてデジタル技術の良いところは、少ない費用で最初のプロトタイプを作り始められることです。

プロトタイプを作って物事を進めた一つの良い例が、コード・フォー・ジャパンが支援するパートナー組織の一つ、コード・フォー・サッポロが作った「さっぽろ保育園マップ」のプロトタイプです。

コード・フォー・サッポロはコーディングの力で札幌の地域課題を解決するコミュニティとして立ち上がりました。そこに集う人が、行政のウェブサイトでは少し探しづらいから、という理由で、自分たちで子育て施設のマップのプロトタイプを作ったそうです。かかった時間は約1か月半、仕事が終わった後のプライベートの数時間を使って作りました。

そしてプロトタイプを実際のユーザーである母親たちに見せると、「園庭の広さが大事」「施設の場所ではなく、そこが空いているかどうかが大事」など、具体的なフィードバックを貰うことができ、どのような機能をマップに追加するべきかが明確になって、マップはどんどん良くなっていきました。プロトタイプはユーザーを巻き込み、参加を促す土台となりました。

さらにプロトタイプを用いることで、市の担当者との連携も取りやすくなったそうです。プロトタイプを札幌市子ども未来局の子育て支援課に持っていくと「こんなことができるんですか」と言われ、行政側からの協力が得られるようになりました。その結果、札幌市での子育て施設のオープンデータの整備がさらに進み、マップへの情報掲載も進みました。この事例が特徴的なのは、「データを出してください」と市役所にお願いしたわけではなく、プロトタイプを見せることで行政担当者が動き出して、データが自然と公開されていったという点です。プロトタイプを見せることで、担当者のセンスメイキングが起こり、物事が動き出した事例と言えるでしょう。

そしてさっぽろ保育園マップのソースコードは共有され、その取り組みは全国の市区町村に広がりました。各自治体で子育て施設マップが作られるようになったのです。そうしたムーブメントが起きたのは、札幌市において成功事例が作られたことがきっかけです。そしてその成功事例ができたきっかけは、有志が作った一つのプロトタイプでした。

こうした活動が積み重なり、コード・フォー・ジャパンやそのパートナー団体の活動への信頼が積み重なっていきました。コード・フォー・ジャパンは、コロナ禍においては東京都から発注を受け、新型コロナウィルス感染症対策サイトを作るに至っています。[26] ここでもプロトタイプを中心にした参加型の取り組みが行われています。

この新型コロナウィルス感染症対策サイトのプロジェクトは、「都民に正確な情報を迅速に届けることが最重要課題」と捉えた宮坂副知事の主導で、２０２０年2月26日に立ち上がりました。そ

26 StopCovid19 全国版の地域マップ
https://stopcovid19.code4japan.org/

して3月2日にコード・フォー・ジャパンが受注し、3月3日の夜にはリリース、同時にGitHub上でソースコードを公開・共有して、フィードバックを受け付け始めています。[27] その結果、約300人から4000件以上の改善案が提案され、さらに同じ仕組みが東京以外の様々な市町村で使われることになりました。

このようにプロトタイプや最初のバージョンを早く見せることで、フィードバックを得やすくなり、参加者を巻き込んでいけるようになります。巻き込まれた参加者はさらなる熱量を持って取り組むことになり、それはさらに大きなムーブメントへと発展していく可能性が高まります。その土台となるのがプロトタイプです。

プロトタイプの重要性はデジタル技術に留まりません。たとえば、2015年から始まった小規模保育への認可の経緯を見てみると、この制度の変化もある種の「小さなプロトタイプ」から始まっています。

当時、都市部を中心に、保育園が足りないことに起因する待機児童問題が社会問題と化していました。しかし従来の認可保育園は20人以上という人数制限が課せられていたため、都市の住宅街にはなかなかそうした広い場所を確保することができません。また、その規模の認可保育園を作ろうとすると、開園までに数年かかるのが普通です。そこで、より小規模の保育園が認可の対象となれば、機動的に保育園を作ることが可能ではないか、というアイデアがありました。

そこでNPO法人フローレンスが待機児童問題解決のモデルとして小規模保育所である「おうち

27「東京都の新型コロナ対策サイト“爆速開発”の舞台裏　オープンソース化に踏み切った特別広報チームの正体」IT media NEWS、2020年3月18日 https://www.itmedia.co.jp/news/articles/2003/18/news058.html

保育園しののめ」を2010年に開園します。このときはまだ小規模保育所の認可制度がない状態で始まりました。そして開園したところ、定員9名のところに二十数名の申し込みがあり、この取り組みには大きなデマンドがあることが確認されました。利用者の評判も良く、プロトタイプ版ともいえるこの最初の取り組みの結果が後押しとなって、小規模保育を認可園として認める政策が2012年に参議院で可決、2015年から施行されることになりました。そしてこのモデルは全国3500か所に広がっていき、今では多くの地域でインフラとなっています。

まずは一度やってみて、取り組みに対しての需要を確認したことが、仕組みを生むことにつながっていきます。同様に、NPO法人フローレンスでは、生活困窮世帯の子どもに食品を無償で届ける「こども宅食」という取り組みも行っています。この取り組みも、2017年に東京都文京区でのモデル事業から始め、他の地域へと広がっていきました。そして各地方で同様の取り組みが開始されるようになると、2020年には自民党有志による「こども宅食推進議員連盟」が発足、2021年度予算に関連経費計上を目指す動きとなり、各地方の運営団体への支援費の増額を目指すような、大きな流れになっています。

このように、最初はまず小さく始めてみて、そこから仲間を作っていくのが一つのやり方です。ただプロトタイプの作成が難しい場合もあるでしょう。規制に関わる領域では、「その事業をやってよい」というポジティブリストの中に、新しいサービスの類型が含まれていないこともあるからです。

　そうしたときには、**現行の法を調べて、その法に触れない範囲で実証実験を始めてみること**が一つのやり方です。たとえばUberのようなオンデマンド交通サービスの実証実験をしたいとしましょう。このときは、お金を貰わず人の送り迎えをすることで、道路運送法の規定の範囲外となります。そこで無償で実験的にそのサービスを始め、その中でユーザーの声を集めて、「これほど需要があるから、広げる仕組みを一緒に考えてほしい」と説得できるようになるかもしれません。同様に、電動キックボードが公道で走るには制約がありますが、私有地の私道で走る場合は別のルールが適用されます。そのため、広い私有地を持ち、移動に課題を持つ私企業と一緒にまず試してみる、ということもできるでしょう。

　実際、Uberは2016年に過疎化の進む富山県南砺市で、行政とタッグを組んで無償を前提としたシェアリング交通の実証実験を行おうとしたこともあります。道路運送法は、旅客自動車運送事業や自家用車の有償旅客運送については定めていますが、先述のとおり無償であれば道路運送法の規定範囲外となるからです（なお、南砺市においてはこの発表の直後に地元のタクシー業界団体からの反発があり、実証実験は見送られました。行政が許可を出して、法的に問題がなくても、ステークホルダーとの事前調整やセンスメイキングが重要であることの一例です）。

　その他の手段として、ツール7「規制の変更」で紹介する**国家戦略特区の仕組みや規制のサンドボックス制度**が使えるかもしれません。これらの仕組みでは、一部の地域で特例が認められたり、地域や人数を絞ることで、一部の規制が緩和されたりするような措置が取られます。

テクノロジーの社会実装に関する本なのに、テクノロジーのことがあまり出てこない本書ですが、**プロトタイプを開発するときには技術力が必要**です。「これなら解決できそうだ」という実感を持ってもらうには、十分イメージが伝わるプロトタイプが必要であるためです。

なお、プロトタイプといっても、最低限の安全性の確保やデータに対する配慮は必要です。プロトタイプだからといって重要なところで手を抜いてしまうと、リスクや倫理の問題が起こりえます。その結果、社会実装の道が閉ざされてしまうこともあるでしょう。そうしたことも十分に考えたうえでプロトタイプを使ってみてください。

小さな成果から始めて好循環を引き出す

プロトタイプをはじめ、社会実装の成功例に共通しているのは、**何か小さくても成果を出すことで好循環を回していっている**ということです。どんなに遠大な目的があっても、最初から大きな変化を起こせるわけではありません。最初はできるところから始めていき、小さな勝利を積み重ねていきながら、周りの信頼を培っていくことが、遠回りのように見えて実は近道です。

5章で紹介したマイヤーらの信頼のモデルによれば、成果がフィードバックとなって信頼につながり、その結果リスクを受け入れられるようになって、それがさらなる成果につながっていきます。つまり、まずは目の前にある小さな一つの課題を解決して、成果を出すことから始めていくことが、大事だと言えるでしょう。

これは大きな社会実装についても同様です。行政や事業者がインフラレベルの大きな社会実装をしたいと思ったときにも、まず小さな社会実装を進めて成果を出すことが第一歩です。新型コロナウィルスに対する東京都デジタルチームの迅速な対応は、5Gなどのインフラ敷設に比べれば小さい取り組みかもしれません。しかしそうした成果を出すことで、東京都が今後大きな社会実装を計画するときに、「東京都の政治家や職員だったらやってくれる」という信頼へとつながっていくはずです。さらに、東京都のデジタルチームはコロナ禍前からコード・フォー・ジャパンとのつながりがあり、コード・フォー・ジャパンには各自治体でシビックテックを担う人たちとのつながりがありました。平時にそうした関係性を築いていたからこそ、有事の際にもその関係性と信頼を用いて、機動的に動くことができたのでしょう。

自治体でスマートシティを作りたいのであれば、いきなり大きな社会実装を試みるのではなく、コミュニティセンターの予約をスマートフォンからできるようにすることや、緊急時の情報提供をネットで行えるようにするところから始めることをお勧めします。すぐに見える成果にはつながらないかもしれませんが、そうした積み重ねが信頼へとつながり、リスクのある大きな社会実装への受容にもつながっていくでしょう。

また進捗が出ること自体が、モチベーションの向上につながります[28]。社会を変える取り組みは長い取り組みになるからこそ、関わる人たちのモチベーションをどう維持するかは重要な課題です。

28 テレサ・アマビール、スティーブン・クレイマー『マネジャーの最も大切な仕事——95%の人が見過ごす「小さな進捗」の力』(中竹竜二監訳、樋口武志訳、英治出版、2017)

推進しようとしている人たちの心が途中で折れてしまわないように、まずは小さくてもいいので、進捗が出せる課題から選んで取り組むほうがいいと考えます。

そして最後に、**成果を出すだけではなく、その成果を多くのステークホルダーに伝えていきましょう**。成果を知ってもらうことが信頼へとつながり、そしてその信頼が大きな社会実装を成功させるための礎となります。

オーバーコミュニケーションを行う

ときには双方向のやり取りだけではなく、知ってもらいたいことをきちんと伝えていくこと、そして過剰とも思えるような頻度でコミュニケーションを行っていくことが必要です。伝えられる人たちが、もういいよ、と思うような頻度で行っていかなければ、なかなか人には伝わりません。

一度だけ言われても、人はすぐに忘れてしまいます。たとえば、日々の生活を振り返ってみても、国や自治体からの呼びかけや事業者からの社会貢献の活動報告をきちんと覚えている自信がある人は、そう多くはないのではないでしょうか。日々の生活全体の中で、そうしたメッセージに触れるのはほんのわずかな割合でしかありません。だからこそ、何度も言われなければ覚えられませんし、逆に言えば、何度も言わなければ多くの人には伝わりません。

しかし何かのメッセージを発する側や何かを提供する側は、一度言えば伝わると考えてしまいがちです。だからこそ、**メッセージの発信側には「オーバーコミュニケーションをする」という意識が大切です。**自分自身がそのメッセージを言うのに飽きるぐらいまで伝えて初めて、人には伝わると考えるべきでしょう。一度だけの伝達で満足することなく、シンプルなメッセージを何度も繰り返し伝えること。それが最終的にセンスメイキングへとつながる重要なステップです。

センスメイキングで信頼を徐々に作る

本章では、センスメイキングについてお話ししました。

ガバナンスをうまく作ることで、信頼がうまく担保される仕組みを作ることはできます。しかし人と人との間の信頼は、ボトムアップで徐々に作られていくものでもあります。ガバナンスとセンスメイキングの両輪があってはじめて、社会実装というリスクのあるプロジェクトをうまく受け入れてもらえるようになるでしょう。

また、デジタル技術によって新しいガバナンス手法が生まれてきたことと同様に、センスメイキングにおいても、スマートフォンによる簡便なビデオの撮影、ユーザーとの共同作成、迅速なプロトタイプ開発、データの活用など、デジタル技術を使った新たなセンスメイキングの手法が生まれつつあることも最後に指摘させてください。

センスメイキングの取り組みは、大変泥臭く、時間がかかるものです。ステークホルダー間で対立する利害がある場合には、それは地道に解決していかなければなりません。ときには対立の解決が不可能で、事業者が板挟みになるケースもあるでしょう。近年注目されているパブリックアフェアーズ（ツール10で解説します）のような活動においても、最後は人と人の信頼をどう作っていくかという、地道なセンスメイキングの活動に落ち着くことが多いのです。

センスメイキングには一瞬で至れず、徐々にしか進んでいきません。歯がゆいときもあると思います。しかし徐々にしかできないからこそ、センスメイキングを通して信頼を作れたときにはその信頼はなかなか他社には真似できない競争優位性ともなりえます。

本書では、デマンド、インパクト、リスク、ガバナンスと、様々な仕組みと手法について話してきました。しかし最後は一人ひとりの人が変わらなければ物事は進みません。人が変わらなければ、テクノロジーの社会実装も行われないでしょう。

アローが指摘したように、信頼は社会の潤滑油です。社会全体の中で信頼を形作っていけるかどうかが、今後の社会実装を進められる社会になるかどうかを左右します。民間企業が共感や納得を軸にしたセンスメイキングの手法を身につけることで、より早く社会実装を進めていけるようになるはずです。

信頼を作り上げるときに、適切なガバナンスの仕組みを整えること、そしてステークホルダーと一緒になって意味を共同構築していくセンスメイキングを行っていくことは、これまで以上に大きな意味を持つ活動となっていくに違いありません。

COLUMN

平時の社会実装、有事の社会実装

社会実装は、大きく二つのシーンに分けて考えたほうがいいでしょう。「平時の社会実装」と「有事の社会実装」です。

平時の社会実装は比較的通常の生活を送ることができる時期の社会実装、有事の社会実装は特定の危機を前にしたときの社会実装と考えてください。たとえば有事としては、戦争や災害、感染症といったものが挙げられます。差し迫った危機、そしてそこから生まれたこれまでとは異なるデマンドに対して、技術が劇的に発展したり、人々が技術を急速に受け入れたりすることはしばしば起こります。

たとえば明治維新では、人々は刀を捨て西洋の技術や医療を積極的に受け入れることになりました。1923年の関東大震災は、地震で旧来の建物が倒壊し、東京が近代的な都市計画を推し進めることを促しました。第二次世界大戦は技術を発展させ、戦後にはそこで培われた様々な技術が生活に導入されていきました。たとえば、電子レンジの原理は、軍事用レーダーの開発の途中で発見されたと言われています。

近年も2008年前後の金融危機の後に、金融機関が自らこれまでの行為を反省し、スチュワードシップコードを制定する動きが加速しました。社会貢献を意識し始め、ESG投資が一大トピックになったほか、経済の再興を促そうと諸外国ではスタートアップが盛んになりました。

本書を執筆している2020年、未曽有の危機が世界中を襲っています。SARS-CoV-2と呼ばれる新型コロナウィルスと、その感染症であるCOVID-19という災厄が人々の命を脅かし、世界中で多くの都市が封鎖され、人々はこれまでにないほどの行動制限を受けました。病院は患者で溢れ、医療崩壊に近い状況が各都市で起こり、従来であれば助けられた他の病気の人々の命すらも失われる事態が世界中で起こっています。

行動制限による経済や教育、文化への悪影響も予期されています。米国では失業率が一時14%を超え、約7人に1人が失業状態に陥りました。日本でも緊急事態宣言が行われる事態となっています。今後、ウィルスによる直接の死者に留まらず、経済停滞による被害者が多く出てくることも予想されています。国家間の移動も制限されることで、冷戦以降、加速を続けていたグローバリゼーションにも多少の見直しがかかることになるかもしれません。ワクチンが普及するまでの間、こうした経済活動の制限は続くものと予想されており、本書執筆時点ではそれがいつになるかはまだ判然としていません。

一方で、新型コロナウィルスに対抗するために、テクノロジーの社会実装が進み始めています。

たとえば通勤時や会社内での人の接触を避けるため、リモートワークが推奨され、人々の一部は自宅で働くようになりました。これまで遅々として進まなかった「はんこ」の見直しと電子署名の普及も官民一体となって始まっています。大学の授業は遠隔で行われるようになり、授業の参加者数はオフラインのときを超える授業もあるほどです。

このように感染症対策としての非接触を促す技術が続々と社会に普及し始めることで、これまで遅々として進まなかったテクノロジーの社会実装の一部が一気に進みつつあります。

他国の様子を見ていると、EC（ネット商取引）やスマートフォンの機能を使った食品デリバリーの需要が一気に増しているほか、オンライン教育やインターネット上でのエンターテインメントに投資が集まりつつあります。コールセンターがパンク気味になったため、AIを使ったソリューションの導入も加速しています。[1] 配達や消毒のために自動運転の車が走るようになった街もある

1 「新型コロナでコールセンターが悲鳴、AIへの置き換えも加速」MIT Technology Review、2020年5月18日 https://www.technologyreview.jp/s/205054/the-pandemic-is-emptying-call-centers-ai-chatbots-are-swooping-in/

ようです。スペインでは、警察も接触を極力避けるために、ドローンによって外出の監視を行おうとしている都市もあります。日本でも神戸市がスピーカー付きドローンによる市民への呼びかけを行ったり、東京都や神奈川県では療養施設でロボットが導入されたりしたことがニュースになりました。

今後も危機が起こるたびに、何らかのテクノロジーの社会実装が一気に進むかもしれません。しかし、それにはいくつかの条件がありそうです。本コラムではその条件と、その条件を満たした上でどのように有事の社会実装を進めるべきかについて、見ていきます。

有事に社会実装が進む三つの前提条件

有事にテクノロジーの社会実装が進むには三つの条件があるようです。一つは技術が十分に成熟していること。二つ目は社会実装の普及率が一定の閾値を超えること。三つめはガバナンスの変化が事前に十分に起きていることです。

今回の新型コロナウィルスの流行を機に、様々な場所でドローンやロボットが試験的に導入されたことがニュースになりました。人々が接触をしないように、ラストワンマイルの配達を自律走行のロボットが行うことなどが実験されました。しかし、本書執筆の時点ではそれが日常的な風景にはなっていません。

その大きな理由の一つが、**一つ目の条件である技術の成熟度が足りなかったこと**です。

たとえばラストワンマイルの自律走行は２０２０年の現時点では、技術的に十分成熟しているとはまだ言えません。ドローンはまだバッテリーの問題で、長時間稼働できないという課題が残っています。

一方で、２０２０年の新型コロナウィルスの流行によって、大きく変わったものの一つにリモートワークがあります。ホワイトカラーの一部の人々は、出社を避けるために遠隔で仕事をするようになりました。すべての会社がすべての平日でリモートワークになったわけではありませんが、週のうち何日かはリモートワークを可にする会社も現れるなど、働き方が変わりつつあります。一部の企業では恒久的にリモートワークを導入するといった発表もありました。こうしてリモートワークが一気に広がったのは、リモートワークで使われるオンライン会議の技術がそれまでに着実に進歩していて、自然な会話ができる程度に成熟していた、つまり人々のデマンドを満たすレベルとなっていたからでしょう。

有事だからといって、技術が一気に発展するわけではありません。もちろん戦争等の有事において特定の技術が一気に発展することもありますが、多くの場合は時間をかけて技術は成熟していきます。平時において十分な進歩をしていた技術しか、有事の勢いの恩恵を受けることができない、と言えるでしょう。

二つ目の条件、**有事に至るまでの社会実装の普及率**について見ていきましょう。

先述の通り、日本でリモートワークは一気に広がった一方で、オンライン診療はそれほど一気に普及しなかったようです。必要な技術はオンライン会議もオンライン診療も、どちらもおおよそ同じはずなのになぜそれほど広まらなかったのでしょうか。

他の国に目を向けてみると、中国ではコロナ禍においてオンライン診療が一気に広がったとニュースになりました。コロナ発生以降、平安グッドドクターと呼ばれるオンライン診療アプリの新規登録者は例年の10倍の勢いで増加し、新規登録者による問診の件数は9倍に達したと言われています。中国ではオンライン診療が有事において社会実装された、と言えるでしょう。では日本と中国でのこの違いは一体どこにあったのでしょうか。

日本におけるリモートワークとオンライン診療の違いは、有事になるまでの普及率の差が一つの要因だったと考えられます。

リモートワークについては、コロナ禍が始まる前であっても導入する日本企業は年々増えてきており、2019年の総務省の調査では20・2％の企業がすでに導入済み、さらに9・4％が今後導入予定があると答えていました。[2]つまり、すでにそれなりの数の人がリモート

2　総務省「令和元年通信利用動向調査の結果」、2020年5月29日
https://www.soumu.go.jp/johotsusintokei/statistics/data/200529_1.pdf

ワークを経験している状態だったのです。すでに経験している人が多ければ、まだ経験したことがない人も、周りから手助けを得ることができます。そうした状況でコロナ禍に入ったことで、一気にリモートワークは普及し、社会実装されました。

一方、コロナ禍に入る前、日本でオンライン診療を経験したことがある人はそれほど多くありませんでした。調査にもよりますが、日本でオンライン診療に対応している医療機関普及率は2020年春時点で1％程度でした。しかもオンライン診療を行ってよいとされる対象疾患は数少なく、同一医師によって6か月間、毎月対面診療を実施していることが条件とされており、診療へのハードルが高い状態でした。

一方の中国では、コロナ禍に入る前であっても、平安グッドドクターは、2019年末時点ですでに登録者が約3・2億人の規模に達していました。[3] 中国ではそれ以外にも1000以上のオンライン診療関連の企業があるとも言われています。[4] つまり、コロナ禍が始まる前に、中国ではオンライン診療の「平時の社会実装」がすでにかなり進んでいたのです。そうした普及率を背景に、危機において一気にオンライン診療が広まったと言えます。

ペンシルバニア大学でコミュニケーションと社会、エンジニアリングの関係を研究するダモン・セントーラらは、実験とシミュレーションの結果から、社会が一気に変わるには25％の人が変わる必要があると指摘しています。[5] コロナ禍の日本においては、平時に着実な社会実装が進んでいたリモートワークは25％以上の閾値を超えて人々が行動を変え、一気に社会に広まったのに対し、オンライン診療は平時においてそこまで社会実装が行われていなかったため、その閾値まで達しなかった、と考えられます。平時の社会実装における着実な技術の進歩や試験的な導入といった準備がなければ、有事の社会実装もなかなか起こりえないのです。

つづいて三つめの**事前の十分なガバナンスの変化**があったかどうかを見ていきましょう。

技術的にはできるはずなのに、ガバナンスが障害に

3 「新型コロナでオンライン診療急増、保険適用加速化（中国）」ニッセイ基礎研究所、2020年3月19日
https://www.nli-research.co.jp/report/detail/id=64031?pno=2&site=nli
4 「COVID-19で期待される、世界のデジタルヘルスの取り組み（3）オンライン診療スタートアップ」Coral Capital、2020年6月22日
https://coralcap.co/2020/06/digital-health-frontline-3/

なって普及が進まない、という事態が起こっていたのが電子署名です。それを有事のコロナ禍においてガバナンスの在り方を見直す機会を得たことによって、電子署名は普及拡大の機会を得ました。

オンライン診療の日本でのガバナンスも進みつつはありました。2018年3月にはオンライン診療に関する指針が制定され、同年4月からは保険適用が行われています。また規制のサンドボックス制度などを使って、実験を行っている事業者もいました。

ただ先述の通り、オンライン診療が可能な範囲が限られていたほか、医療機関の収入源となる診療報酬点数は対面に比べて約半分と、病院経営側からすればオンライン診療を実施するインセンティブもまだ十分ではない状況でした。しかも、オンライン診療をするためにはシステムの初期投資も必要です。こうした背景もあり、導入する医療機関が限られており、そのためオンライン問診を実施したことがある医師も、オンライン診療を受診した患者も少ないままでした。もちろん、こうした様々な制約は安全とリスクを鑑みて生まれたものではあるものの、オンライン診療について一部の団体が反対していたという背景も影響しているでしょう。コロナ禍においてオンライン診療に関する規制緩和は行われましたが、その前に普及していないことで、法律というガバナンスを急遽変えても、慣習というガバナンスは変わらなかった、と言えます。

一方、中国ではもともと慢性的な医師不足や、広大な国土を背景とした都市部と農村部での医療格差といった問題があり、オンライン診療に関する法整備や保険適用が進んでいました。2018年にはオンライン診療についての規制が整えられ、2019年には公的医療保険制度のオンライン診療への適用を進めようとしており、2020年には復旦大学付属中山徐匯雲病院が公立病院として初めてオンライン専門病院として認可されるなど、オンライン診療に向けた施策が打ち出されていました。そしてコロナ禍において、さらなる規制緩和が行われ、これまで保険適用を認めていなかった地域も保険

5　Michele W. Berger, Julie Sloane, Tipping point for large-scale social change? just 25 percent, *Penn Today*, June 7, 2018 https://penntoday.upenn.edu/news/damon-centola-tipping-point-large-scale-social-change

適用を認めることで、一気に普及が加速しました。

こうした有事や緊急時のタイミングで特徴的なのは、本書でいうインパクトの設定とセンスメイキングが行いやすいという点です。たとえばインパクトとして「平時と似たようなアウトカムを目指す」というわかりやすい目標設定が可能になります。「そのためには新しい技術の導入が必要だ」というセンスメイキングも容易です。本当にその取り組みが有効であれば、あとはガバナンスさえ変えれば一気に社会実装ができる、という状況だと言えるでしょう。

このように、「技術の成熟度」「普及率」「ガバナンス」の三つの条件が事前にそろっていることで、有事の際に社会実装が進みます。言い換えると、そのためには平時の社会実装を着実に進めておかなければならない、ということです。

政策の窓

三つの条件のうち、「技術の成熟度」「普及率」の二つは着実な進歩が必要なものです。一方、三つ目の「ガバナンス」は有事において大いに変わる可能性を持ちます。

ガバナンスを変えるためには政策を通す必要があります。そうなってくると、いよいよテクノロジーの社会実装は「政策起業力」の問題へと接近します。

政策の分野では、政策が常にいつでも通るかというとそうではないとされています。政策には通るタイミングがあります。公共政策の研究者で、アジェンダセッティングの重要性を指摘したキングダンは、そのタイミングのことを「政策の窓（Windows of Opportunity）が開く」と表現しています。

政策の窓が開くのは、**問題の流れ**、**政策の流れ**、**政治の流れ**の三つの流れが合流したときです。

まずは問題が問題だと認識されることが最初に必要な流れです。この「問題の流れ」が開かなければ、アジェンダに設定されることはありません。議員や官僚、専門家が政策のアイデアを多く出し、解決策としての政策案が検討されなければ「政策の流れ」を作ることもできません。そして最後に、議員や官僚、利益団体、メディアや市民などが特定の政策案を受け入れなければ、「政治の流れ」は変わりません。どんなに良い政策の案があったとしても、政策の窓が開いていなければ政策変更はできず、そして政策の窓が開いたとしても、その窓が開いている時間はそう長くはありません。

有事はまさに政策の窓が開くタイミングです。問題が問題として広く認識され、そして政治家や官僚も危機に対して動きます。市民やメディアは解決策としての政策を受け入れる姿勢を示すでしょう。すべての流れが揃うのです。このタイミングで政策を通し、ガバナンスを変えることができれば、社会実装も大きく進むことになります。

２０２０年に起こったコロナ禍でも政策の窓が開きました。はんこから電子署名という点では、問題の流れに加え、政策の流れも政治の流れも合流し、政策の窓が開き、新たなガイドラインが政府から提出され、ガバナンスが大きく変わろうとしています。また、オンライン診療に関するガバナンスをこのタイミングで変えようという動きもあります。

テクノロジーの社会実装にはガバナンスの変化が必要であると考えると、社会実装にも「社会実装の窓」のようなものがあるのでしょう。問題の流れ、政策の流れ、政治の流れに加えて、技術の流れのようなものがあり、それらが合流することによって、テクノロジーの社会実装がなされると考えられます。有事は、テクノロジーの社会実装のチャンスでもあるのです。

ショック・ドクトリン

ただし、危機のときに一気に社会実装を加速させようとする試みには注意が必要です。

自然災害や政変、戦争の後は様々な変化が模索されます。新自由主義を唱えた経済学者のミルトン・フリードマンは「真の変革は、危機状況によってのみ可能となる」という言葉を残しています。確かにそのような事実はあるように思えますが、そうした状況で行われる数々の変化に対して、ジャーナリストのナオミ・クラインは「ショック・ドクトリン」という言葉で批判しました。日本語にすると、惨事便乗型資本主義、つまり惨事が起こるたびにそれにつけこんで、新自由主義者らによる市場原理主義が様々な領域に入り込んでくる状況に注意を促す言葉です。[6]

市場原理主義のみならず、こうした災害のタイミングで様々な変化を起こそうとする人たちはいます。「創造的復興」の掛け声を借りて、これを機に自分たちの利益や施策を通そうとする人たちです。

たとえば2011年の東日本大震災のときには、東北メディカル・メガバンク機構が、混乱に乗じて補正予算を取り立ち上がったことが批判されています。[7] 1995年の阪神淡路大震災でも同様のことがありました。神戸市長は震災後の会見で、被災からの復興策として、前々から進めようとしていた神戸空港の建設案について触れ、震災復興計画にも神戸空港の計画を盛り込みました。

それぞれの施策に対する評価は本書では扱いませんが、これらの取り組みに対して住民から反発や不満の声が多く出ていたことには注目するべきだと考えています。決して、創造的復興の考え自体について批判が多かったというわけではありません。単なる復旧ではなく、新しい形での復興を目指していくことについて疑義を呈する人は少数でしょう。

ただ、その復興のための手法として、東北メディカル・メガバンク機構や神戸空港といった事業が、創造的復興のゴールやインパクトに対して、どのような位置づけで行われるのかが不透明だったことが、住民からの不満につながったのではないかと考えます。こうした説明を抜きに大きな社会実装を進めてしまうことで、「その裏に利権があるのではないか」「市民のことを考えていないのではないか」といったような疑念を持ってしまうのは、人として当然の心の動きではないでしょうか。

危機のときこそインパクトとロジックモデルを示す

今振り返ってみれば、かつての危機において、うまく

6　ナオミ・クライン『ショック・ドクトリン〈上〉――惨事便乗型資本主義の正体を暴く』『ショック・ドクトリン〈下〉――惨事便乗型資本主義の正体を暴く』(幾島幸子、村上由見子訳、岩波書店、2011)
7　古川美穂『東北ショック・ドクトリン』(岩波書店、2015)

テクノロジーの社会実装が進まなかったのは、時の指導者層や経営者層が新しい社会像というインパクトとその道筋をうまく提示できず、多くの人たちがそうした新たな社会をうまく希求できなかったからではないかと思えてきます。

たとえば、創造的復興のインパクトを定め、ロジックモデルを作ったうえで、東北メディカル・メガバンク機構や神戸空港がそのインパクトの達成のためにどのような位置づけにあるかを示すことができていれば、それらの施策の立ち位置もより明確になったはずです。もしくは、最終的なインパクトを目指す手段として、他の手段もあるという建設的な提案が、市民や関係者から出てきたかもしれません。センスメイキングの方法を知っていれば、理想を掲げたときに多くの人からの賛同を得られ、よりインパクトに近づけたかもしれません。

私たちには過去と同じ轍を踏むことがないよう、社会を変えるための方法論や、社会と対話する方法論が必要です。

コロナ禍のあとには必ず復興のフェーズがあります。だからこそ、コロナ禍の最中にあるこのタイミングで、テクノロジーの社会実装を促進するための方法論をまとめて、それを広く共有する意義は大きいのではないかと考えています。

社会実装のツールセット

1. 変化経路図
2. アウトカムの測定と評価
3. 課題分析と因果ループ図
4. アクティビティシステムマップ
5. リスクと倫理への対応方法
6. パワーマップとキーパーソン
7. 規制の変更
8. ソフトローと共同規制
9. 業界団体
10. アドボカシー活動とパブリックアフェアーズ

TOOL

1. 変化経路図

ロジックモデルと変化の理論

第4章で、ロジックモデルは「if-then」の流れをもとに、アクティビティからアウトプット、アウトカムに論理的（ロジカル）につなげていくものだと説明しました。

ただ、何もない状態からロジックモデルを描こうとすると、自分たちの既存の取り組みやアクティビティをベースとした、単なるボトムアップでのプログラムの説明になってしまいがちです。また自分たちの活動以外に存在するはずの、アウトカムに影響する外部要因を考えることも抜けてしまう傾向にあります。

そこで本書では、ロジックモデルを描く前に、**変化に関わる要素の全体構造と関係性を図示する**ところから始めることを提案します。

この「変化に関わる要素の全体構造と関係性」をステップを捉えながら整理し、変化を起こすために必要な理論を自らデザインするツールを、セオリーオブチェンジ（変化の理論）と言います。そして、このセオリーオブチェンジをツリー状の図で示したものが、今回紹介する「**変化経路図**（英語ではoutcome pathway、pathway of change もしくは theory of change map などと呼ばれる）」です。

つまり、

①まず変化経路図を描いて全体像を把握する
②変化経路図をもとに、自分たちが実施可能で、かつ有効な施策を選んで、ロジックモデルを構成する

という順序でロジックモデルを作ることを提案します。

ロジックモデルもセオリーオブチェンジの変化経路図も基本的な構造は同じです。変化経路図もロジックモデルと同じく、

リソース↓アクティビティ↓アウトプット↓アウトカム↓インパクトの順序で図示されます。そのため、出来上がったものを見てみると、そう大きく変わらないようにも見えますし、同じものとして扱われるときもあります。

しかし本書では両者を分けて考えます。ロジックモデルは自分たちの事業を中心に描き、セオリーオブチェンジはもう少し広く、変化を起こすために必要なものを自分たちの事業に関わるものに限らず挙げていく、という風に使い分けます。この背景には、ロジックモデルはアウトカム、アクティビティ、インプットなど、「何をするか」を特定し、実施を助けるのが得意な手法である一方で、セオリーオブチェンジは「なぜ」「どうやって」望んでいる変化が起こるのかを説明することを得意としているという、それぞれの方法に差があるからです。

さらに、ロジックモデルは共有や評価のためのもの、セオリーオブチェンジの変化経路図は作成時の議論やステークホルダー内でのコミュニケーションツールとして使うもの、という使い分け方もできるでしょう。これらの違いをThe Aspen Instituteの資料を基にまとめたのが以下の表です。

表にあるように、変化経路図は発散用途のものです。可能

	ロジックモデル	セオリーオブチェンジ
目的	共有や評価	議論やコミュニケーションツール
抽象度	事業・プログラムレベル	戦略・ビッグピクチャーレベル
図の構造	比較的標準化されている	それほど標準化されていない
強調するポイント	どのような事業やプログラムを実施するか（What）	なぜそういう変化が起きるか（Why）、どうやってその変化を起こすか（How）
図	ロジックモデル	経路図
タイミング	介入プログラムが作られた後	介入プログラムが作られる前
利用用途	収束	発散
要素	自分たちがコントロール・影響できるものが中心	自分たちがコントロールできるもの以外も含む

出典：Heléne Clark, Andrea A. Anderson, Theories of Change and Logic Models: Telling Them Apart, *Presentation at American Evaluation Association Atlanta*, November 2004
http://www.theoryofchange.org/wp-content/uploads/toco_library/pdf/TOCs_and_Logic_Models_forAEA.pdf

であればチームやステークホルダーを集めて実施しましょう。誰かと一緒に作ることで、新しい視点に気づいたり、ステークホルダー同士で「目線合わせ」をできたりするといった効果もあります。

なお、変化経路図は完璧なものである必要はありません。自分たちのロジックモデル作成に貢献さえすれば、その役目は果たすと考えてください。

ここからは変化経路図を描いたうえで、ロジックモデルを作るプロセスの概要を説明しましょう。

まずはインパクトからトップダウンで、セオリーオブチェンジの変化経路図を描きます。そうすると、自分たちの既存の事業の範囲を超えて必要なアクティビティが見えてきます。そこで明らかになったアクティビティから自分たちの社会実装のプロジェクトに関連するものを選んで、今度は逆にボトムアップで目指すべきアウトプットやアウトカムを選んでインパクトに辿り着くためのロジックモデルの形に落とし込んでいくのです。

変化経路図のまま扱うのではなく、最終的にロジックモデルを作るのは、現在の日本の政府機関ではロジックモデルが中心に語られており、共通のフォーマットを持つほうが連携しやすいことが一つの理由です。また最終的な事業評価はロジックモデルを用いたほうがやりやすいという理由もあります。セオリーオブチェンジの変化経路図は複雑になりがちなので、一緒に作るぶんには議論が深まってよいのですが、議論に参加していない人に説明することが難しい、という面もあります。そのため、公開し共有するうえでは、最終的にはシンプルなロジックモデルにしたほうがよいと考えています。

本書ではロジックモデルと変化経路図で図の描き方も変えます。縦の流れの場合はセオリーオブチェンジの変化経路図、横の流れの場合はロジックモデルを示すものとします。

変化経路図の書き方

変化経路図を書く際には、最初にインパクトを設定し、インパクトから逆算して、アウトカム、アウトプット、そして必要なアクティビティを特定していきます。

まずインパクトを決めて、それをツリー図の最上段に置きましょう。インパクトの設定方法については第４章を参照し

セオリーオブチェンジの変化経路図（縦の流れ）

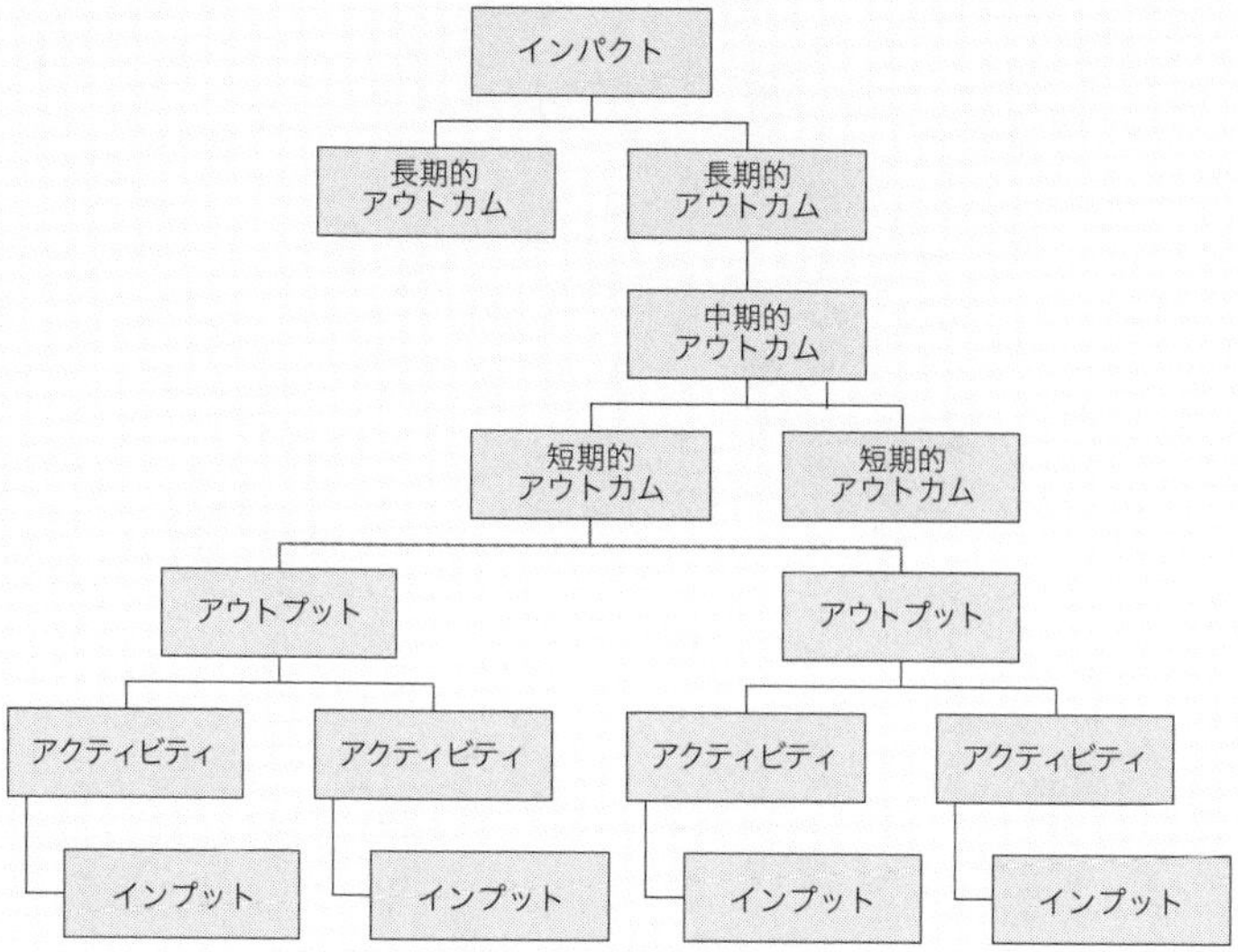

ロジックモデルの変化経路図（横の流れ）

インプット／リソース	アクティビティ	アウトプット／実装	アウトカム			インパクト
			短期的	中期的	長期的	

前提	外的要因

てください。

　そこから木の枝が分岐していくようにアウトカムを設定していきましょう。階層化することで、一つの短期的なアウトカムの達成に必要なアウトプットが何なのか、どういったアウトプットが出ることで望ましいアウトカムにつながるのかがわかりやすくなります。

　たとえばグーグルが自社の使命として掲げている「世界中の情報を整理し、世界中の人々がアクセスできて使えるようにすること」はインパクトにあたるでしょう。インパクトを達成するために必要な条件を挙げていくと、具体的なアウトカムへと落としていけるはずです。たとえばすべての情報を検索できる検索エンジンを世界中の人々に届けるというアウトカム、新しい情報を作り出し共有することができる Google Docs のような製品を世界中の人々が使えるようにするというアウトカム、世界中の人々が情報を使えるように Android や Chrome OS を世界の数十億人に提供するというアウトカム……という風に、インパクトからアウトカムを枝分かれさせていきます。

　それをさらにブレイクダウンしていき、Android が搭載されている台数を何台にする（中期的アウトカム）、そのためにはユーザーが Android 上でこういうことができるようになっているとよくて（短期的アウトカム）、そのためにこういう機能を開発する（アウトプット）……というように細分化していきます。これはビジネスにおけるＯＫＲのようなゴール設定の方法論にも似ています。

　変化経路図は、コンサルティング業界などでしばしば使われる「ロジックツリー」というツールとも表面上は似ています。ただロジックツリーはＭＥＣＥ（もれなくダブりなく）であることが求められますが、セオリーオブチェンジの変化経路図はそれほど論理的に厳密ではなく描かれます。なぜなら扱う問題が厄介な問題（wicked problem）であることが多く、ロジカルに分解できないことが多いからです。しかしツリー状に示すことによって、その効果がどのようにつながっていくのかを図示し、特定のアクティビティやアウトプットが、どのようにインパクト達成に寄与するかを説明することができます。

　またセオリーオブチェンジの変化経路図には、自分たちがコントロールできないものも含めることができます。最終的にロジックモデルに落とし込むときには、自分たちが影響を与えられるものしか描きませんが、変化経路図では全体像を描いてみることから始めてみてください。

変化経路図には様々な形があります。インターネット上では複雑に描かれたものもありますが、最終的にロジックモデルに変換することを考えると、複雑すぎる変化経路図を描くのはできるだけ避けて、シンプルなものにするよう心掛けるとよいでしょう。

なお、実際に変化経路図を作成するときには、付箋などを用意して、やり直しがきくようにしておくとよいでしょう。

アウトカムからアウトプットとアクティビティ、インプットを定める

目指すべきアウトカムが特定できたら、そのアウトカムを達成するためにどのようなアウトプットが必要かを考え、アウトプットが定められたら、そのアウトプットを生み出すためのアクティビティを計画していきます。

政策や医療などであれば、ここで研究結果などのエビデンス

付箋を使って変化経路図を作成する

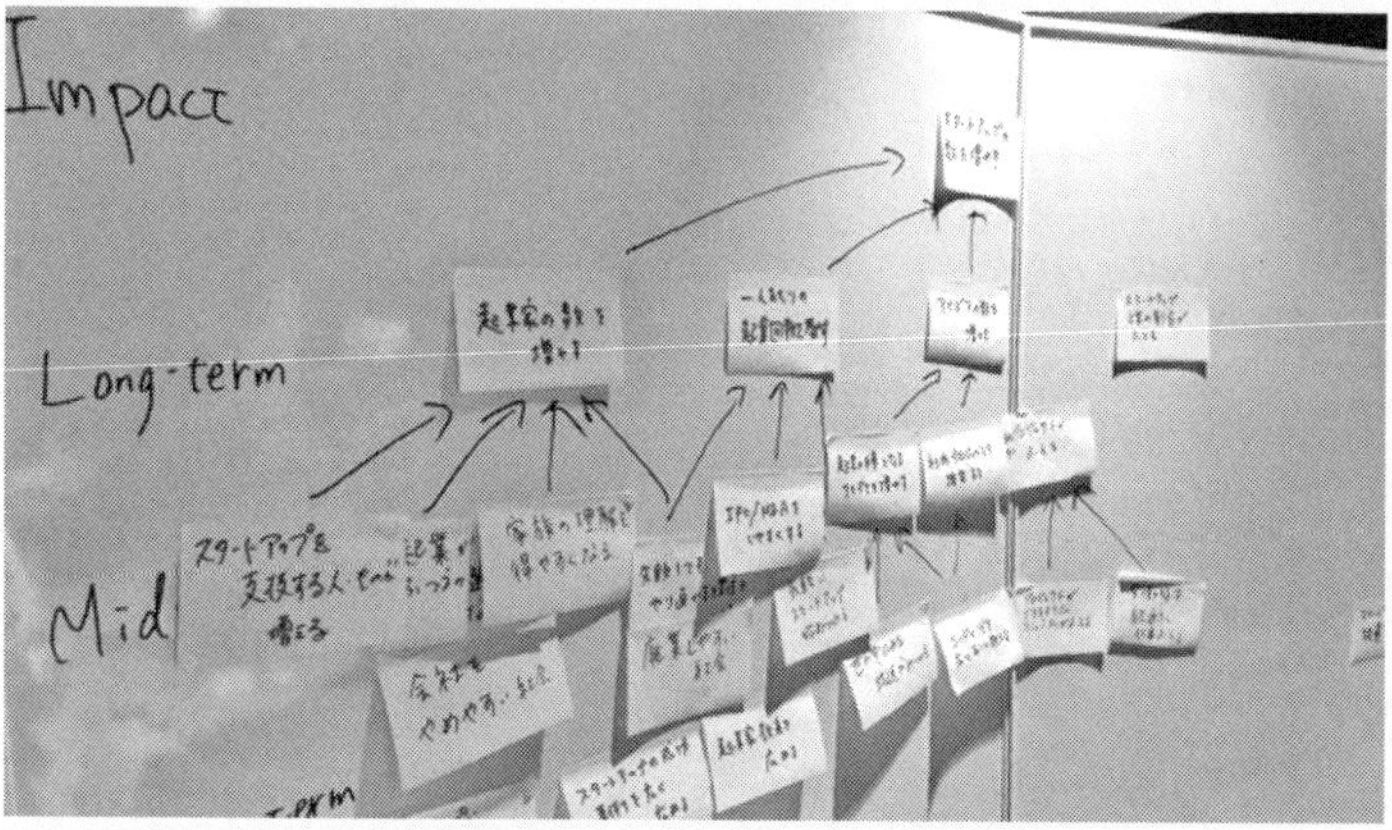

を読み込んで、特定のアウトプットを生むための効果的かつ効率的なアクティビティを選んでいくことになるでしょう。民間企業の場合、自社での過去の取り組みからの学びや、他社のベストプラクティスなどを用いてアクティビティを選定することもできるでしょう。

変化経路図のアクティビティには、自分たちの事業範囲外のアクティビティを描くこともできます。そうしたアクティビティを考えることは、誰とコラボレーションをすれば良いアウトプットやアウトカムが生み出せるかを考えることにもつながります。

アウトプットからアクティビティの連鎖は特定しやすいので、そこまで困らず描けるはずです。そして最後にアクティビティの実施のために必要なインプット（資源）を考えましょう。インプットには、お金や人、技術などが含まれます。もしアクティビティを実施するためのインプットが足りなければ、外部から資源を獲得するのも一つの手法です。スタートアップでは資金調達や助っ人、企業なら別チームからの予算獲得などの形で、外部からのインプットの獲得が行われています。

ここまで描き上げれば変化経路図の完成です。見直してみて、抜け漏れがないかをチェックしてみましょう。

変化経路図からロジックモデルを再構成する

変化経路図を描き終えたら、良い「変化の理論」になっているかどうかを確認しましょう。複雑すぎないか、アウトカム同士の間やアウトプットとアウトカムの間に大きな飛躍がないか、十分に変化の経路を説明できているか、この図を自信を持って説明できるかどうかなどをチェックしてみてください。また、設定されたアウトカムが計測できるかどうかも確認しましょう（ツール2「アウトカムの測定と評価」等を参照）。そのあと、ロジックモデルへとまとめていきます。

変化経路図に描かれていることすべてを自分たちの事業だけで行うことはできません。ロジックモデルは自分たちの事業を中心としたものなので、自分たちの事業が影響を与えられるアウトカムと、それらに連なるアウトプットとアクティビティだけを抜き出し、それを基にロジックモデルを構成していきます。

変化経路図ではインパクトからアクティビティへとトップダウンで作っていきましたが、ロジックモデルを再構成するときにには逆順で行い、アクティビティからアウトプット、アウトプットからアウトカム、アウトカムからインパクトへとボトムアップで構成していきます。そうしていくと自分たちの事業のロジックモデルが完成し、自分たちのアクティビティが、どのようにインパクトまで辿り着くのか、その道筋が図示されるようになります。

完成したら、そのロジックモデルが適切かチェックします。内閣府の『社会的インパクト評価の普及促進に係る調査』の中の「ロジック・モデル作成にあたってのポイント」で挙げられている、以下の六つのポイントに沿ってチェックするとよいでしょう。[1]

- 事業目標との整合性——ロジックモデルの各要素について、事業目標と整合していることを確認する。
- 受益者の明確性——受益者が誰かを明確にしたうえで、アウトカムが受益者ごとに整理されていることを確認する。
- 内容の具体性——アウトカム等の要素をうまく言語化し、誰が見てもイメージしやすい記載になっているかを確認する。
- 論理のつながりの明確性——「アクティビティ」「アウトプット」「アウトカム」等の各項目について、各段階を満たせばインパクトが達成されることがわかるよう、論理のつながりが明確であることを確認する。
- 評価するアウトカムの選定のバランス——アウトカムの優先順位付けを行うなどして、評価するアウトカムがロジックモデル内でバランスよく設定されていることを確認する。
- アウトプットとアウトカムの区別——アウトカムは受益者に起こる変化であり、アウトプットとアウトカムを混同していないか確認する。

ロジックモデルや変化経路図には様々な描き方があります。本書で説明したのはその一つです。特に変化経路図については目的に応じて、自分たちの使いやすいようにカスタマイズしてみてください。

1　内閣府「社会的インパクト評価の普及促進に係る調査 最終報告書」、2017年3月
https://www.cao.go.jp/others/kichou/ebpm/h28_si_chousa_11.pdf

TOOL

2. アウトカムの測定と評価

測定することの重要性

ロジックモデルは設定すれば終わりかといえば、そんなことはありません。定めたロジックモデル自体を運用し、改善していく必要があります。**ロジックモデルはあくまで仮説**なので、アウトカムの結果や状況によっては全体をアップデートしていくことで、より良い仮説に辿り着くことができます。

結果が仮説通りだったかどうかを把握するためには、測定可能なアウトカムを設定することが効果的と言われています。なぜなら、アウトカムを抽象的な言葉だけで設定してしまうと、達成できたかどうかがわからず、結果の判別もできないからです。そうすると作ったロジックモデルの仮説が妥当なのかどうかも判断できず、その結果改善ができなくなってしまいます。測定可能にすることで、悪い結果が出る可能性もありますが、測定が不可能であれば結果をもとに改善することもできません。

では実際にどのようなアウトカムを設定しているのでしょうか。たとえば、ストライブという若者向けの教育改革プログラムは、アウトカムを測るために「学校に入る準備ができている家庭の数」「3年生の読書習慣率」「8年生の数学の成績」「高校の中退率」「大学の進学率」「大学入学準備試験の成績」の六つの指標を毎年計測しています。[1] すべてが数値になっており、どこまで達成できているかどうかがすぐにわかります。そしてストライブに協力する人たちは、その指標の数値を増やすために自分たちの行う活動を決めることもできるでしょう。このように測定し、数値化できるようにしておくことは、多くのステークホルダーを同じ方向に向かせる効果もあります。

なお、本ツールで取り扱うアウトカムの測定は、いわゆるインパクト評価とは異なります。インパクト評価の考え方の一部を応用していますが、あくまで自社事業についての変化

1　佐藤真久、広石拓司『ソーシャル・プロジェクトを成功に導く12ステップ』（みくに出版、2018）

経路図やロジックモデル上のアウトカムを測定するものと考えてください。

学びと行動のための測定と評価

まず**測定の目的**を整理しましょう。一般的に測定の目的としては、学びのための測定、行動のための測定、そして説明責任のための測定という3種類があります。[2]

通常の事業であれば「説明責任のための測定」が注目されがちです。確かに民間企業の場合、最終的に営利を目指すため、売上のようなわかりやすい指標に自分たちの活動を結び付けやすく、説明責任のための測定でいいかもしれません。しかし社会を変えていくときには、「どう社会が変わったか」という測定をしなければなりません。これを測るのはかなり難しいものです。

また、社会的な影響という観点では、本当に自分たちの行動が思っていた社会的なアウトカムを生み出しているのか、自分たちの仮説が正しいのかどうかは、やってみないとわからないことも多々あります。そこで仮説検証を経て学ぶための「学びのための測定」と、何が効率的かを判別して行動に移していくための「行動のための測定」も同様に重要であることを認識しながら測定を進めていきましょう。すべてが説明責任のための測定である必要はありません。

測定と同じように評価もいくつかの種類に分かれます。具体的には発展的評価、形成的評価、総括的評価の三つです。

発展的評価は、新しい取り組みを初期段階で評価検証し、画期的な取り組みを生み出すために用いられるものです。形成的評価は自分たちの仮説やセオリーを改善するために用いられます。そして総括的評価は特定の手法がうまくいったかどうかを判断するために行われます。

このように**測定や評価といっても様々な目的があります**。自分たちの給与が測定結果に連動していることが多いためか、積極的な

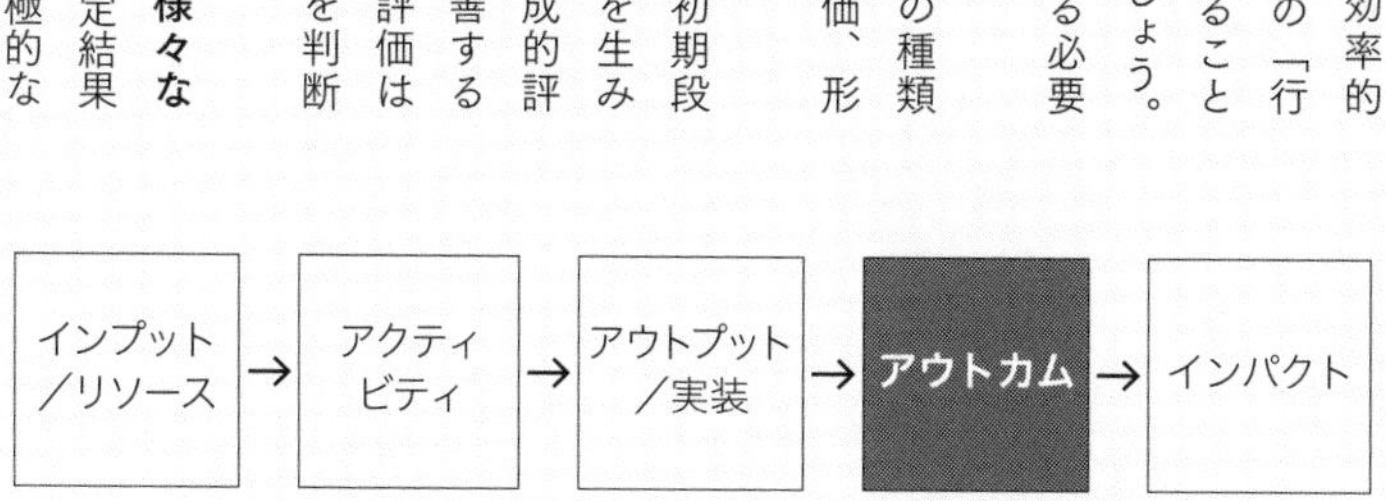

2　マーク・J・エプスタイン、クリスティ・ユーザス『社会的インパクトとは何か——社会変革のための投資・評価・事業戦略ガイド』（鵜尾雅隆、鴨崎貴泰監訳、松本裕訳、英治出版、2015）

評価や測定をやりたがらない人も多いようです。しかし測定の目的としては、改善のための測定もあれば、学びや行動のための測定もあります。特に取り組みの初期、多くのアウトカムの測定はあくまで学びや行動の変化の目的で行われることを強調しておくことで、測定や評価をより積極的に受け入れてもらえるでしょう。

そもそもアウトカムが「測定できる」ものであることも重要です。

本文でインパクトを設定・運用していくときのヒントとして、FAST（頻繁に議論される／大志のある／特定する／透明性がある）を紹介しましたが、アウトカムはSMARTという手法を参考に設定してみることをお勧めします。

SMARTによる目標設定は聞いたことがある読者の方も多いのではないでしょうか。SMARTは以下の頭文字をつなげたものです。

Specific　特定の
Measurable　測定できる
Achievable　達成できる
Relevant　関係している
Time-bound　時間制限のある
※SMARTには様々な亜種があります。

たとえばオンライン診療のアウトカムを考えてみましょう。厚生労働省による中間報告書[3]では、オンライン診療の基本理念として、

・医療の質の向上
・アクセシビリティの確保
・治療の効果の最大化

が掲げられています。これらをアウトカムとしたとき、「どこまで質を向上すればよいと言えるのか」「アクセシビリティの現状はどこで、どこまで上げたいのか」など定量的に示せないままオンライン診療の議論が進むと、新しい社会実装としてのオンライン診療が本当に成功したのかどうかわかりません。

なお、日本でも行政でロジックモデルは使われているものの、アウトカムを数字で示し、共有されることはそう多くないようです。そうすると、ロジックモデルが正しかったか間違っ

3　厚生労働省「『オンライン診療の適切な実施に関する指針の見直しに関する　検討会』の中間報告」
https://www8.cao.go.jp/kisei-kaikaku/suishin/meeting/wg/iryou/20190410/190410iryo01_1_1_Part1.pdf

ていたかもわからず、改善しづらくなります。まずは仮置きでも構わないので、数字で示すことをお勧めします。

ＳＭＡＲＴなゴール設定に加えて、社会的インパクトでしばしば使われる**インパクト・マネジメント・プロジェクト（ＩＭＰ）による五つの次元のフレームワーク**なども併せて考えてみるとよいでしょう。

ＩＭＰは２０００以上の組織が参加する社会的インパクトの測定や比較、報告に関するフォーラムです。ＩＭＰのフレームワークではインパクトを「何を（What）」「誰が（Who）」「どの程度（How Much）」「企業の貢献度合い（Contribution）」「リスク（Risk）」の五つの次元から測ることを提案しており、このフレームワークに沿ってデータを整理しやすいようにワークシートも用意されています。こうしたワークシートを使えば、アウトカムの設定の際に考えるべき点の抜け漏れがより少なくなるでしょう。[4]

ＳＤＧｓ指標やＩＲＩＳ＋、新国富指標を活用する

短期的アウトカムは、顧客の便益をもとに考えれば比較的測定しやすいものです。民間企業の場合、売上や利益も短期的なアウトカムとして入れることもできるでしょう。インパクトは自社やプロジェクトのミッションを据えればいいでしょう。

一方、中長期のアウトカムの設定が難しい場合があります。たとえばとある製品によって、顧客の企業の特定の作業効率が10倍になったとき、その後に起こる社会的な影響はどのようなものになり、どのように測定すればよいでしょうか。

そのような場合はＳＤＧｓインディケーターや新国富指標など、比較的信頼度が高く、広く受け入れられている指標を使うのもよい選択です。

特にＳＤＧｓは世界で共有されている目標です。17のゴールに対して「１６９のターゲット（行動目標）」と「２３２のインディケーター（達成度を測るための数値指標）」が提供されています。ＳＤＧｓを掲げる企業であれば、自社の事業のロジックモデルの中に、こうした指標のいずれかにどれだけ貢献すると考えているのかを表明することができるはずです。

また社会的インパクトを評価したい場合は、ＩＲＩＳ＋や新国富指標といった指標を参考にすることもできるでしょう。

4　IMP "Impact management norms"
https://impactmanagementproject.com/impact-management/impact-management-norms/

ＩＲＩＳ＋は、ロックフェラー財団やグローバルな非営利組織アキュメンなどを主なサポーターとする、グローバル・インパクト投資ネットワーク（ＧＩＩＮ）が開発した指標のカタログで、投資の社会や環境への影響を測る約６００の指標を集めたものです。[5] ２００９年に発表されたＩＲＩＳが、２０１９年にＳＤＧｓに対応するようにアップデートされて、ＩＲＩＳ＋となりました。

ＩＲＩＳ＋でカバーする領域は農業、気候、教育、雇用、エネルギー、金融、健康、不動産、水など多岐にわたります。各領域に紐づく戦略目標を選択することで、目指すべき社会的インパクトの指標が自動的に提案されるのも特徴的です。さらに指標ごとにＳＤＧｓターゲットとの関連性も示されているほか、ＩＭＰの五つの次元のどの次元に当たる指標なのかも整理されています。なお、ＧＩＩＮが実施した２０２０年の調査によれば、ＩＲＩＳとＩＲＩＳ＋はインパクトの測定や報告の指標として最も利用の多いものとなっていました。[6]

新国富とその指標である新国富指標というものもあります。新国富指標はＧＤＰに代わる指標として、ケネス・アロー教授やダスグプタ教授、そして国連によって開発された指標です。

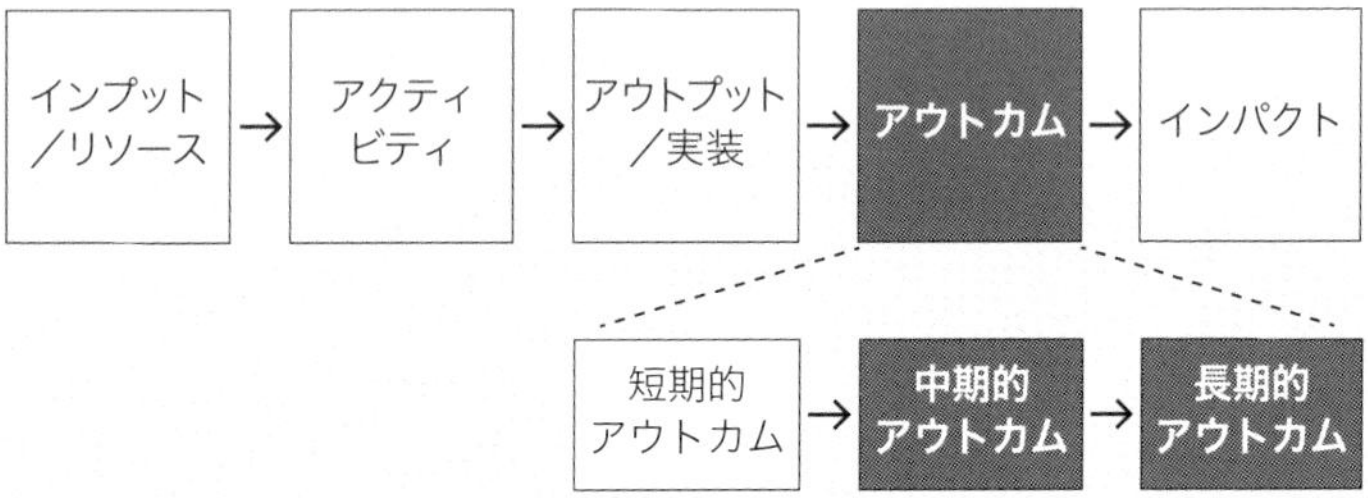

5 IRIS+ "IRIS Catalog of Metrics"
https://iris.thegiin.org/metrics/
6 Dean Hand, Hannah Dithrich, Sophia Sunderji, Noshin Nova, 2020 Annual Impact Investor Survey, *Global Impact Investing Network*, June 11, 2020
https://thegiin.org/research/publication/impinv-survey-2020

GDPとの大きな違いは、GDPは消費と生産のフローを中心に考えられているのに対して、新国富はストックとなる資本が計量化されていることです。言い換えると、GDPはその場に留まるかはわからない流入出の富の計測を行いますが、新国富はその場に留まる富を計測します。企業会計の文脈で言えば、GDPがPL（損益計算書）にあたり、新国富はBS（貸借対照表）にあたる、とも言えるかもしれません。

新国富は持続可能性にも留意した設計になっており、SDGsに関する取り組みを総合的に評価する方法としても提案されています。指標は、人工資本・人的資本・自然資本の三つに分類され、それぞれを重みづけして集計したものです。この中には森林や鉱物といった自然も資本として含まれています。この新国富は英語ではInclusive Wealthと表現され、もともと「包括的富」という訳語があてられることも検討されていました。

「国富」という単語から、国単位で使われることを想像してしまいますが、地域ごとに設定することも可能です。自治体ごとに現在の新国富指標と、目標とする新国富指標を定めれば、その地域のためにどういう社会実装が必要かを理解する一助となるでしょう。

ここまで「SDGsターゲット・インディケーター」「IRIS＋」「新国富指標」の三つの指標を紹介しました。これらが実際にどのように使われているかを紹介したいと思います。

「SDGs未来都市」や「自治体SDGsモデル事業」にも選ばれた北九州市は、市の取り組みの進捗を測る数値的な指標をそれぞれ置いており、その中には「再生可能エネルギー導入量」などが含まれています。これらは短期的・中期的アウトカムにあたる部分です。さらにそうしたアウトカムがSDGsターゲットのどれに貢献し、どのような目標にするかを数値でまとめています。つまり、自分たちの活動が中期的・長期的にどのようにSDGsに貢献していくかを数字で示しています。

新国富指標の活用例も見てみましょう。福岡県久山町では、九州大学都市研究センターと連携しながら、新国富指標を用いた政策立案を行っています。[7] まず自治体が保有する富（物、人、自然）を数値化して目標を設定、それをもとに自治体が事業を実施・評価し、自治体の持続可能性が向上したかどうかを判断しています。

7 久山町「新国富指標〜持続可能なまちづくりへの挑戦〜」
http://www.town.hisayama.fukuoka.jp/tyousei/gyousei/shinkokufushihyo/index.html

さらにその指標の増減を踏まえた民間企業との連携も始まっています。久山町では九州電力と協力した地域の課題解決に向けた取り組みを２０１８年12月から始めました。取り組みの一例としては、デジタル技術を活用した見守りサービスなどです。この見守りサービスを導入したことによって、住民の安心感や生活満足度が上昇していれば、新国富指標が上昇します。そしてこのサービスの実験的導入によって実際に新国富指標が上がったことが、久山町から九州電力に補助金を支給することにつながったそうです。[8]

このように社会的インパクトやアウトカムを測る試みは広がりつつあります。今回は「ＳＤＧｓ指標」「ＩＲＩＳ＋」「新国富指標」の三つの指標を紹介しましたが、その他にも、社会的インパクト測定のための方法論やツールを開発する取り組みが世界中で行われています。

たとえばケンブリッジ大学のケンブリッジ・インスティテュート・フォー・サステナビリティ・リーダーシップが開発した投資インパクトフレームワーク（Investment Impact Framework）、ドイツの化学メーカーであるＢＡＳＦなどの大手企業によって２０１９年に設立されたバリュー・バラン

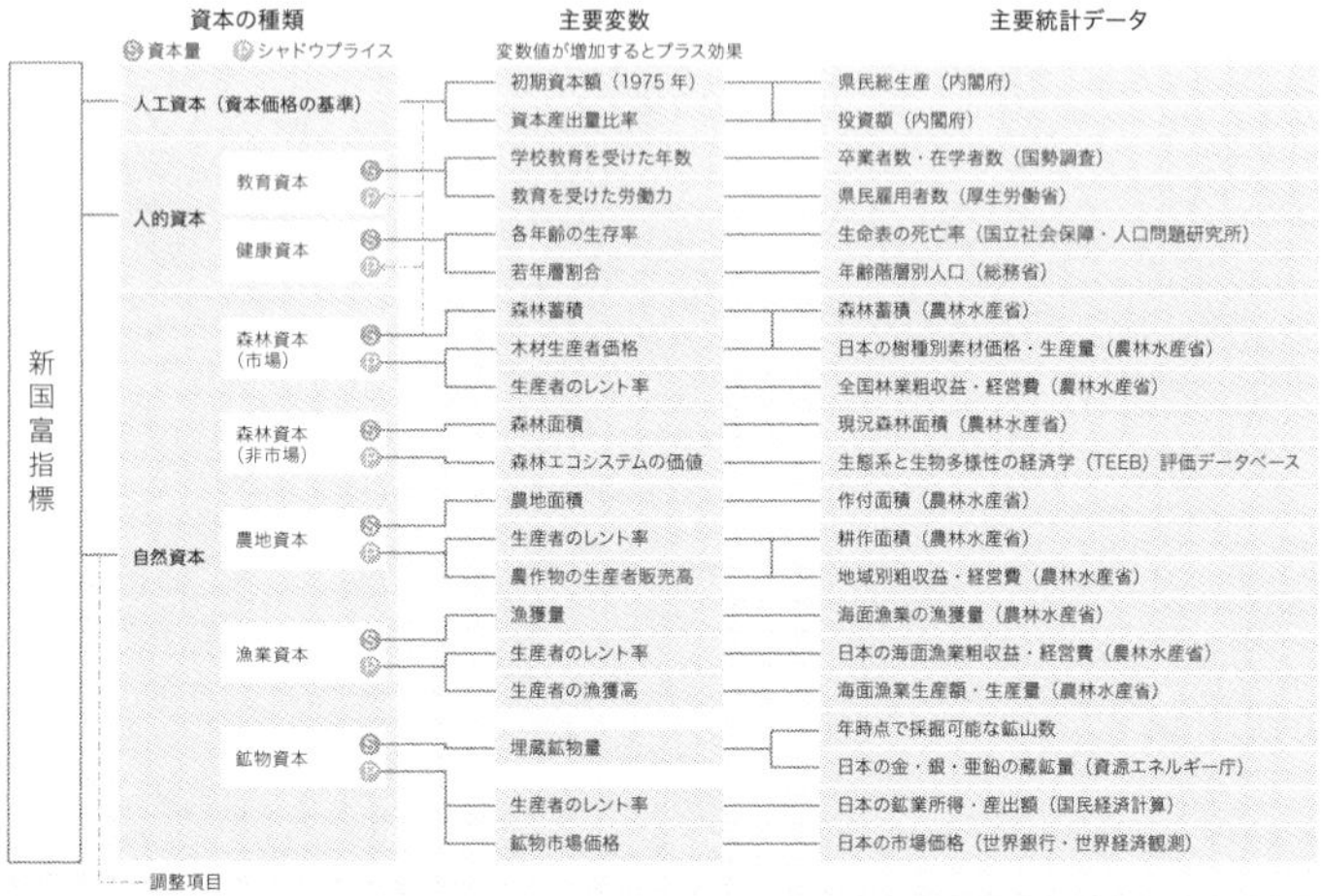

出典：地域の富を見える化ツール EvaCva-sustainable「新国富指標の計算フロー」
http://evacva.doc.kyushu-u.ac.jp/sdgsindex/

8　馬奈木俊介「SDGs の実践 あるべき指標と評価——起業と自治体はどうのように協力できるのか？（2）」、『事業構想』2020 年 7 月号 所収
https://www.projectdesign.jp/202007/sdgs-assessment/008050.php

「北九州市の主な具体的な取組の進捗を測る2020年に向けた指標」

取組	指標（KPI）	現在	2020年度
1	介護ロボット等の実証台数や実証結果に基づく開発・改良台数	3台	9台(2017-19)
2	自動運転関連研究者集積	64名	79名
3	再生可能エネルギー導入量	288,000kW	360,000kW
4	ウーマンワークカフェ北九州年間新規利用者数	3,276人	４，０００人(2019)
5	いきがい活動ステーション利用者数	ホームページ閲覧39,624件／窓口来所4,555件	ホームページ閲覧40,000件／窓口来所5,200件
6	地域生活支援拠点等の整備	0箇所	1箇所
	福祉施設から一般就労への移行	117人	266人
7	ESD活動拠点の利用者及びESD啓発イベント等への参加者数	18,520人	24,000人
8	地域ぐるみの防災ネットワークを構築した校区数	14校区	50校区
	地域防災の新たな担い手を育成した人数	298人	420人
9	環境未来技術開発助成事業で助成した研究開発の事業化数	34件	38件
10	市民1人一日あたりの家庭ごみ量	471g	470g
11	学校におけるフードリサイクル等の出前授業	1校	2校
12	居住誘導区域内における公共事業による新たな住宅供給戸数	0戸	400戸
13	公共交通人口カバー率	79.50%	80%
	公共交通分担率	21.90%	24%
	自家用車CO2排出量（2005年比）	約2.4%削減	約6%削減
14	「北九州市公共施設マネジメント実行計画」に基づく「5ヶ年行動計画（平成29年3月策定）」における公共施設保有量（延床）の削減面積	2,486㎡削減	29,700㎡削減
15	海外からの研修員受入人数（上水・下水）	410人	255人
16	アジア地域における低炭素化プロジェクト実施件数	164件	184件
17	北九州エコプレミアム選定件数	208件	240件

「2030年のあるべき姿の実現に向けた優先的なゴールと指標」

	SDGsターゲット	指標（KPI: Key Performance Indicator）	現在（2018以外）	2030年
経済	8.2、8.4	従業者一人あたり市内GDP(名目)	8,016千円（2014）	9.320千円
社会	5.5	北九州市の付属機関等の女性委員の参画率	付属機関等の女性委員参画率が平均50%を超えている	全ての付属機関等の女性委員参画率が50%を超えるよう取り組む
	8.5	就業率	52.8%（2015）	56.70%
	7.2、13.2	再生可能エネルギー導入量	288,000kW	700,000kW
環境	11.6、12.5	家庭ごみ量	164,330t	159,652t
	17.9	アジアの環境人材育成のための研修員の受入数（延べ）	9,083人	10,000人

出典：北九州市「SDGsを通じて北九州市から世界へ 2018」
https://www.city.kitakyushu.lg.jp/files/000839615.pdf

シング・アライアンスによるもの、ハーバード・ビジネス・スクールのジョージ・セラファイム教授らによってインパクトに重みづけされた会計（Impact-Weighted Accounts）[9]などがその例です。また社会的投資利益率（SROI：Social Return on Investment）と呼ばれる、アウトカムの貨幣価値換算価額の合計をインプットの貨幣価値換算価額の合計で割って算出する、貨幣価値換算ベースの試みも行われています。

定量的な指標を使う必要がない場合もあります。特に事業やプロジェクトのサイズがまだ小さい場合、長期的なアウトカムの一つにこうした社会的インパクトの測定項目が入ってくる程度になるかもしれません。ただ、こうした指標を用いて自社の事業を測ることで、インパクト投資を重視する投資家とのコミュニケーションが円滑になります。そうすると、自社に投資を呼び込むことも可能になり、事業成長の糧ともなりうるでしょう。

測定コストとのバランスを取る

指標の設定が難しい場合もあるかもしれません。たとえば歴史学者のジェリー・Z・ミュラーが指摘するように、**すべてのアウトカムを指標化できるわけではありません**[10]。

製造業などであれば数値化は比較的簡単でしょう。モノの不良率などは測りやすいからです。しかし、現在は人によるサービスが市場の多くを占めるようになり、サービスによるアウトカムの測定は難しくなっています。たとえばマッサージを受けたとして、そのアウトカムとしての「気持ちよさ」を測ることは難しく、また数週間経った後にマッサージのアウトカムが現れてくる可能性があります。教育などのサービスの場合、そのサービスを受けたアウトカムが出てくるのは数年後になるかもしれません。このように、アウトカムの測定は徐々に難しくなっていると言えるでしょう。

そこで無理やり数値管理に落とし込もうとすると、余計にコストがかかることがあります。たとえば、フランス、フィンランド、オランダ、スウェーデン、イギリスの5か国を対象とした調査では、政府が効率的な行政運営をしようと数値管理を徹底してしまったがために、むしろ官僚的な評価や監査が増えてしまったことが指摘されています[11]。

またコストがかかるだけではなく、汚職の原因になる場合

9 "Impact-Weighted Accounts", Harvard Business School
https://www.hbs.edu/impact-weighted-accounts/Pages/default.aspx
10 ジェリー・Z・ミュラー『測りすぎ――なぜパフォーマンス評価は失敗するのか？』（松本裕訳、みすず書房、2019）

もあります。社会学者のドナルド・T・キャンベルの名を取った「キャンベルの法則」では、「定量的な社会指標が社会的意思決定に使われれば使われるほど、汚職の圧力にさらされやすくなり、本来監視するはずの社会プロセスをねじまげ、腐敗させやすくなる」というパターンが指摘されています。[12]

アウトカムは計量的に測定できるものであることが推奨されますが、その測定に多大なコストがかかったり、効率的ではなかったりする場合は、定性的な調査でも構わないとされています。そのときには変化に関わるキーパーソンにヒアリングすることでアウトカムを設定する手段（「知覚されたアウトカム」と呼ばれます）や、観察などの質的研究の手法なども使えるでしょう。

ここまで、定量的な指標について主に解説してきましたが、すべてにおいて普遍的に使える手法はありません。使えるツールを多数用意しながら、目的に合わせた指標と測定方法を選択してください。

11 Christopher Pollitt, etall. 1999. Performance or Compliance?: Performance Audit and Public Management in Five Countries (Oxford University Press)
12 前掲 ミュラー『測りすぎ』

TOOL

3. 課題分析と因果ループ図

ロジックモデルを作る前に使うツールとして、変化経路図を紹介しました。しかし実際に変化経路図を描くなかで、難しいと言われているポイントがいくつかあります。その中で最も大きなものが、**適切なアウトカムをどう選択するか**でしょう。インパクトの達成のためには複数の手段があります。その中で最も適切なアウトカムを選ぶためにはどうすればよいでしょうか？

答えは**課題分析**です。アウトカムを設定するためにはまず課題分析から始めるのが近道です。

何が障害となって、そのアウトカムがまだ達成されていないのかという課題を把握せずにアウトカムを設定してしまうと、本当にそのアウトカムが達成可能かどうか、そしてアウトカムをどのように達成すればよいのかがわからず、効果的ではない設定になってしまうでしょう。

良い課題を特定し分析することについて解説すると一冊の本になってしまうため、本書では課題の分析の詳細には踏み入りません。ビジネスの文脈では『イシューからはじめよ』[1]、政策の場合は『政策立案の技法』[2]などの文献を参照してみてください。

ただここでは、私たちの調査から見えてきた、良い課題を見つけるポイントを五つ紹介しておきます。（1）現場に出て仮説をぶつけること、（2）システム全体を理解してレバレッジポイントを見つけること、（3）課題の適切なフレーミングをすること、（4）解決策の実現可能性を考えること、（5）解決策の二次影響を考えること、の五つです。それぞれを簡単に解説します。

（1）現場に出て仮説をぶつける

現場に出て、生の情報を得ることが課題の把握に最も効果的

1　安宅和人『イシューからはじめよ――知的生産の「シンプルな本質」』（英治出版、2010）
2　ユージン・バーダック『政策立案の技法』（白石賢司、鍋島学、南津和広訳、東洋経済新報社、2012）

であることは強調させてください。単に現場に出て何かを観察するだけではなく、自ら何かを試して、実験して、そこから得られる生の情報や体験、つまり自分が持っていた仮説をぶつける体験が、結局のところ課題発見に最も有効のようです。

スタートアップを見ていても、彼らや彼女らが最初に選んだ課題が最初から適切であることはほとんどありません。多くのスタートアップが大なり小なりピボット（方針転換）を起業後に行っています。それは最初のアイデアが悪かったということを意味するのではなく、彼らが何かを始めたことによって、顧客や当事者と会い、話し、生の情報を得ることによって、本当の課題へと辿り着けたのです。

その課題に至るまで、数年かかる人たちもいます。もしそうした質の良い情報を効率的に得るには、質的研究、特にインタビューや行動観察の方法論を学び、一つの事象から多くの情報を得られるようにしておくとよいでしょう。単に何かをしたり、やみくもに現場で話を聞いたりすればいいというわけではありません。

そうした活動から得られた情報を基に、新たな仮説を立てます。その仮説を信頼できる人たちに見せてみて、フィードバックを得ていきます。ビジネスのアイデア全般もそうですが、アイデアや仮説は壁打ちなどを通して、徐々に作り上げられていくものです。すぐに閃くものではありません。

このような現場での仮説検証の活動が、課題を把握する最も効果的な手段の一つです。こうした泥臭い活動をできる人はそう多くないため、これができるだけでも多くの競合他社に比べて優位性を持てます。

（2）システム全体を理解してレバレッジポイントを見つける

現場から得られた情報を持って、システム全体を理解することで、本当に解くべき課題が見えてきます。

社会問題は様々な事象が関連しあって生まれています。様々な問題同士がトレードオフを起こしていたり、鶏卵の問題があったり、A↓B↓C↓A↓……のように要因がループして問題がロックされてしまっているものもあります。そうしたシステム全体を大きく改善できるところに取り組むことで、本当に解くべき課題を解決できます。逆にシステム全体を理解していないと、現場の課題を場当たり的に解決することになります。

たとえば皆さんが地元の教育システムに不満を持っていて、状況を改善するために、非営利組織による安価な教育サービスを提供することを考えたとしましょう。教育には多くの人が関わりたがる傾向にあるため、非営利であっても多くの人が参加してくれるかもしれません。うまくいけば賛同する人や組織も増えてきて、より多くの教育サービスが非営利かつ安価に提供されていくでしょう。

ここまでは良い動きです。しかしその後、徐々に類似サービスが増えて、教育サービスが飽和してくるかもしれません。サービスが飽和するだけであればいいですが、良いサービスがより安価に受けられるとなると、本来の専門の教職や資格を持つ人たちに対する賃金の下落圧力が働きます。そうすると優秀な層が教員になることを避け始めてしまうでしょう。その結果、地元の公共教育システムがさらに弱体化し始めてしまうかもしれません。地元はさらに非営利組織に頼るようになります。そして、その非営利組織が何らかの理由でなくなってしまうと、地元に残るのは、弱体化した公共教育システムだけとなってしまいます。

これは戯画的に書いたもので、このようなことが起こるとは限りませんし、こういうことを考え始めると何もできなくなってしまいます。しかしシステム全体を考えておかなければ、本当に何が有効な打ち手なのかはわかりません。

こうしたシステム全体を考えるときにはシステムマップを描いて、現状を整理するのも一つの手です。

システムマップ（system mapping）は、システム思考で使われる技法の一つです。システム思考はソーシャルセクターでしばしば使われている手法で、物事の各要素の関係性とダイナミズムを体系的かつ全体的に捉えることを重視する考え方です。ビジネスでの応用については『学習する組織』[3]や『優れたビジネスモデルは好循環を生み出す』[4]などで、ソーシャルセクターでの応用については『社会変革のためのシステム思考実践ガイド』[5]『世界はシステムで動く』[6]

3　ピーター・M・センゲ『学習する組織――システム思考で未来を創造する』（枝廣淳子、小田理一郎、中小路佳代子訳、英治出版、2011）
4　ラモン・カサデサス＝マサネル、ジョアン E. リカート「優れたビジネスモデルは好循環を生み出す」、『ハーバード・ビジネス・レビュー』2011年8月号所収
5　デイヴィッド・ピーター・ストロー『社会変革のためのシステム思考実践ガイド――共に解決策を見出し、コレクティブ・インパクトを創造する』（小田理一郎監訳、中小路佳代子訳、英治出版、2018）
6　ドネラ・H・メドウズ『世界はシステムで動く ―― いま起きていることの本質をつかむ考え方』（枝廣淳子訳、小田理一郎解説、英治出版、2015）

などでも詳しく解説されています。

システムマップは現在のシステムの在り方を描写したり、最もレバレッジの効く介入点を探ったりするために使われます。システムマップにはいくつかの種類があり、時系列変化を捉える図や因果関係を示す図もあれば、ステークホルダーの関係を示す図、ストックとフローの関係を描いた図などがあります。

ここでは因果関係を示す**因果ループ図**を中心に解説します。因果ループ図は簡略的であるものの、システム全体の把握とレバレッジが効くポイントを把握するために最も有効な手段の一つだからです。

因果ループ図では、システムの中で関係のある要因（変数と呼ばれます）を、因果関係を示す矢印で結んでいきます。特定の変数が別の変数を増やす場合は、関係性を示す矢印にS（same の略）や＋をつけ、逆に減らす場合はO（Opposite の略）や－をつけます。場合によっては、＋の線は実線、－の線は点線など、線の種類で表すこともあります。こうして関係性を図示していくと、フィードバックループのような部分も生まれます。

以下の図は自動車についての因果ループ図です。電気自動車

自動車の因果ループ図

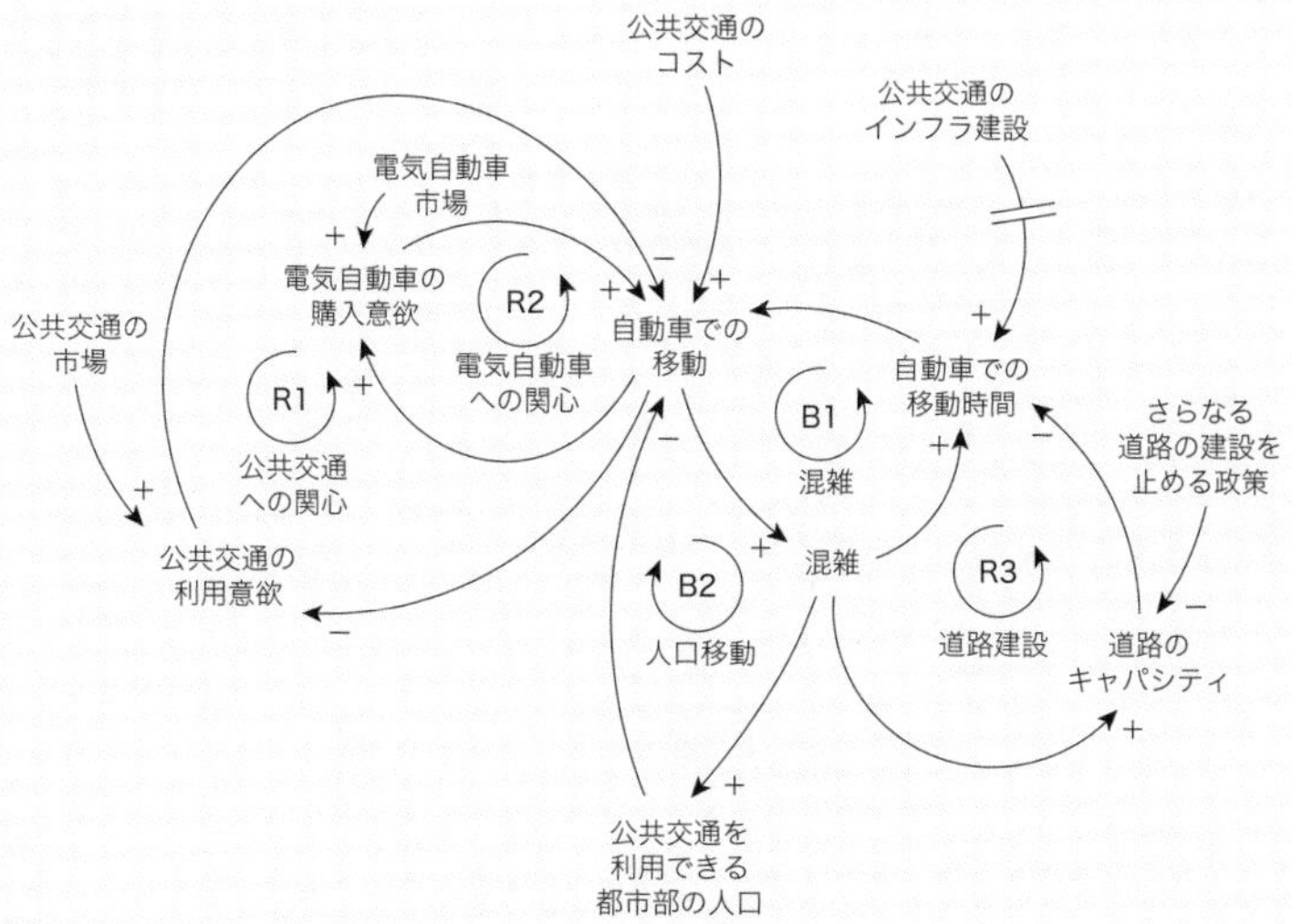

出典：Sampsa Ruutu, Heidi Auvinen, Anu Tuominen, Toni Ahlqvist, Juha Oksanen, Simulation of transitions towards emission-free urban transport, *31st International Conference of the System Dynamics Society 2013*
https://cris.vtt.fi/en/publications/simulation-of-transitions-towards-emission-free-urban-transport

への移行だけではなく、渋滞による人口移動や道路の敷設、公共交通機関への意識の高まりやコストなども車の利用に影響してくることが、因果ループの形で示されています。

セオリーオブチェンジの変化経路図は、インパクトからインプットへという枠組みがあり、基本的にはツリー状に整理していくため、物事の実際の関係性を図示するには少し窮屈な場合があります。一方で、因果ループ図では思いあたる変数をすべて書き出し、関係性を示す矢印を何本描いてもよいので、より柔軟に図を描くことができ、現実の複雑さを図に反映させることができます。その結果、本当にレバレッジが効く課題を発見しやすくなるのです。

簡単に因果ループ図の描き方を解説しましょう。因果ループ図を描くためには、まずなんのために描くのかという目的を定めることが重要です。今回であれば、インパクトを達成するのに最も適切なアウトカムを選ぶために、アウトカムを阻む課題を探す、というのが目的です。正しく精密な因果関係の図よりもその目的に役に立つ図を描くことを意識してください。

そして変数と呼ばれる、システム上の要素を選定します。現実世界のすべてを書き込むわけにはいかないので、重要なものだけを描きます。変数は名詞を選びましょう。また、増加もしくは減少するものを指定してください。たとえば売上はわかりやすい例です。幸福度など人の感情も、増減するので変数の候補になります。

リストアップした変数間に因果関係がある場合は矢印でつなぎます。間に少し飛躍を感じるのであれば、その間に変数を足して、より因果関係をわかりやすくしたほうがいいでしょう。

こうしてシステムの全体像を描いた後は、レバレッジポイントを選定します。因果ループ図という名前が示す通り、この図を描くときのポイントはループになっている部分を特定することです。システム思考では、変化を促す「自己強化ループ」と変化を抑制する「バランス型ループ」の2種類が主にあるとされています。もし何かを変えたいのであれば、バランス型ループを見つけると、そこから解決すればレバレッジの効く課題が見えてくるでしょう。

またシステム全体を描いていくうちに、「これは本当にそうなのか?」と疑問に感じる変数やループが見つかるはずです。

それもシステム全体を変える一つの突破口となりえます。

因果ループ図は自分の思考の整理にも参加型の議論にも非常にお勧めの手法です。ぜひ一度因果ループ図でシステム全体を整理してみてください。

(3) 課題の適切なフレーミングを行う

課題のフレーミング次第で、課題がどう見えるかが変わってきます。またフレーミング次第で解決可能かどうかや効果的な解決策であるかどうかも変わってきます。

たとえば少子高齢化が問題であるとしたときに、その根底に流れる課題を、若者のやる気の問題だとフレーミングするのか、若者の経済難という問題だとフレーミングするかでは、課題の見え方も解決策も大きく変わります。

フレーミングをするときは、因果ループ図などを使ってシステム全体を見渡してみましょう。単一の変数を解決するのか、あるいは複数の変数を同時に攻略するのかなどで、フレーミングを変えることができます。

注意点として挙げたいのが、課題の中に解決策への示唆を入れてしまわないようにすることです。[7] たとえば「ホームレスの家族のための避難所が少なすぎる」と課題のフレーミングをしてしまうと、課題のなかで「多くの避難所」という解決策が最も優れたものであると示唆してしまうことになります。そうすると、たとえばホームレスになるのを防ぐ方法など、別の方法を考えるのを妨げてしまいます。また「自殺を引きとどめるための地域社会が弱っている」というフレーミングだと、地域社会を改善するための解決策を探すことになり、自殺の要因となりうるそのほかの選択肢を考慮することができません。

課題のフレーミングは適切な解決策を導くための重要な一歩です。うまく課題をフレーミングして、良い解決策を思いつけるようにしてください。

(4) 解決策の実現可能性を考える

課題を特定することと同時に、それが解決可能かどうかを考えなければなりません。どんなに重要な課題であっても、解決できないのであればそれは良い課題とは言えないからです。

7 前掲 バーダック『政策立案の技法』

この段階になって初めて、テクノロジーをどう使うかを考えるフェーズになります。それを解決できそうなテクノロジーが存在していることや、そのテクノロジーの成熟度、応用可能性など、様々な側面を知らなければ、解決策の実現可能性は測ることができません。

そのためには十分にテクノロジーのことを理解している必要があります。ただしテクノロジーといっても、最先端の研究である必要はほとんどありません。誰にでも扱えるテクノロジーやツールだけで十分解決可能な課題はたくさんあります。

傾向として、社会課題について興味のある人は、解決策の候補となるテクノロジーについてあまり知らないことが多いようです。逆にテクノロジーに詳しい人は、テクノロジーありきで課題やアウトカムを設定してしまいがちな傾向にあります。これはサプライサイドの発想なので注意してください。ハンマーを持つとすべてが釘に見える、などと言われますが、できる限りそうした発想は避けて、広く解決策を探していきましょう。

そのためには日々、解決策やテクノロジー、エビデンスの引き出しを増やすようにしておいてください。インパクトを考える方法と同じく、結局はここでもどれだけ日々インプットをしているかが影響してきます。

（5）解決策の二次影響を考える

解決策がある程度決まってきたら、因果ループ図をベースに解決策の二次影響や三次影響を考えてみましょう。先ほど例に挙げた非営利組織による教育サービスの提供のようなことが起こりうるかどうか、自分の解決策でもチェックしてみるのです。

たとえば待機児童問題は、保育園を増やすことで解決が可能なように思えます。しかし、待機児童を減らすために入園可能な児童の数を増やすと、これまで入園を諦めていた人も入園を希望するようになるでしょう。すると「あの自治体では保育園に入りやすい」というニュースが流れて、移住する人が増え、結局また満員になってしまいます。また、保育園が増えることで保育士が足りなくなる、という問題もすぐに起きてしまうでしょう。システムが複雑である場合、直接的な解決策がベストな解決策とは限らず、このような二次影響や三次影響を予想しながら、何が本当にベストな解決策なのかを考える必要があります。

同様に、渋滞をなくすために道路を増やすという対策を考えてみましょう。この案も一見良さそうに見えますが、道路が増えるとその分、道がスムーズに流れるようになり自動車が増えてしまいます。そうなると電車などの交通機関を増やすことが一つの解決策になるかもしれません。しかし電車が快適になれば、その沿線に住む人が増え、住む人が増えるとまた自動車が増えて、渋滞が起こってしまうかもしれません。

このように一つの解決策やアウトカムの達成は二次影響、三次影響を引き起こし、別のアウトカムへの悪影響を引き起こすこともあります。そもそも一つの原因だけが課題を生んでいることは稀です。こうした二次影響の可能性は、因果ループ図を作って参照しながら考えてみるといいでしょう。そうして課題を整理した中で最もレバレッジが効くものを選定し、アウトカムを設定していきましょう。

TOOL

4. アクティビティシステムマップ

アウトカムを最大化するためにはアウトプットを最大化していく必要があります。そしてアウトプットを最大化するために、できる限り多くのアクティビティを実施したいところです。しかし資源に限りがある以上、すべてのアクティビティを実施できるわけではありません。そこでアクティビティは戦略的に選定していく必要があります。

またアクティビティは、一つひとつが独立しているわけではありません。それぞれが関連しあって、お互いのアウトプットを高めあったり、ときにはお互いを邪魔しあったりすることもあるでしょう。単一のアクティビティで他社に比べて優れた結果を得るのは難しいので、複数のアクティビティを組み合わせて、積み上げながら独自性を出していくことがビジネスの定石です。また、すでにどういったアクティビティをしているのかは、これからどういうアクティビティをすればよいのかに大きく影響します。

そこで「**アクティビティシステムマップ**」というものを作ってみて、そこからアクティビティを選ぶことをお勧めします。

アクティビティシステムマップは戦略論で著名なマイケル・ポーターが提案した手法です。ポーターの戦略論では、「アクティビティ」という言葉は様々な経済的機能やプロセスを指しています。たとえば製品開発やサプライチェーンの管理、配送などはそれぞれが活動（アクティビティ）です。そしてアクティビティの一つひとつをコストではなく、付加価値を生み出す段階として捉えます。仮に何か行動を取っていても、それが付加価値につながっていないのであれば、アクティビティとしては認められません。

こうしたアクティビティを競合他社よりも効率的に行う能力を、ポーターは業務効果と呼んでいます。ベストプラクティスなどが用いられるのは業務効果においてです。しかし業務効果は戦略ではありません。戦略とは、それぞれのアクティビティの効率を上げることではなく、アクティビティを独自に組み合わせることで作られるのです。

そこでアクティビティシステムマップで、アクティビティを書き出したうえで、アクティビティ同士どう関連しあうか、どう高めあうかを線でつないで可視化することが一つの手法として提案されています。

以下の図はイケアのアクティビティシステムマップです。グレーの部分は顧客への価値提案、本書でいうところのアウトカムに相当します。そのアウトカムの周辺にある白い円がアクティビティです。それぞれのアウトカムに貢献しているアクティビティは線で結ばれており、アクティビティ同士が影響を及ぼしあう場合も、アクティビティ同士が線で結ばれています。イケアの「低価格」で「イケア・スタイルのデザイン」があり、「すぐ手に入る喜び」というアウトカムは、この一見複雑なアクティビティが組み合わさり、つながることで、成し遂げられていることが図示されます。

本書のロジックモデルに合わせてマップを描く場合、アウトカムやそれに貢献するアウトプットを中心に描きます。それらに最も影響しそうなアクティビティや多額のコスト

イケアのアクティビティシステムマップ

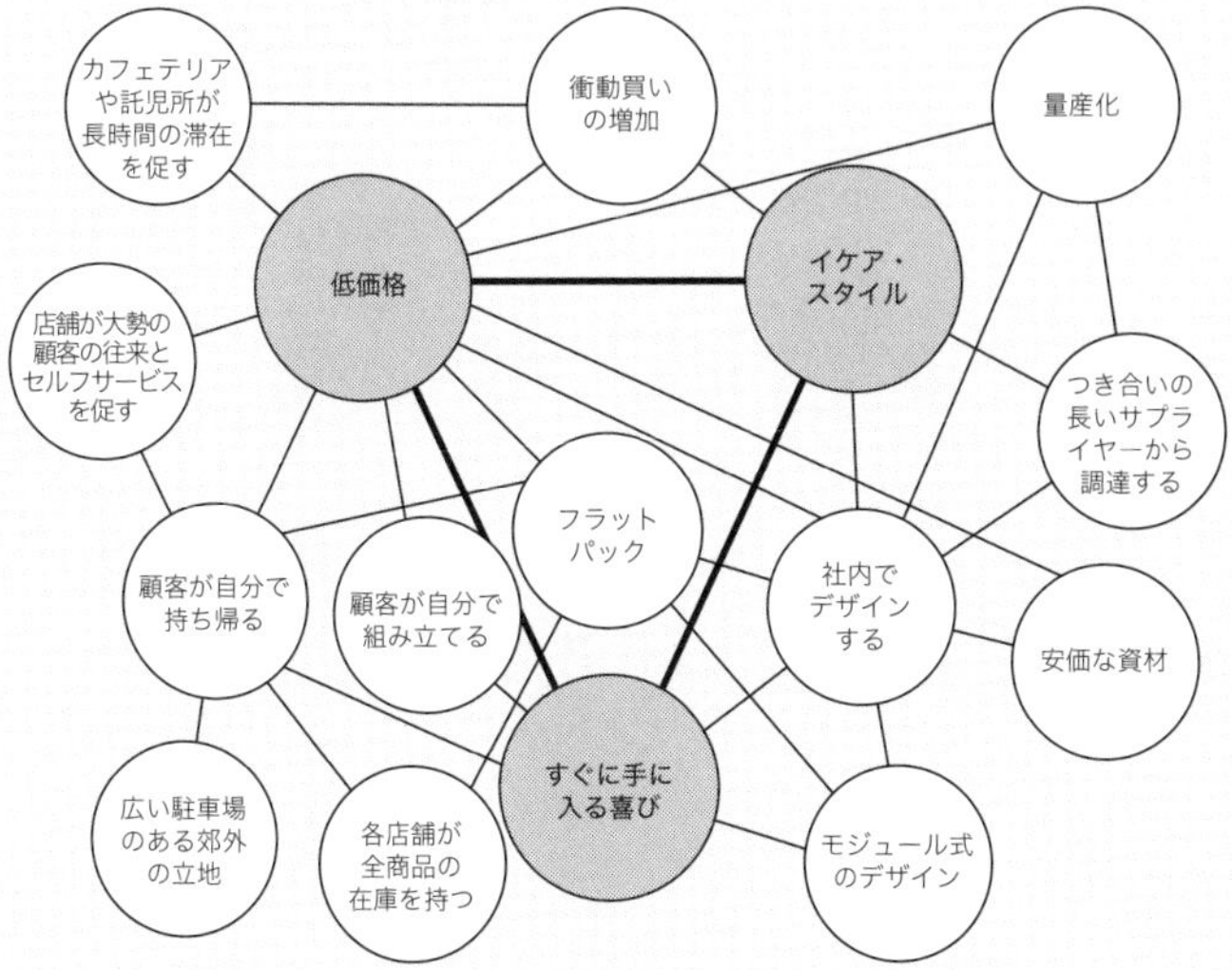

出典：ジョアン・マグレッタ『〔エッセンシャル版〕マイケル・ポーターの競争戦略』（櫻井祐子訳、早川書房、2012）

をかけて実施するアクティビティを特定し、それをアウトカムの周辺に配置します。そしてアクティビティがアウトカムに貢献している場合、線を引いてつないでみましょう。アクティビティが他のアクティビティを補強したり、高めあったりしているのであれば、アクティビティ同士の間にも線を引いてみてください。そうすると、どのアクティビティとどのアクティビティが効果的に相互作用しているのか、またどのアクティビティがほかのアクティビティとあまり高めあってはいないのか、などを可視化することができます。

アクティビティ同士がお互いに高めあうような複雑な図を描けると、競合はその戦略を模倣しづらくなります。一方、結びつきが少ないアクティビティシステムマップは戦略的にはあまり良くない状況を示しています。

もしすでに何かしらの事業を始めているのであれば、まずは自分たちのやっているアクティビティを付箋などに書き出してみて、アクティビティシステムマップにしてみるところから始めてみましょう。そのうえで、今後追加すると効果的に思えるアクティビティを、別の色の付箋などに書き出して置いてみてください。既存のどの活動と相性が良さそうなのか、次にやるべきことや、そのために必要なインプットも見えてくるでしょう。

アクティビティシステムマップは単純であるものの、新規のアクティビティを検討したり、すでにあるアクティビティのどれかをやめる判断をしたりするときに使える効果的なツールです。ぜひ一度自分たちの現在のアクティビティシステムマップと、将来のアクティビティシステムマップを作ってみてください。

TOOL

5. リスクと倫理への対応方法

リスクの対応

リスクの章では広義の不確実性を四象限に分けました。少しだけ復習してみましょう。

「リスク」とは、発生する確率も、発生したときのアウトカムについてもある程度わかっているものです。**「不確実性」**は、何が起きるかはおおよそわかっているものの、それがどの程度の確率で起こるのかはまだわかっていないものを指します。**「多義性」**は発生確率はある程度わかっているものの、有害事象やその発生結果として何が起こるかがわかっていないもの、そして**「無知」**はどのような種類の有害事象がどの程度起こるかわからないものです。

この分類をしたアンディ・スターリングは、この四つの領域それぞれにおいて使えるツールを以下のように整理しています[1]。本書ですべてを解説はしませんが、代表的なものを紹介しましょう。

たとえば「リスク」の領域では、費用便益分析やリスク評価、モデルの最適化などを行えばある程度リスクを馴致できます。フェイルセーフ（誤操作時に安全な方に作動する仕組み）やフールプルーフ（扱い方を間違えても危険が生じない、あるいは誤操作ができない構造）の仕組みを入れるということもできるかもしれません。

一方で、発生確率がまだわかっていない「不確実性」の領域については、シナリオプランニングなどの技法を使って、起こりうる複数のシナリオを想定しておくことが手法として挙げられます。またプレモーテム（事前検死）と呼ばれる手法を使って、社会に対するネガティブインパクトを想定しておくこともできるでしょう。プレモーテムとは、最悪のシナリオを考えたうえで、その原因をあらかじめ考えて、その原因に対する予防や予備をするという方法論です。社会に対するリスク

1　Andy Stirling. 2010. Keep it complex, *Nature,* 468, 1029–1031

という観点では、民間企業は自社の事業についてのプレモーテムを行うだけではなく、社会についてのプレモーテムを実施することで、社会への不確実性について考えることができるようになるでしょう。

何が起こるかわからない「多義性」や「無知」の領域では、様々なステークホルダーに対して参加型の熟議を行っていくことが手段として挙げられています。参加型の熟議については、センスメイキングの中でも触れていますが、この領域は社会的な合意が必要とされる領域です。

一般的に、**社会実装を進めるうえでは、まずその事業が「無知」の領域にあることを前提にしながら議論を進めていくとよい**でしょう。社会実装を行う人たちには、問題を「リスク」の領域にあるものとして位置づけたがる傾向があります。なぜなら、そのほうが問題を取り扱いやすいからです。発生確率と発生したときの影響がわかっている、という状況とみなしてしまえば、保険などで対処できるかもしれませんし、手間のかかる対話なども必要なくなります。

しかし社会実装に新規性が高ければ高いほど、専門家であってもその影響については本当は無知であるはずです。最大限

リスクの領域での活動 ・.リスクアセスメント ・モデルの最適化 ・専門家のコンセンサス ・費用便益分析 ・信条の集約	**多様性の領域での活動** ・インタラクティブモデリング ・参加型の熟議 ・フォーカスグループ＆ディセンサスグループ ・複数基準マッピング ・Q メソッド、レパートリーグリッド法
不確実性の領域での活動 ・インターバル分析 ・シナリオメソッド ・感度テスト ・意思決定ルール ・評価可能な判断	**無知の領域での活動** ・モニタリングとサーベイランス ・効果の巻き戻し可能性の確保 ・コミットメントの柔軟性 ・適応性、レジリエンスの確保 ・ロバストネス、多様性

出典：Andy Stirling. 2010. Keep it complex, *Nature*, 468, 1029–1031
https://www.nature.com/articles/4681029a

リスクを緩和しつつも、自分たちは無知であると謙虚に構えたうえで、無知や多義性の領域のツールを活用することを検討してみてください。過去には、遺伝子組み換え作物が欧州で社会的論争になったあと、それを振り返ったレポートの中には「対話をするのがあまりに少なすぎ、あまりに遅すぎた」という反省が記されています。[2] 同様の反省は、様々な社会実装の事例でも見聞きしています。こうした過去の反省を活かすためにも、まずは無知を前提とした活動を行うことをお勧めします。

リスクコミュニケーション

リスクコミュニケーションとは、「**個人やグループ、そして組織との間で、リスクに関する情報や意見を交換する相互作用過程**」とされています。ポイントは相互作用というところであり、リスクコミュニケーションは決して情報を一方的に送ることではありません。

一般的にリスクコミュニケーションというと、物事を深く知っている専門家や国家公務員が、その知見に基づいて「説得」するようなものだと捉えられがちです。しかしコミュニケーションとは双方向的なものであり、メッセージの受け手がどのようなことを考えているのかを解きほぐしながら、その人にあったメッセージを発したり、ときには送り手のほうが考え方を改めたりしながら進めていくものです。

そうやって相手のことを理解しながら進むために、何よりも「聞く」姿勢が重要であることは、しばしばコミュニケーションの分野で指摘されることです。リスクを「伝える」というよりも、むしろ「聞く」こと、そして相手が何を不安に感じているのかを理解するほうが大事な活動だと認識したうえで臨むのがよいでしょう。そうして対話的に進めるのがリスクコミュニケーションの本来の姿です。

こうしたリスクコミュニケーションを積極的に行うメリットはいくつかあります。ある研究では、説得的コミュニケーションではなくリスクコミュニケーションを与えられた受け手は、送り手に信頼感を持つようになり、情報内容に関しても信頼感を高めるという結果がでています。[3] さらにそのリスクに関係している当事者がリスクコミュニケーションに参加していることで、信頼が構築されやすくなることもわかって

2 Wilsdon, James and Willis, Rebecca .2004. See-through science: why public engagement needs to move upstream. *Project Report. Demos*, London.
http://sro.sussex.ac.uk/id/eprint/47855/

3 木下冨雄、吉川肇子「リスク・コミュニケーションの効果 (1),(2)」(1989)、『日本社会心理学会第 30 回大会発表論文集』109-112

います[4]。こうした観点からも、リスクを隠すよりも、リスクについて積極的に情報を知らせていくほうが長期的に見て好ましいと言えるでしょう。

そのうえで、リスクに関する情報を伝えていく必要があります。社会心理学者の木下冨雄氏は以下のようにリスクコミュニケーションの手順をまとめています[5]。

- 対象となるリスクの実態についての正確な認識
- リスクコミュニケーションの目的関数の設定
- 地域の社会的・歴史的背景の把握
- 送り手の選定
- 受け手の想定
- コンテンツの工夫
- メディアの選択
- 場面の設営と運営方式の決定

この八つのプロセスをリスクコミュニケーションのユニットとし、さらに以下のようなステップもあることを指摘しています。

- リスクコミュニケーションのユニット（1〜8）とその繰り返し
- 事前準備と事後の総括
- コスト計算
- トレーニング

ここでのポイントは、**「リスクがない」ことを納得してもらうために、リスクコミュニケーションをするわけではない、**ということです。**リスクはあくまである前提で、そのリスクや損失を最大限可能な範囲で下げつつ、それでも何か悪いことが起こるときには起こるという前提のもと、失敗しても結果を納得して受け入れられるようにする、**という態度のほうがより実践に近い立場のように思います。リスクは決してゼロにはできません。だから、失敗して損失が発生したとしても、関係者がそれに納得できるかどうか、という観点でリスクコミュニケーションを考えていくほうが現実的だということです[6]。

リスクコミュニケーションを行う際には、ステークホルダーの事前知識に気を配りながら、公正かつ適切な情報を提供し

4　平川秀幸、奈良由美子『リスクコミュニケーションの現在——ポスト3.11のガバナンス』（放送大学教育振興会、2018）
5　木下冨雄『リスク・コミュニケーションの思想と技術——共考と信頼の技法』（ナカニシヤ出版、2016）
6　小林傳司『トランス・サイエンスの時代——科学技術と社会をつなぐ』（NTT出版、2007）

ます。その際には、情報の送り手も受け手も同じインパクトを目指している仲間だという点を伝えましょう。対立しているのではなく、あくまで一緒に考えている仲間だという姿勢を見せることがポイントです。さらに相手の考えや不安を理解し、対話的に進めていくようにしてください。

事業者が最善の努力をした上で、それでも起こってしまったことを咎める人はそう多くはありません。リスクに対して最善の努力をしていることを伝えて、もしより良いやり方があれば教えてほしい、という双方向のコミュニケーションがリスクコミュニケーションのポイントだと言えます。

またリスクコミュニケーションはステークホルダーと直接行うだけのものではありません。マスコミなども重要なプレイヤーとなります。マスコミとも継続的なリスクコミュニケーションを行うことで、事故が起こったときに間違った理解で叩かれることを避けることができます。

倫理綱領・倫理原則の設定

倫理綱領や倫理原則と聞くと、私たちの日々の生活とあまり関係ないように思えるかもしれません。しかしそうした倫理原則などがないと、私たちは専門家を信用することができません。たとえば普段私たちが医師や薬剤師の勧めに従って医薬品を服薬していますが、これは専門家の認証システムや専門職集団の行動規範によって、信頼が制度的に担保されているからです。そして医師や薬剤師に適切な倫理が備わっていることを暗黙的に信じています。おかしな医療行為や医薬品を勧めることはない、という風に、医療従事者の倫理を信じているのです。

新しい技術を扱う組織についても、そうした倫理がきちんと備わっていることを明示していくことで、信頼を得ることができるでしょう。そこで各社や業界で倫理綱領を作ることもあります。

たとえばAIの分野では、各社が自社で倫理憲章や倫理綱領を作っています。順を追ってみてみると、2018年1月にマイクロソフトがAIの倫理憲章を公表し、続いてグーグルやソニーなどが同年に規定や指針を作りました。その後2019年には富士通やNEC、NTTデータといった企業がAIに関する倫理規定を自社で策定しています。自治体もこうした潮流に乗りつつあります。AIではありませんが、つくば市はスマートシティ化を進めるにあたり、個人データやセキュリティの観点から、「つくばスマートシティ倫理原則」を制定し、公開しています。[7]

業界団体として倫理綱領を作るのも一つの手でしょう。たとえばAIについては、日本でも人工知能学会や日本ディープラーニング学会などが、大学教員などを巻き込みながら倫理規範を定めています。

倫理綱領は各業界によって異なると言われています。[8] たとえば情報産業では知的財産やプライバシー、個人情報の扱いの責任を強調する傾向にあります。土木・建築系の業界は地域に固有の文化や伝統への配慮といったことを強調します。また記述のレベルについても、基本綱領のみの場合もあれば、特定の場面での具体的な行動指針や手引きを決めているものもあります。どこまで踏み込んで書くかも業界によって異なります。そのため業界ごとに倫理規定を作るほうが望ましいでしょう。

近年、技術者コミュニティにおいても、「行動規範」や「Code of Conduct」が制定されることが多くなってきました。これらの明文化された行動規範においては、ハラスメントの禁止や差別の禁止が謳われています。このような行動規範が設定され、運用されていることで、そのコミュニティに足を運びやすくなった人も多いはずです。

こうした倫理綱領を定めることのメリットは、自社の行動についてもコンプライ・オア・エクスプレイン（遵守または説明：綱領に従うか、従わない場合はその理由を説明すること）ができるようになる、という点があります。また、何か判断が難しい事案が起こったときには原則に立ち戻って考えることもできます。**倫理綱領は自分たちを守るための一つのツール**として、考えておくとよいでしょう。

7　つくば市「つくばスマートシティ倫理原則」
https://www.city.tsukuba.lg.jp/shisei/oshirase/1008536.html
8　黒田光太郎、戸田山和久、伊勢田哲治『誇り高い技術者になろう――工学倫理ノススメ』（名古屋大学出版会、2004）p. 247

TOOL 6. パワーマップとキーパーソン

パワーマップ

本書でのガバナンスとは「関係者や関係するモノの相互作用を通して、法律（制度）や社会規範、市場、アーキテクチャなどを形成・変化させることで、効率・公正・安定的に社会や経済を治めようとするプロセス全般のこと」であると述べました。そのガバナンスを変えていくうえでまず重要になってくるのが、相互作用を行うステークホルダー（利害関係者）の洗い出しです。

1776という、規制産業に特化したスタートアップ支援組織があります（アメリカ合衆国の設立年が1776年であることからとった組織名です）。共同創業者であるエヴァン・バーフィールドは、2018年の著書『Regulatory Hacking: A Playbook for Startups』で、スタートアップがどのように規制を変えていき、ビジネスを推進していくかの方法をまとめています。[1]

バーフィールドは、まずやるべきこととして「パワーマップ」を描くことを推奨しています。これは他の文脈ではステークホルダーマップと呼ばれるものでもあります。たとえば次ページの図は、学校に関わる人たちのパワーマップです。

パワーマップはパワー（力、権力）についての地図（マップ）であり、公式な関係者から非公式な関係者まで、力を持つ人たち全体の関係性を図にする試みです。それぞれのステークホルダーは異なる動機や能力を持っています。規制を行う人もいれば、社会的な行動規範を作る人たち、お金を払う人たち、インフルエンサーなど、様々な利害関係者がいて、それぞれの関係を図の中に描きます。

こうして自分たちの事業に関係する人たちをパワーマップに落とし込むことで、誰と相互作用をしていくべきか、あるいは

1　Evan Burfieldx and J.D. Harrison, *Regulatory Hacking: A Playbook for Startups* (Portfolio, 2018)

パワーマップ

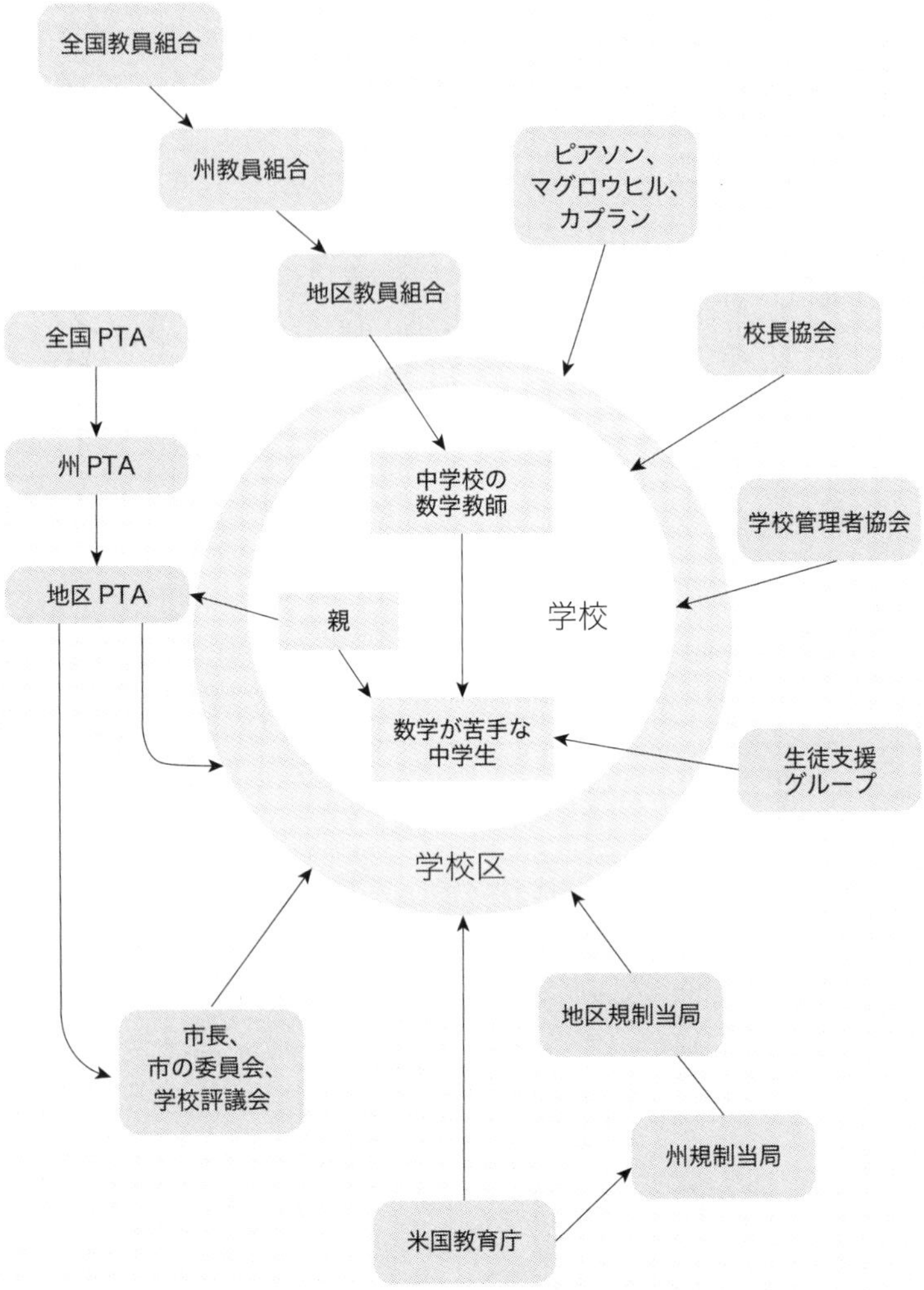

出典：Evan Burfieldx and J.D. Harrison, *Regulatory Hacking: A Playbook for Startups* (Portfolio, 2018)

誰を動かすべきかが徐々にわかってきます。

多くの場合、政府、組織、インフルエンサー、市民の四つのステークホルダーがいます。同書では、それぞれの細分化を行っています。

下の図を参考にしながら、自分たちの事業に関連するステークホルダーのパワーマップを作り、関係性を見渡してみましょう。こうした人間関係や力関係からレバレッジポイントが見えてくることも多くあります。

パワーマップは最初から完璧である必要はありません。まずは現在わかっている範囲で描いてみて、物事が進むたびに見返してみてアップデートしていくとよいでしょう。プロジェクトを進めてみると、実は異なる非公式な力関係があることがわかったり、力関係自体が時間によって変わってきたりする場合もあります。

また、ステークホルダーを洗い出した後は、それぞれの利益についても整理しておきましょう。人は基本的に自己利益に沿う活動しか支援してくれないからです。本当に物事を動かしたい場合には、ステークホルダーの自己利益やインセンティブ構造を理解して、動いてもらう必要があります。言い換えれば、

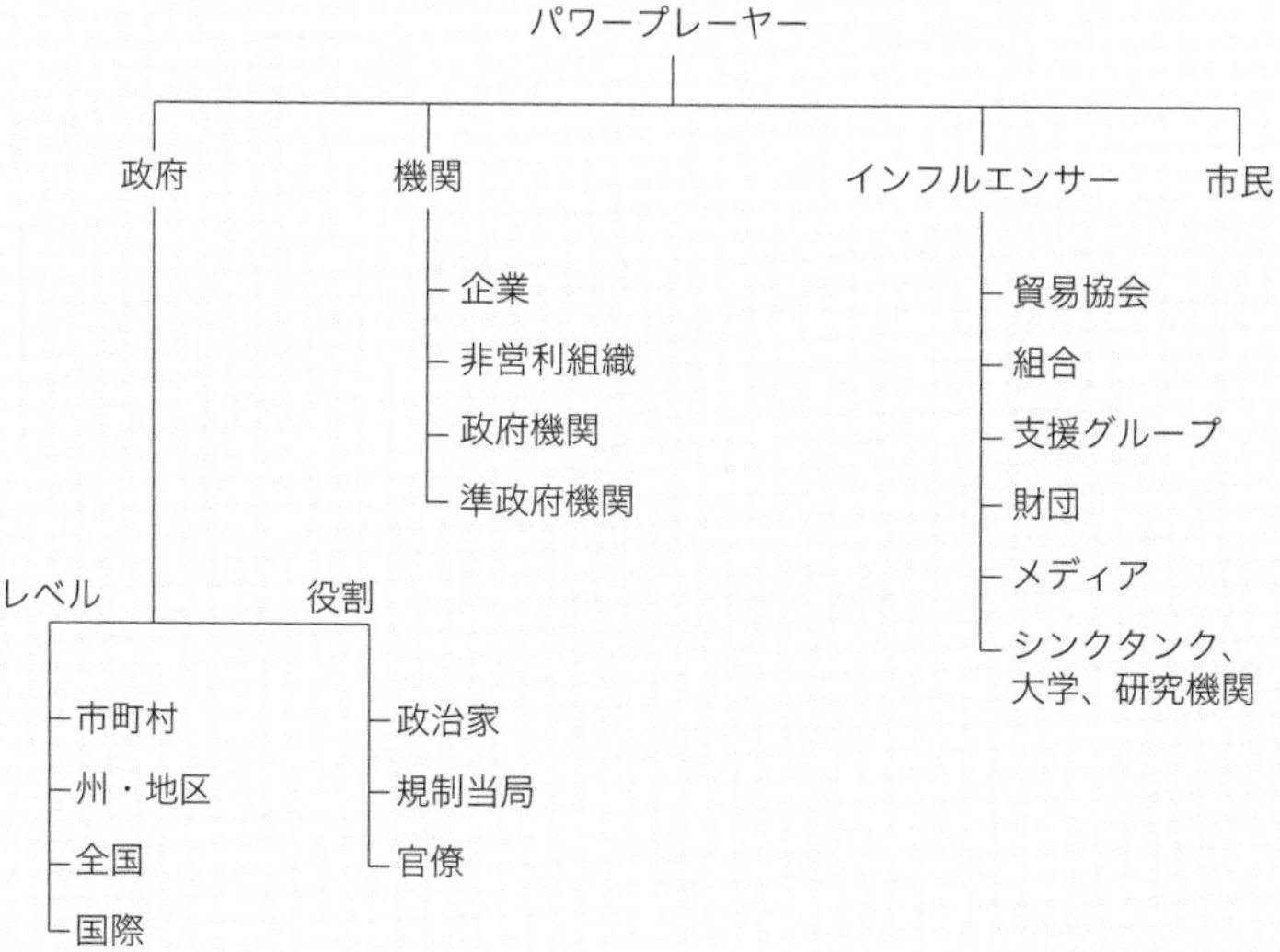

出典：Evan Burfieldx and J.D. Harrison, *Regulatory Hacking: A Playbook for Startups* (Portfolio, 2018)

ステークホルダーに取り組みの「当事者」になってもらう必要があるということです。

社会を良い方向に変えるための活動をする場合、無私の利他主義的な考え方を良しとして、その考えを他人にも押し付けてしまうこともあります。しかし多くの人は自己利益に基づく活動をしますし、そもそも自己利益に基づく活動は悪ではありません。それにもともと公共的な利益は最終的に個々人の利益に紐づくはずであり、公益に即していれば、個々人の自己利益につながることも多いはずです。

たとえば、行政官の自己利益を考えてみましょう。行政官のキャリアは年功序列であり、基本的には成功することよりも失敗をしないことでキャリアアップをしていきます。給与が上がるのも中年以降です。こうしたインセンティブ構造の中にいる人は、基本的には何事もなく過ごすことや、リスクを回避することに動機付けされており、多くの場合、新しいことへのチャレンジには消極的です。行政官がこうしたインセンティブ構造下にある背景には、そもそも行政サービスは安定して行われるべきだ、という考えがあるのでしょう。新しい物事は基本的にはリスクをはらみ、安定性を損なう面もあるからです。

そうした状況の中にいることを踏まえて、彼らの自己利益を考えてみると、共通の利益を捉えることができるでしょう。たとえば、行政官でも直近の施策の目標は持っているはずです。その施策の目標が何で、社会実装のプロジェクトがそれに対してどのように貢献できるのかを考えましょう。また行政官も国や自治体を良くしたいという志を持ってその職を選んだはずです。そうした公共の精神に訴えかけるのも一つの手でしょう。

昨今はインセンティブ構造を変えるという取り組みも行われています。たとえば行政官に関していえば、イギリスの省庁などで行政府のミッションに「イノベーションを推進する」などの文言を入れることで、リスクを取って新しい挑戦をすることを仕事の一部として再定義することも試みられています。[2]

市民が社会を変える運動や手法の一つとして、**コミュニティ・オーガナイジング**という方法論があります。このコミュニティ・オーガナイジングでもパワーマップと類似の方法がお勧めされています。[3] それぞれのステークホルダーの自己利益を

2　Department of Health & Social Care, Government UK
https://www.gov.uk/government/organisations/department-of-health-and-social-care/about
3　マシュー・ボルトン『社会はこうやって変える！――コミュニティ・オーガナイジング入門』（藤井敦史、大川恵子、坂無淳、走井洋一、松井真理子訳、法律文化社、2020）
鎌田華乃子『コミュニティ・オーガナイジング――ほしい未来をみんなで創る５つのステップ』（英治出版、2020）

顧客関係者のタイプ（因子分析による）

ゴー・ゲッター
●他者のよいアイデアを支持する。
★つねに求められる以上の成果を出す。
●ミスから学び、進歩する。

ティーチャー
●新しい知見を教える。
★同僚や幹部から意見を求められる。
●他者の説得がうまい。

スケプティック
●不透明なプロジェクトを危険と見なす。
★影響力の強い関係者を破壊的なアイデアに備えさせる。
●変革にはまず小さな成功が必要だと考える。

ガイド
★ベンダーには手に入りにくい情報を提供する。
★ベンダーと話すときは真実を述べる。
●情報を公平に分配する。

フレンド
★接触しやすく、販売員との会話を楽しむ。
★販売員と同僚のネットワークを築く。
●販売員に惜しみなく時間を割いてくれる。

クライマー
★プロジェクトから個人的利益を得る。
●リスクをとったことに対する個人的報酬を望む。
●成功談を話したがる。

ブロッカー
●安定そのものが目標だと考える。
●改善プロジェクトは気が散ると考える。
●めったにベンダーを助けない。

★賛同者／指南役の主要属性
n=717.
出典：CEB による分析

組織行動の推進に及ぼす効果（顧客関係者タイプ別）

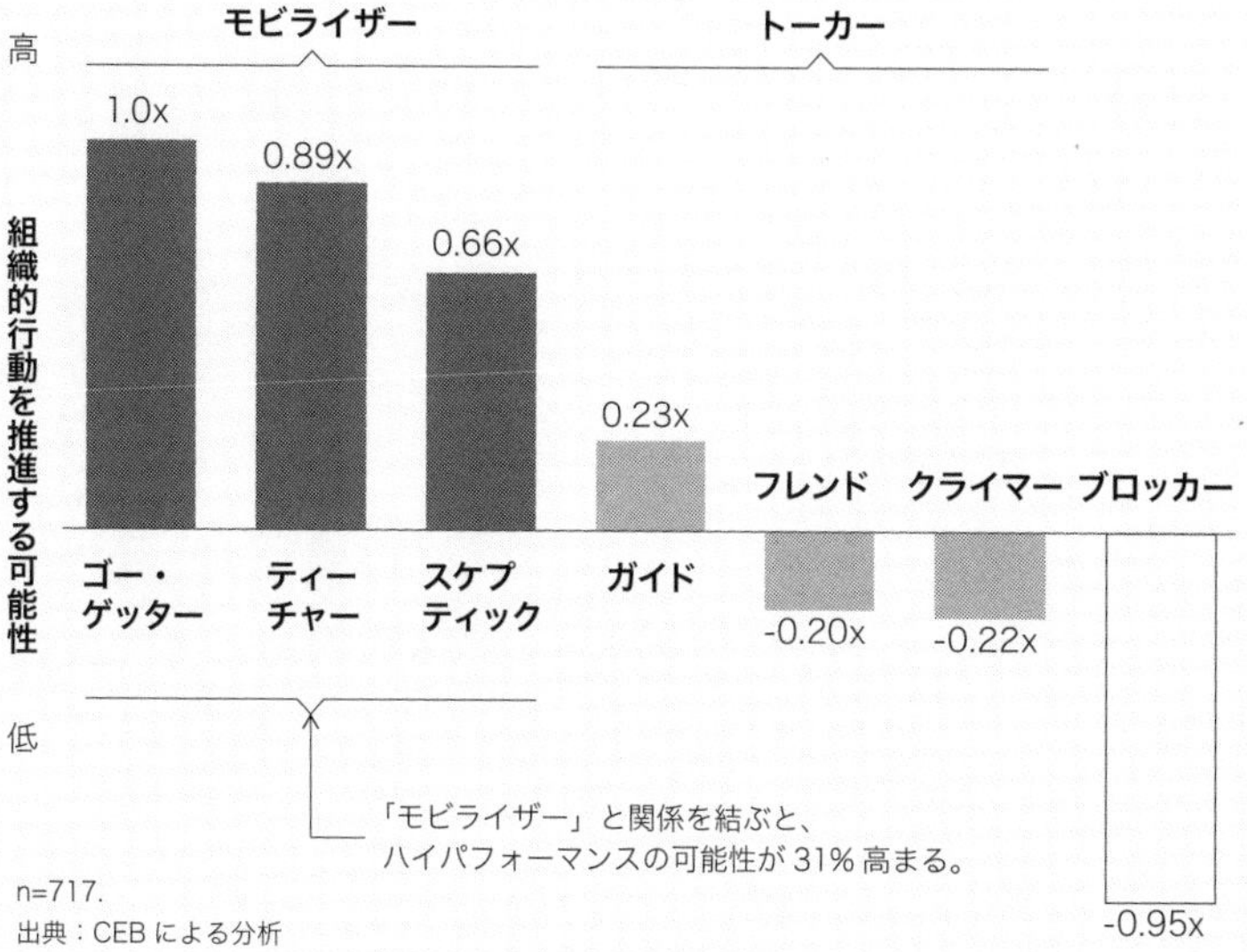

n=717.
出典：CEB による分析

出典：マシュー・ディクソン他『隠れたキーマンを探せ！――データが解明した 最新 B2B 営業法』（神田昌典、リブ・コンサルティング日本語版監修、三木俊哉訳、実業之日本社、2018）

考えながら、共通する利益を見定め、ステークホルダーと関係性を作っていきながら、その関係性から権力（パワー）を引き出すという方法です。そして、その中でも重要視されている一つのステップが、ステークホルダーの中の意思決定者やキーパーソンを見つけて、その人を巻き込むことです。

キーパーソンの理解と巻き込み

社会実装に成功した人たちの多くが共通して言及していたのが、**キーパーソンの巻き込み**でした。ステークホルダーの中でも特にキーとなる人をどこまで巻き込めるかが、そのプロジェクトの成否を決めたと言うのです。『誰でもできるロビイング入門』では、ロビイングの際にも適切な議員や官僚にアクセスし、説得することの重要性が事例とともに語られています。[4]これは政府に限らず、どの組織においても言えることでしょう。

ここではパワーマップからもう一歩踏み込んで、より精緻に、キーパーソンの氏名まで特定できるようにする必要があります。

どんな組織にも組織全体を動かす上でのキーパーソンがいることが知られています。たとえば、『隠れたキーマンを探せ！』では企業の営業の文脈で、因子分析をした結果、取引先企業の中のある特徴を持つ一部の人たちと関係を結ぶことで、案件が進む傾向にあったという調査があります。[5]そのようなキーマンを「モビライザー」、動員する人と呼びます。

キーパーソンは集団のどこかにいます。そこでまずはキーとなる集団を見つけることが、ガバナンスを変える一つの方法です。たとえば規制を変えたいのであれば、規制改革推進会議のような会議体が該当するかもしれません。この会議を通して改革に興味を持つ政治家にアクセスすることもできるでしょう。

キーパーソンが集団の中でどこにいるのかはっきりしない場合もあります。そのときは業界内部で聞き取りを行い、誰がキーパーソンかを特定することは一つの手です。なお、地方自治体ではキーパーソンが首長であることが多い傾向にあります。

新しい領域だと、誰がキーパーソンなのかがまだ確立されていない場合も多いでしょう。その場合は、キーパーソンを

4　明智カイト『誰でもできるロビイング入門——社会を変える技術』（光文社、2015）
5　前掲 ディクソン他『隠れたキーマンを探せ！』

自らプロデュースすることもできます。たとえば、特定の人にメディアに出てもらって、影響力を持ってもらうのです。自分自身をキーパーソンにする手もあります。それを実施したのが、Fintech研究所を早くから作ったマネーフォワードでした。

キーパーソンによって、その人の動かし方も異なります。政治家である後藤田正晴の著書『情と理』が示唆する通り、人の動かし方には大きく二つの方法があり、情に訴えるか、理に訴えるか、です。概して、政治家には情へのアプローチ、官僚には理（理屈）へのアプローチのほうが効果的のようです。センスメイキングの手法で言えば、政治家にはナラティブで説得し、官僚に対してはデータを用いて説得するなど、対象となる人によってセンスメイキングのためのやり方を変えることで、よりスムーズに事が運びます。

組織の構造を把握し、キーパーソンを巻き込むことは、ガバナンスを変えていくための重要なプロセスです。ここでは人を知っていくための泥臭い活動が必要になりますが、パワーマップを随時更新しながら進めていきましょう。

ソーシャルセクターとの連携

行政の中でのキーパーソンをすでに見つけている人たちと連携していくのも一つの方法でしょう。ソーシャルセクターとの連携です。

私たちの調べた社会実装の事例の中でも、特に地方自治が関わる場合、**ソーシャルセクターの団体が行政と民間企業、市民との間の仲立ちを行い、お互いの言語ややり方の翻訳を行う「翻訳家」として機能することで社会実装が進む**例がいくつもありました。

もともと、多くのＮＰＯはそれぞれのミッションに従って、社会課題の様々な関係者の利害調整を行ってきており、その分野や地域で信頼を得ています。成果を出している組織は行政とのコミュニケーションの作法もわかっています。それにＮＰＯはもともと利益を目的としないものの行っているのは民間としての活動であり、企業との類似性も高いため、企業から見ると行政よりも連携しやすい、話がわかる人が多いという面もあるのでしょう。

実際、経団連の調査によれば、企業がＮＰＯに関わる数は昔に比べて増えてきています。

ただし、関与の仕方の多くは、「支援」が多く、政策提言的な対話を行っているのは13％にすぎません。

ＮＰＯやＮＧＯと民間企業の連携はまだ始まったばかりです。しかし公益を目指す企業が増えるにつれて、支援だけでなく共同事業や、政策提言的な対話などの取り組みも今後増えていくのではないでしょうか。

民間企業が政治家を通して何かを行おうとしたとき、政治家のその分野以外での興味関心や志向性が自社の政治信条と合わず、そのことが関わり方を難しくする場合もあります。規制改革で協力を得たいものの、その政治家のイデオロギーや他の政策を会社として支持しているとは見なされたくはない、といったこともありうるでしょう。一方、ＮＰＯやＮＧＯは特定の領域や特定の課題にフォーカスしているため、取り組む問題に共通点があれば組みやすい相手になります。

ただ、ＮＰＯと民間企業で異なるのは、ＮＰＯは利益以上にミッションを重視していることです。そのため事業による利益を重視しているような話をすると、多くのＮＰＯは協力してくれません。自分たちの事業の目指すインパクトを伝えること、目指すインパクトが一致する組織を選ぶことが大切です。

本書ではソーシャルセクターの手法をプライベートセクターである民間企業が学ぶことを主な軸としています。**単に学ぶだけではなく、民間企業とＮＰＯとがお互いに連携していくことも、社会的インパクトを実現する上の一つの手段である**ことをここでは提案させてください。

非営利組織との接点を持つ企業の割合

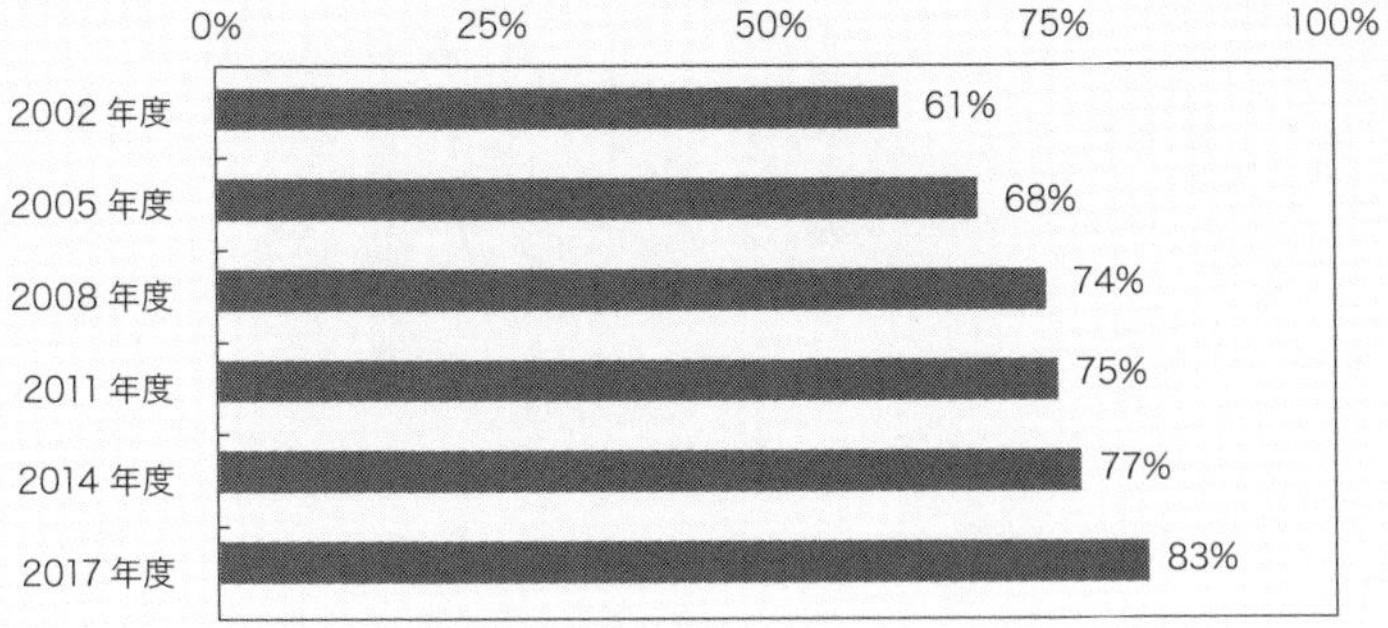

※構成比（%）は、「項目別回答企業数／調査回答企業数」（2002 年度 ：338 社、2005 年度 ：447 社、2008 年度 ：408 社、2011 年度 ：437 社、2014 年度 ：378 社、2017 年度 ：353 社）

非営利組織との具体的な関係（複数回答）

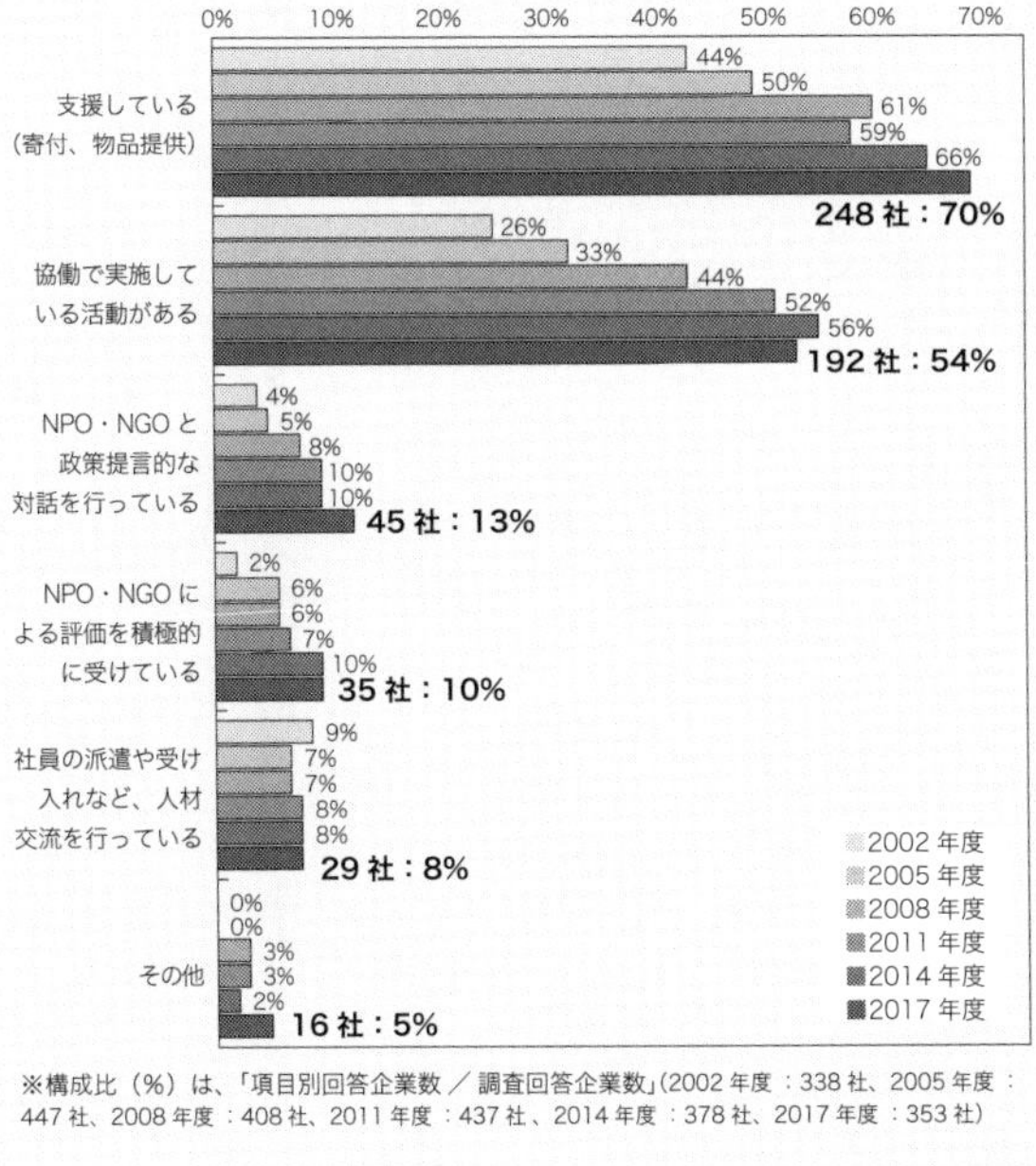

※構成比（%）は、「項目別回答企業数 ／ 調査回答企業数」(2002 年度 ：338 社、2005 年度 ：447 社、2008 年度 ：408 社、2011 年度 ：437 社 、2014 年度 ：378 社、2017 年度 ：353 社）

出典：一般社団法人日本経済団体連合会、1％（ワンパーセント）クラブ「2017 年度社会貢献活動実績調査結果」、2018 年 11 月 13 日
https://www.keidanren.or.jp/policy/2018/097_honbun.pdf

TOOL

7. 規制の変更

システム全体を変えるにあたり、ルールやガバナンスの変更は大きな影響力を持ちます。

「もし世界が100人の村だったら」というエッセイで有名なドネラ・メドウズは、システム思考を解説する著書『世界はシステムで動く』の中で、システムに介入するべき場所をランク付けしています。[1] そのランキングでは、1位がパラダイムを超越する、2位はパラダイム、3位はゴール、4位は自己組織化、5位がルールとなっています。本書ではこれまで3位の「ゴール」に介入するためにインパクトを設定する重要性を述べてきています。ここでは、5位のルールの変更で使うツールを紹介します。

ルール（rule）という言葉は、規則や規制、法律や社会的慣習といった約束事全般を指します。比較的強制力の強い法律もルールですし、風習による社会規範のようなものもルールです。このパートでは、そうしたルールの中でも特に法規範として定められる「規制」についてお話しします。

本当に規制を変える必要があるのかを考える

まずそもそも規制に関わるビジネスをしていくかどうかが大きな分かれ目です。

多くの事業は、現行の法の中で行うことができます。またガバナンスを変えるには法以外の規範や市場を変えることも手段としてあり、法を変えるよりもそちらのほうが早い場合も多いでしょう。

法を変える場合、時間軸も問題です。スタートアップは約1年半分の資金を獲得してそのお金で次のマイルストーンに辿り着き、さらにそのあとまた資金調達をする、というのが一般的な流れです。大企業の新規事業でも、おおよそ2年から3年程度でその事業の趨勢を見るというのが一般的でしょう。

1 ドネラ・H・メドウズ『世界はシステムで動く――いま起きていることの本質をつかむ考え方』（枝廣淳子訳、小田理一郎解説、英治出版、2015）

もしハードローとしての法令や条例を変更するとなった場合、その説得プロセスに1年以上、さらに法案が通るまでに1年を要します。仕込みから考えると、おおよそ3年ほどかかる計画で考えていく必要があるでしょう。そもそも国会で通せる法案の数は年間100から200本程度です。議員や官僚が協力してくれたとしても、自分たちのビジネスに関わる法案の優先順位が高いとは限らず、翌年に持ち越しになってしまうこともあるかもしれません。そうなった場合、数年の間、何も進捗がないまま過ぎ、その中で資金が尽きてしまったり、新規事業のプロジェクトが終了してしまったりすることは容易に想像がつきます。

つまり、**ルールとしての法規制を変えることは、事業者、特にスタートアップにとってはタイムライン的にとても難しいのです。**このことをあらかじめ知ったうえで臨む必要があります。

しかし社会的インパクトを出していくために、規制のある分野で活動することは有意義なことにつながりやすいとも言えます。規制領域は、規制が作られる程度に重要な領域ということであり、その規制をアップデートして新たなサービスを提供すれば大きなインパクトを生む可能性があるでしょう。規制を変えると同時に市場に大きなホワイトスペースが生まれる可能性もあり、ビジネスの機会としても魅力的です。それに、それだけ腰を据えて長い時間をかけて戦うことを選ぶ人はそう多くなく、その結果、競合も少なくなります。

日本ではルールに従い、ルールの中でパフォーマンスを最大化することは得意な人が多いようです。だからこそ、**ルールを問い直し、それを最適な形にしていくことは、他社との差別化という観点で大きなアドバンテージともなる**でしょう。

そうしたメリットとデメリットを考えながら、本当にルールを変える必要があるのかをまず考えてみてください。

ルールを超えていく

もしルールを変えることを考えていくのであれば、ルールを超えていくという態度をお勧めします。

弁護士である水野祐氏は『法のデザイン』の中で、「ルールを超えていくことは、ルールを破ることを意味しない。ルールがどうあるべきかということを主体的に考えて、ルールに関わり続けていくことを意味する」と述べています。[2] ここでのポイントはルールがどうあるべきかを考える、というところです。

Airbnb のようなシェアリングエコノミーを進めていくことを考えてみましょう。旧来のルールを変えていくときに、単に「シェアリングエコノミーのほうが新しいから」という態度で臨むとうまくいかないでしょう。旅館の規制があるのも、市民が安全に宿泊できるよう、最低限の基準を定め、それをモニタリングしていくためです。旅行客にとっては、規則に従ったホテルであれば安全に宿泊することができますし、ホテル側にとっては規制の条件を満たすことで、事故時のリスクを行政側にも担保してもらうことができます。単に新しいものだからといって、それを受け入れてもらえるわけではありません。

ルールを超えていく、つまりルールがどうあるべきかを主体的に考える、という態度が重要です。たとえばルールを維持する官庁と対立をするのではなく、彼らと同じゴールを共有し、そのゴールを達成していくために何が必要かを考えていくこと、そして単に規制緩和を求めるのではなく、規制や法を社会のためにアップデート（更新）していくことのほうが望ましいと言えます。それはある意味、**新しい規制や法律で信頼をどのように担保するのか、という問題を解決しようとする創造的な営み**です。

とはいえ、新しい法を作ったり、変えたりすることはとても難しいことです。法を変える前にやれることは多数あります。まずはこれらを検討してみましょう。

規制の確認を行う

まずできるのは、規制自体を確認することです。そのためのいくつかの方法を紹介します。

弁護士事務所への確認

日本でも規制改革に携わる弁護士が増えてきました。特定分野の規制に強い弁護士事務所などに相談することで、方針を立てることができるでしょう。場合によっては、法解釈次第で、法を変えずとも新しい事業を展開できる可能性もあります。

2　水野祐『法のデザイン――創造性とイノベーションは法によって加速する』（フィルムアート社、2017）

どの弁護士事務所や弁護士が良いかは領域によって異なります。業界内で有名な弁護士がいることが多いので、そのような人を特定してみてください。本当に社会的に意義のある取り組みであれば、心ある弁護士の方々は積極的に関わってくれます。

ノーアクションレター制度（法令適用事前確認手続）

事業活動を行う前に、その具体的な行為の適法性を確認する手段として、2001年から用意されている制度です。窓口は各省庁に用意されています。

照会する法令を特定したうえで、照会書に必要事項を記入して、照会窓口に提出することで回答が得られます。照会書には法令に対して自社の解釈を書いて提出することになります。

原則として、省庁に照会書が届いてから30日以内に回答されます。法令に抵触しないという回答が得られた場合は、特定の罰などが執行されないことになるので、ノーアクションレター制度と呼ばれます。

規制を緩和するわけではないため動きは早く、まずはここから始めるのも一つの手でしょう。ただし問い合わせた結果、「法令に抵触する」となった場合、そこから先に進めなくなる可能性があります。そのため、問い合わせる前にも十分な調査や相談が必要となる点は注意してください。

グレーゾーン解消制度

ノーアクションレター制度に似た制度として、グレーゾーン解消制度があります。新しく開始する事業において、規制の解釈や適用の有無を確認するための制度です。

ノーアクションレター制度との違いは、ノーアクションレター制度は規制の担当省庁が対応しますが、グレーゾーン解消制度では事業の担当省庁が対応することになります。僅かな違いのように見えますが、この違いは大きいものです。規制担当省庁は慎重な回答をする傾向にあり、リスクを避けがちですが、事業担当省庁はその事業を推進したいというインセンティブが働くため、事業担当省庁側で回避策の提示や交渉などを行ってくれる可能性があるのです。

グレーゾーン解消制度も企業ごとに申請が可能であり、正式な申請後、原則として1か月以内に回答が得られるとされています。活用実績も経済産業省のウェブサイトで公開されているので、過去にどのような照会があったのかを調べることもできます。

この制度も法令を変えるようなものではないため、比較的早く動くことができるでしょう。ただし、ここで得られるのはあくまで法令適用の解釈でしかないため、法に抵触するという判断が下る可能性もあり、その場合はノーアクションレター制度と同じく、事業を進めることが難しくなります。

実験環境を利用する

ルールを変えるために、すでに用意されている「ルールを変えるためのルール」を上手く活用するという方法もあります。２０２０年現在の日本ではいくつかのルール変更のための実験環境が用意されています。これらを簡単に解説しましょう。

国家戦略特区

国家戦略特区は「世界で一番ビジネスをしやすい環境」を作ることを目的に、地域や分野を絞って、従来の規制を緩め、新たなビジネスを生んでいく取り組みです。２０１３年に関連法が制定され、２０１４年に最初の区域が指定されています。

たとえば国家戦略特別区域法に基づく旅館業法の特例、いわゆる「特区民泊」の認定を東京都大田区が２０１５年に受け、同区では同年に関連条例を制定しました。このような認定を受けることで、Airbnbなどの民泊が大田区でより柔軟に実施できるようになりました。

特区法での規制緩和が実現している場合、認定を受けると特例措置によって事業を行うことができます。特例措置を受けたい場合は、特区の自治体で設置されている窓口や内閣府の地方創生推進事務局に問い合わせるとよいでしょう。

これから規制緩和を新しく希望する場合は新たな提案をすることになります。地方創生推進事務局の提案様式に従って提案をして、一連のプロセスを経た後、特区法などの改正によって新しい規制改革事項が追加される、という流れになります。

特区法を使った事例として、兵庫県養父市の例もあります。同市では道路運送法で禁じられていた観光客向けの自家用車を使った有償運送サービスや、薬機法で禁じられていたテレビ電話を使った服薬指導を解禁するなどの規制緩和を行っています。その他の事例もウェブで公開されているので、どのようなケースでこの制度が使えるかを確認してみてください。

新事業特例制度

新事業特例制度は、企業が新しい事業を始める際に、安全性の確保などを前提にした規制緩和を提案して、規制の特例措置を例外として認めてもらう制度です。[3] かつては企業実証特例制度と呼ばれていました。

実務としては、新たな規制の特例措置の整備に関わる要望書を提出し、省庁間での検討を求めます。もし要望が認められたら、事業者は新事業活動計画で安全性等の確保についての対応策を提出し、認定が受けられれば活動計画に沿って事業を展開できる、という流れになります。なお、認定は企業単位ですが、複数企業の共同提案もできるとしています。

その後は年に1度の定期的な報告が義務付けられます。うまくいけば特例措置の一般化や全国展開も検討されることになっています。

ただし、新事業特例制度は安全性の証明や、規制緩和案を企業側で考えなければならないなど、コストがかなりかかることが問題でした。そこで出てきたのが規制のサンドボックス制度です。

規制のサンドボックス制度（新技術等実証制度）

プロジェクト型「規制のサンドボックス制度」は、新たな技術の実用化や新たなビジネスモデルの実施が現行の規制上難しい場合、特定の範囲でそのビジネスを可能とするような取り組みです。[4]

この規制のサンドボックス制度は、法改正を前提とはしていません。というのも、規制の中にはハードローで規定されるのではなく、各省庁からのガイドラインや通知、通達などのソフトローで規定されているものもあるからです。そうしたソフトローの部分について、「期間を区切ること」「対象人数を制限すること」によって承認のハードルを下げ、実験を行えるようにする仕組みが規制のサンドボックスです。法改正を前提としないため、比較的速いスピードで実施までこぎつけることができます。

他国ではFinTechやエネルギーなどの分野限定で規制の

3 経済産業省「プロジェクト型『規制のサンドボックス』・新事業特例制度・グレーゾーン解消制度」
https://www.meti.go.jp/policy/jigyou_saisei/kyousouryoku_kyouka/shinjigyo-kaitakuseidosuishin/
4 首相官邸 成長戦略ポータルサイト「規制のサンドボックス制度」
https://www.kantei.go.jp/jp/singi/keizaisaisei/regulatorysandbox.html

サンドボックス制度が行われることが多いですが、日本では事業分野の限定をしていないという特徴があります。そのため他国の同様の制度に比べて、広い事業でこの規制のサンドボックス制度が使える可能性があります。

規制のサンドボックスについても過去の事例がウェブに掲載されています。過去の事例を参考にしながら、相談窓口を活用したり、過去の実践者にも相談したりして、より良いサンドボックスの使い方を模索していくとよいでしょう。

ただし、いくつかの注意点があります。規制のサンドボックス制度は、法改正を伴わないため迅速に動けるという面はあるものの、法改正を伴わないがゆえに、規模を拡大しづらい面もあると言われています。そのため、規制のサンドボックスを使うことでデータなどの説得材料を獲得し、その説得材料を基に法改正を狙っていく、というサンドボックス承認後の動きを事前に詰めておく必要があります。また承認が下りた範囲での実験しかできないため、実験の最中に判明した新たな事実や洞察を基に実験の方針を変えづらいという制約もあります。実際に行うときには、実験可能な範囲にどれだけ柔軟性を持たせられるかがポイントになってきます。

規制のサンドボックスを担当している部署のリソースも限られています。そのため、国として大事な事業を優先して処理されることになるでしょう。自社の事業がそうした公益に利するものの場合、こうした制度はより使いやすくなります。

これらの三つの実験環境の利用については、突然依頼してすぐに通るようなものではありません。提出前にきちんと担当部局と相談したりしながら進めていくことが肝要です。

法律の変え方を理解する

こうした様々な制度を利用したり、検討したりした末に、それでもやはり法律で定められる規制が壁になって先に進めないのであれば、法律を変えていく必要が出てきます。

法律がどのような構造になっていて、どのように法改正が行われていくのかをよく知っているビジネスパーソンは、あまり多くはないのではないでしょうか。そこで法の構造と立法のプロセスについて簡単に紹介しましょう。より詳細な立法過程については中島誠『立法学――序論・立法過程論』[5]や大島稔彦『立法学――理論と実務』[6]、茅野千江子『議員立法の

5　中島誠『立法学〔第4版〕――序論・立法過程論』（法律文化社、2020）
6　大島稔彦『立法学――理論と実務』（第一法規、2013）

実際』[7]を、実務に近い内容については法制執務研究会『ワークブック法制執務』[8]、石毛正純『法制執務詳解』[9]などを参照してください。

法律の構造を理解する

まず法と法律の違いをおさらいしてみましょう。日本における「法律」とは、国会の審議を経て交付されたものを意味しています（憲法59条）。一方、「法」の定義には様々な見解がありますが、一般的には法律よりも広く、国会以外が定める規則や、社会的な慣習・規範も含まれます。

ここでは法律について解説していきます。

法律には大きく本則と附則の二つに分かれ、本則の中には、総則的規定、実体的規定、罰則的規定、雑則的規定の四つの構成要素があるとされます。

総則的規定は目的や理念、基本事項や前提を定めるものです。実体的規定では指針や基準、制限や促進など、法律の中核となる政策手段が記されます。雑則的規定には、技術的事項や手続的事項など、法制度に関連するものの基本的事項とは言えない細かな事項が含まれます。また附則には、施行期日や経過措置などが記されます。

法律だけでは政策を実施できないため、法律の運用のために様々な命令や指示が中央府省から送られることになります。具体的には政令、府令・省令、通達・通知などです。なお、法律、政令、府令・省令を合わせて法令と呼びます。なお、政令や省令、条例などは国会の審議を経たものではないため、法律ではありません。そのため、政令や省令は一般的には法の範疇に含まれることになります。

政令は内閣が定める命令で、施行令といった名称で定められます。省令は担当府省が定めるものであり、施行規則といった名称で設定し、要件や具体的な基準を示します。通達・通知は行政内の上位機関から下位機関に出す命令であり、運用を統一的に実施するために出されます。さらに場合によっては、より具体的な実施要領が発布されることもあります。たとえば教育における学習指導要領は法律ではなく、実施要領に位置付けられます。

それぞれの優劣関係は、憲法もしくは条約＞法律＞政令＞内閣官房令＝内閣府令＝省令＝復興庁令＝規則・庁令、の順となります。

7　茅野千江子『議員立法の実際――議員立法はどのように行われてきたか』（第一法規、2017）
8　法制執務研究会『ワークブック法制執務』（ぎょうせい、2018）
9　石毛正純『法制執務詳解　新版Ⅲ』（ぎょうせい、2020）

ここでのポイントは、規制＝法律というわけではない、という点です。実質的な規制は、運用や細則を省令、あるいは実施要領で決めているケースがあるからです。省令であれば、省庁内の決裁でその変更が可能とも言われています。場合によっては1年かからずに変更することも可能かもしれません。

さらに下位に位置する通達や通知は運用上のもののため、その通達や通知の意図次第ではすぐにでも変更可能です。それを利用したのが規制のサンドボックス制度でした。法改正は数年を要するのが普通ですが、もし障害となっているものが実施要領などである場合は、もっと短時間での変更が可能な場合がある、ということです。

次に地方自治体が施行可能な条例について解説します。地方自治体は法令の範囲内で条例を定めることができます。たとえば歩きタバコの禁止などは区や市によって定められた条例です。キックボードも条例で縛られることがあります。２０２０年には香川県で「香川県ネット・ゲーム依存症対策条例」が施行され、18歳未満のゲーム時間が制限されましたが、これも地方自治体独自の条例です。法令で規制されていないものについて、独自に規制するときには、地方議会が承認す

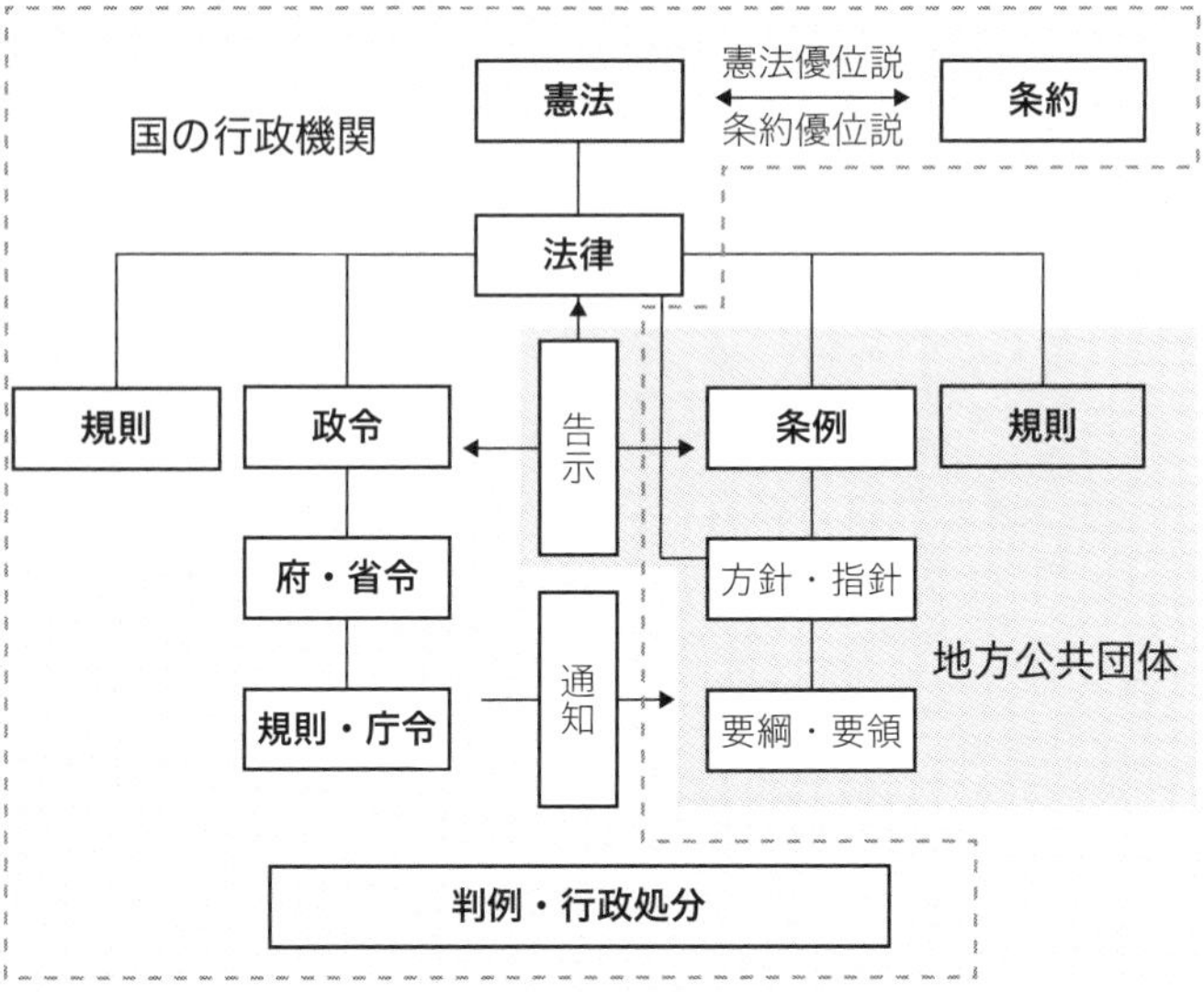

出典：日本の法律を考えるサイト「日本の法律の種類はどれくらいある？」
https://lawjpn.com/archives/40

ることによって規制が行われます。

法を変える、と一言に言っても、変えるべき対象が法のどの部分なのかを判別する必要があるということをまずは理解しましょう。

立法のプロセスを理解する

法律を変える必要があるとなれば、立法を行う必要があります。

法案の出し方には2種類あります。議員立法と内閣立法です。大多数は内閣立法のため、内閣立法から解説します。

内閣立法は省庁主導で、官僚が作成し、内閣法制局がチェックを行います。実務としては、官僚が複数省庁間の意見調整や意見聴衆をしながら数か月をかけて原案を作り、内閣法制局による厳しいチェックを受け、差し戻しを何度も経ながら練り上げる、というプロセスを経ることが多いと言われます。憲法や過去の法律との整合性を重んじるため、思い切った新しいアイデアは入り込みづらい傾向にあります。

一方、議員立法はその名の通り議員が法案を作ります。衆議院では20人以上、参議院では10人以上の賛同者を集めることで、法案を提出することができるようになります。法案をチェックするのは衆議院法制局もしくは参議院法制局です。実務的には、議員が法案を作成し、党内審議を行って国会審議へと回されます。特徴は法案可決までのスピードです。内閣立法よりも早く法案可決に至ることが多いとされています。ただし法案の内容は所属政党の意向なども大きく関与します。

この二つは、提出された法案が成立する割合に、大きな違いがあります。近年、内閣立法は年間で70件から80件程度提出され、そのほとんどが成立しています。一方、議員立法は年間１００件を超えて提出されていますが、成立しているのは年間30件程度となっています。[10]

傾向として、内閣立法は漸進的な改善に向いており、議員立法は大きな変化に向いている、とされています。取り組んでいる社会実装が既存の法案の修正でいけるのか、それとも大きく変えなければいけないのかによって、どちらの立法プロセスをとるべきか、そして官僚と議員のどちらにアプローチするべきかの判断が分かれることを理解しておきましょう。

ただし、事業のために法を大きく変更するからと議員立法を選んだとしても、官僚の巻き込みは非常に重要です。なぜ

10 内閣法制局「最近の法律・条約」
https://www.clb.go.jp/recent-laws/

なら、法の構造で解説した通り、法律は大まかな内容しか決めておらず、実質的な部分は政令や省令、規則といったもので細かく規定されることになるからです。したがって議員立法で成立したとしても、政令や省令の内容次第で運用が大きく変わります。また法案採決後の有識者会議によって、その内容が決められる場合もあります。つまり、議員だけを巻き込んで立法まで成功したものの、官僚を適切に巻き込むことができていなければ、内容を詰めていくプロセスの中で「骨抜き」と呼ばれるような事態が起こることもありえます。そのため議員立法をする際にも、議員はほぼ必ず省庁への根回しを行います。いずれの立法プロセスをとるにせよ、官僚を巻き込んでいく必要があると言えるでしょう。

　こう書くと官僚の人たちが変革を止めるボトルネックのように思われるかもしれません。しかし決してそんなことはなく、

内閣提出法案と議員提出法案の流れ

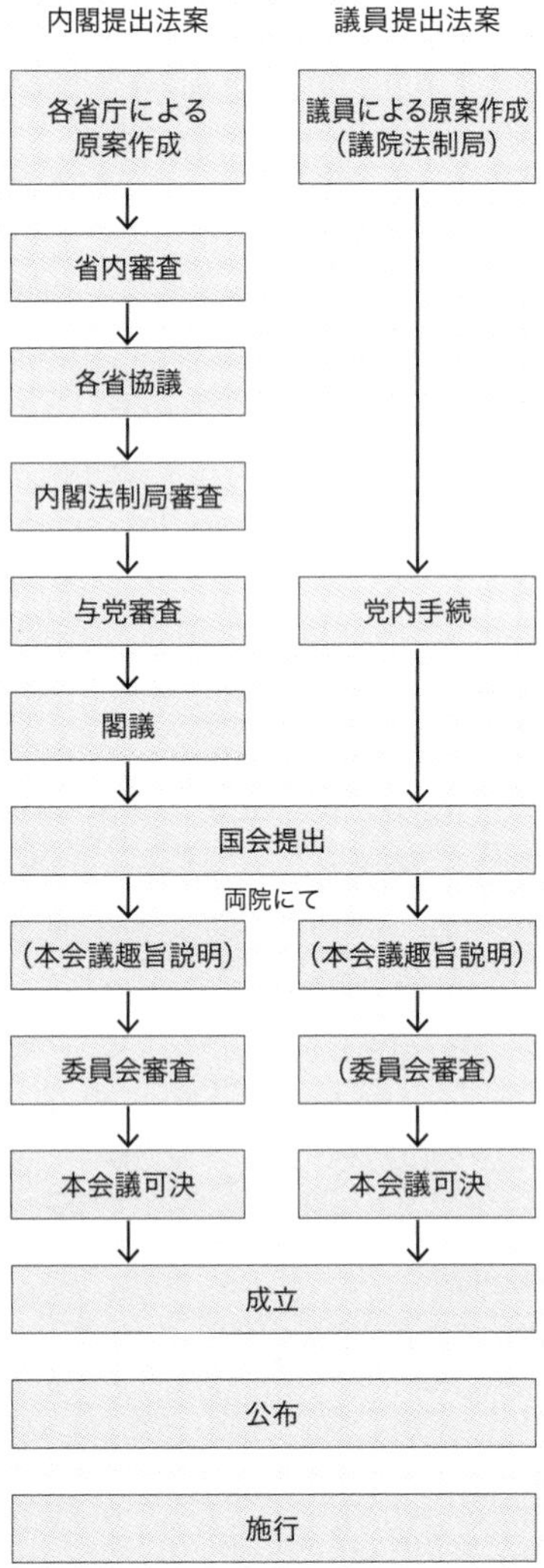

出典：中島誠『立法学〔第４版〕――序論・立法過程論』（法律文化社、2020）

官僚の多くは、私益ではなく公益のために働いており、より良いサービスを市民や国民に提供したいという思いは一緒です。優先順位次第ではありますが、公益に利するような変革の場合は協力的に一緒に考えてくれます。

法をアップデートする方向性

本書では「法を変える」という言葉ではなく、「**法をアップデートする**」という言葉を意識的に使っています。法律は作られた時代には適合していても、社会が変わることで古びてしまうこともあります。それを現代社会に合わせてアップデートしていくのは現在を生きる私たちの仕事でしょう。特にデジタル技術やインターネット以前に作られた法律や制度の場合、その制度が古くなっていることは往々にしてあります。

そのような背景もあり、行政も法令や条例のアップデートをかけようとしていますが、その方向性や優先順位は実際のユーザーのデマンドをよく知る民間事業者が関わることで、よりスムーズに進んでいくはずです。

また、単に法を最新のテクノロジーに対応させるだけではなく、その先の技術の成果に目を向けてアップデートすることにより、将来新たな技術が出現したときにも備えることができるようになります。

しかしそのアップデートの方向性が時代の流れと合っていなければ、なかなか受け入れてはもらえません。そこでここでは法をアップデートするために民間企業も考えておくべき、４つの方針を紹介します。

（1）ルールベースからゴールベースへの移行

これまでの法規制はルールベースの法規制でした。これは事業者の行為自体を規則によって規制して、その結果として目的を達成するという構造です。たとえば、何年に1度検査をする、といったような行為を定めることで、安全性を確保しようとするのがその一例です。そうした行為自体を縛るため、技術的な要件が法律にハードコーディングされているケースもありました。

しかし、経済産業省のガバナンスイノベーションに関する報告書では、これから求められるのは**ゴールベースの法規制**だという提言がされています。実際、電気用品安全法やガス事業法などは、これまで国が品目ごとに寸法や材質を仕様として規定していましたが、昨今は仕様ではなく、性能要件のみを定める「性能規定」への見直しを行っています。つまり、満たすべき成果は規定するものの、その方法は民間に任せる、という方法をとっています。この「ゴールベース」の考え方は、ロジックモデルの言葉を使えば、アウトカムベースの法規制、と言えるでしょう。

こうしたゴールベースへの移行の方向性として、技術的に中立な方法に変えていく、というものがあります。

たとえば2000年に制定された電子署名法は、特定認証業務の際に「物件」を要件にしています。当時主流であったICカードとカードリーダーを想定して作られたため、物件の要件が入ったのです。これでは技術的には中立的ではない、ということで、要件を変えることを志向したのが、2020年における電子署名法の議論の一部でした。議論を通して物件要件について見解が出され、クラウドを利用した電子署名も有効である、という結論に辿り着きました。

こうした技術的な制約は、ロジックモデルでいえば、アクティビティレベルでの規制がされているということです。それをアウトカムレベルの規制に変えていくのが、ゴールベースへの移行です。こうしたゴールベース、アウトカムベースへの移行を推進することで、民間企業はより高い自由度を手に入れることができます。そうすれば新しい技術や手法を試すこともできるでしょう。

(2) 規制の経緯と立法趣旨への配慮

そうしたゴールベースやアウトカムベースにアップデートするときに立ち戻るべきなのは、インパクトです。もともと何のために規制が生まれて、何を治めようとしているのかについて、**法の目指しているインパクト、つまり立法趣旨**を基に話していくとよいでしょう。

法規制はただ自由を制限するもの、という認識の人も多いかもしれません。しかし、どんな規制にもそれが成立するに至った何かしらの経緯と目的があり、目指しているインパクトやアウトカムがあります。公害や痛ましい事故など、様々な事件があって、法規制が出来上がったという事例も多くあります。

法を変えるときには、既存の法の歴史を紐解き、現代に合っているかどうかを確かめることで、まずはその規制が現在も目的を有効に果たしうるのかを考える必要があります。いわゆる、立法趣旨に立ち戻る、という行為です。場合によっては、その規制の統治目的を達成する、技術的なイノベーションが起こっているかもしれず、その場合は代替手段を提案できるかもしれません。

たとえば、Uber の事例を紹介したときに、白タク規制の話をしました。この歴史を振り返ってみましょう。

１９５０年代、タクシーは危険度が高い乗り物だと思われていました。当時は個人タクシーと事業用タクシーの法的な境目がなく、個人タクシーを中心に粗暴運転や乗車拒否、不当な運賃の請求や暴力事件がしばしば起こっていました。回転率を上げるために交通風紀を無視して速度を超過するタクシーを「神風タクシー」と呼んでいたほどです。

車の運転は人の命を預かる責任重大な仕事であり、命の関わる事故が起こったとき、個人営業であれば被害者に対する補償も十分にできません。１９５８年に東京大学の赤門前で神風タクシーが東大サッカー部主将の青年を撥ねて即死させる事故が起こったことをきっかけに、社会問題化しました。

まず事業者側が自主的に動きました。タクシーを事業として営む人たちが連合を組んで「神奈川乗用自動車協会」「東京乗用旅客自動車協会」などが設立され、運賃の改定と明確化が行われました。また神風タクシーのようなタクシーを抑制する目的で、１９５９年に東京で個人タクシー制度が生まれたと言われています。これにより、個人タクシーの事業主となるにはタクシードライバーの優良運転者として認められることが必要とされました。つまり事実上、法人タクシーのドライバーとして長期にわたって無事故無違反で運転することが条件となったのです。

こうした経緯でタクシーを縛る業法は作られてきました。事前認可制という規制は、あくまで利用者の安全を守るためにできたものです。そうした文脈を無視して規制を緩和してしまうことは、最終的に消費者である市民が不利益を被ることになりえます。

このように規制の元をたどると、何かしらの課題や意図があってその規制が制定されていることがわかります。もし**規制を変えたいのであれば、規制そのものを否定するのではなく、その規制や法の歴史を調べ、本来の趣旨に立ち返りましょ**

う。その趣旨自体が関係者が共有するインパクトに該当することになるので、理解すれば、彼らを巻き込みやすくなります。

立法趣旨を確認してて、新しいことを禁止したくてこの条文が入っているわけではなさそうだけれど、文言を解釈すると形式的には違反となってしまう、という場合は、規制が時代に合わなくなっていることを示唆しています。立法時の趣旨に沿った形で現代風にアップデートするような提案ができるかもしれません。

たとえば、日本でライドシェアを可能にするために白タク規制を緩和したいのであれば、デジタル技術による乗客とドライバーの相互評価によって安全性を担保することを提案できるかもしれません。

ただそうした仕組みも少しの運用の違いで信頼を担保できるかどうかが変わってきます。たとえば2020年に、ベビーシッターのマッチングサービス「キッズライン」に登録していたベビーシッターがわいせつ容疑で逮捕された事件がありました。キッズライン社では、信用を担保する仕組みとして、ベビーシッターとサービス利用者との間で相互評価を行っていました。まさにUberなどと同じ仕組みです。しかしUberと異なり、キッズラインでは誰がどう評価したかお互いにわかってしまうほか、利用者が同じベビーシッターをリピートすることを考えると低評価を付けづらい仕組みになっていました。[11] その結果、疑惑のある行為をしたベビーシッターに対しても低評価ができず、多くのシッターに満点に近い評価が付いていました。ここから言えることは、単に相互評価をすればよいわけではない、ということです。解決策とされるものを表面的に取り入れるのではなく、自分たちのサービスにあった仕組みをきちんと考えることが重要です。

こうして規制の経緯と立法趣旨に立ち戻ることで、ゴールベースやアウトカムベースの新しいルールを提案できるようになります。たとえば消費者の安全を守るというインパクトであれば、安全を確保できる行為を規定するのではなく、その安全基準を示すことにとどめておき、安全基準を満たすための方法は任せる、というアプローチが可能です。ロジックモデルの構造でいえば、どのようなアウトカムを達成すればよいかを明示し、これまでと異なるやり方でアウトカムを達成するための新しいアクティビティを採用できるようになるでしょう。

11「シッターが預かり中の『わいせつ容疑で逮捕』の衝撃、キッズラインの説明責任を問う」BUSINESS INSIDER、2020年6月4日
https://www.businessinsider.jp/post-214061

（3）基礎となる理論と長期的展望を作り、具体個別の案件と行き来する

法をアップデートする場合、そのアップデートの軸となる理論を構成しておくと説得力が増します。理論的な裏付けのない、単なる思い付きの法のアップデートは説得力が弱いばかりか、場当たり的なアップデートがされると、法の部分最適化が行われてしまいます。世論の後押しで場当たり的な法改正が行われることもありますが、全体の整合性が取れなくなってしまうと、その後のアップデートが難しくなります。

特に事業会社が打ち出す法の提案は、利便性に重点を置いた個別の論点ごとの規制の変更（主に規制の緩和）になりがちで、注意が必要です。個別の論点を束にしただけでは理論とは呼べません。

理論を構築するには、まず既存の理論や過去の議論をきちんと参照する必要があります。過去にどのような議論が行われ、どのような根拠に基づいて今の規制が成り立っているのかを知ったうえで、有効な対案としての変更を提出しましょう。その際には変更の根拠も必要になります。変更のリスク評価も重要です。規制変更の提案自体がどんなに公益性に基づくものであったとしても、悪用されるケースなどもあります。様々なケースを想定して変更を提案しましょう。その際には本書のリスクの章の考え方も一部応用できるはずです。

また、その規制に関する今後の長期的展望も求められることになるでしょう。大きな社会的インパクトに結びつかないような、小さな規制の変更の提案はどうしても後回しにされてしまいます。そのため、規制の変更が社会全体にどれだけ大きな便益をもたらすかを説明していく必要があるでしょう。

こうした理論や長期的展望を考えたうえで、個別具体的な案件について考えていく、という反復を何度も行っていくことが、説得力の高い法のアップデートの提案につながります。

とはいえ、事業者だけですべて行うのは困難です。そのときは専門家に頼るという選択肢もあります。たとえば情報であれば情報法を専門とする専門家が大学などにいます。また自社で有識者委員会を構成し、そこで議論するのも一つの手です。事業会社による有識者委員会の開催例は後述します。

（4）グローバルなルールとの整合性と差別化

グローバリゼーションによって全世界が市場になった結果、

近年は自国内に留まらない、グローバルなルールメイキングを意識する必要性も高まってきました。特にデータの流通については**グローバルのルールとの整合性**が求められています。一方で、国際的に見たときに、**一国だけルールを限定的に緩和することで、事業者を呼び込む**こともできます。

2010年代後半にドローンの企業がルワンダに集まりました。フォルクスワーゲンのような大手企業やジップラインという配送用ドローンのスタートアップがルワンダに集結した理由は、ルワンダではドローンの法規制を緩和して関連企業を誘致していたからです。ルワンダには平地が少なく傾斜地が多いことや、雨季には道路が使えなくなること、そもそも道路の敷設が遅れており輸送に課題があることなどの背景がありました。一方で建物はそれほど多くなく密集しているわけでもないので、ドローンの墜落などのリスクは許容できるレベルでした。つまりドローンの活用は、彼らにとってリスクが少なく、メリットが大きいのです。

規制が比較的緩やかなところから事業を始めて、徐々に承認を取っていくやり方を行っている例として、日本では介護や重作業等で使われるロボットスーツの開発等で知られるサイバーダイン社が挙げられます。[12]

医療機器は規制の厳しい分野です。そこでサイバーダインはまずロボットスーツを非医療機器の介護機器として展開することで、製品の改善と実績作りを行いました。医療機器としての提供を見据えながら、まずは市場に出すところから始めたのです。非医療機器の分野で実績を作りながら、続いてドイツと日本で医療機器としての認証を申請し、ドイツ、日本の医療機器承認を受けました。また介護機器分野では該当する規格がなかったため、自ら国際標準（ＩＳＯ１３４８２）の策定を主導しています。

各国の制度を比較して、最も迅速に市場に出せる国から展開していく手法を、制度のアービトラージを取る、と言います。民間事業者としては制度のアービトラージはあくまで利用する対象かもしれませんが、政府のレベルでは社会課題に合わせてアービトラージをどう設計するか、つまり、どの産業を振興するために、どの部分の規制を緩めるべきか、という視点が入ってきます。もし民間事業者が法をアップデートすることに関わる場合は、「今、この規制を緩和すれば、どのように日本社会のためになるのか」という視点で物事を考えて提案し

12 池田陽子、飯塚倫子「イノベーションを社会実装するための国際ルール戦略：メディカル・ヘルスケアロボット『HAL』の事例研究から」RIETI Policy Discussion Paper Series 19-P-016、2019年
https://www.rieti.go.jp/jp/publications/pdp/19p016.pdf

ていく必要があるでしょう。

そして、世界に先駆けて制度を作り、日本で成功例を作った後に、そのルールを輸出することで、世界展開を容易にすることもできるようになります。

たとえば、ヨーロッパは自分たちのルールを輸出することで優位性を築こうとする動きを見せています。実際、ヨーロッパで作られたルールは、アメリカの中でも先進的な規制を行うカリフォルニア州に採択され、そしてカリフォルニア州を市場として無視できないアメリカ企業はカリフォルニア州の制定したルールに従うようになる、というパターンがしばしば起こります。EUのGDPR（一般データ保護規則）に触発され、2020年から新たに導入されたCCPA（カリフォルニア州消費者プライバシー法）はその好例です。

国際ルールへの準拠と差別化は各国政府が常に気にしていることです。民間企業がルールの策定に関わる際には、こうした観点も踏まえて、良いルールを作っていく必要があるでしょう。

法を変えるための活動

ここまでは考え方の解説が中心でした。ここからは、実務的にどのような動きが民間事業者に必要なのかを解説していきます。

なお、こうした活動は従来、「政治家にお願いする」という陳情型の活動が主でした。しかし現在は、民間事業者がより主体的に参加する活動が可能になってきています。以後の詳細は、そうした視点で読み進めてみてください。

ニーズやデマンドをまずは確認する

法を変えようと思うということは、法を変えないとビジネスが始められないのかもしれません。あるいは、まだ法では明示されていないもののグレーだと言われたのではっきりさせたい、という場合もあるでしょう。そんなとき、法を変えてからビジネスを始めるべきか、ビジネスを始めてから法を変えるべきか、どちらから始めるべきでしょうか。

どちらかというと、法を踏み外すリスクを避けるために、まず法を変えてからビジネスを始めるべきだ、と考える人が多いかもしれません。特に米国などで先例のあるサービスをタイムマシン経営的に日本に持ってこようとしたときには、法の壁にぶつかることが多くあります。Uberや電動キックボードのスタートアップであるLimeなどがその一例でしょう。しかし上述の通り、法を変えるのはとても大変な作業です。議員や官僚の側からしてみれば、「ニーズが本当にあるかどうかもわからないもののために、法を変える労力が必要なのか?」という疑問が出てきます。

許認可がなければ行えない。実験を行えなければニーズが確認できない。そんなニワトリとタマゴの関係のように見えます。ただ、多くの場合は先にニーズが来ます。

事例で取り上げたマネーフォワードもその一例です。最初から行政に対して、銀行がAPIを用意しないとサービスが作れないから変えてほしい、と陳情していたわけではありません。最初は全国銀行協会が出していたガイドラインに従って整備を行い、ユーザーが100万人を超えたところで、ユーザーにとっても有益な法へと改正するべく動き始めました。

日本で電動キックボードが公道で走れないから先に進めない、というのであれば、まずは私道や私有地で実証実験などを行い、そこでニーズや技術的な確認などを行って、その結果をもって自治体や国全体に働きかける、ということもできるでしょう。

近年、まず規制を変えようと、ビジネスを始める前から議員や官僚にアクセスをして規制を変えるよう陳情するビジネスパーソンもいるようです。しかし**ルールを変えるにはかなりの労力とコストが必要であり、ニーズやデマンドが実証されていない変更を行うことは容易ではありません**。まずはできるところから始めて、場合によっては前述の実験環境を活用してから本丸としての法令の変更を目指していくほうがいいでしょう。

基本的にはルールは後追いになりがちです。テクノロジーのほうがルールよりも変化のスピードが速く、またテクノロジーが変わることで、ニーズも変わっていきます。ルールを大きく変化させてから大きなビジネスをするのではなく、まずは既存のルールを逸脱しない範囲で先に何かをやってみて、そこから得た知見や信頼を用いてルールを変えていきましょう。

その際にポイントとなるのが、その事業が公益性のあるものかどうかです。もし最終的に法改正などのルール変更を望む場合は、その法改正をすることが公益に沿うかが論点になってきます。どんなにニーズやデマンドがあったとしても、そのニーズの方向性が公益に沿わないようなものであれば、受け入れられることはありません。

なお、「他の国がやっているから」という理由で規制緩和を求めるのは筋のよい手ではありません。他国でできている法規制やその緩和を日本でも同じようにできるかといえば、そうとは限らないからです。第2章で解説したように、政策や制度にも経路依存性があります。新しいテクノロジーと一緒に他国の優れた法を持ってきても、日本に必ずしも適用できるわけでもなく、またすぐに実装できるというわけではありません。たとえば日本で健康診断制度というガバナンスが生まれた背景も日本に特有のものであり、もともとは結核検診が元になっています。かつて日本では結核の罹患率が高く、さらに死亡率も高かったことが制度の成立につながったのです。[13]

ガバメントリレーションズを行う

ルールの枠内で行動してニーズやデマンドの存在を確認し、法改正に向けた動きを作っていく。そのためには政府との関係性の構築が必要です。そうした関係性構築のための一連の活動を、**ガバメントリレーションズ**（**GR**）と呼びます。

ガバメントリレーションズ活動の中で最も有名なのはロビイングでしょう。映画『女神の見えざる手』では、アメリカの劇的かつ戦略的なロビイングの状況が描かれました。

ロビイング活動は特定の問題や法律について、立法者である政治家や官僚にアプローチすることを指しています。そのアプローチ先としては、法令の場合は中央官僚や国会議員、条例の場合は自治体や都道府県議会議員になるでしょう。法令と条例の両方に関わるシェアリングエコノミーやモビリティ関係などでは、両方にアプローチする場合もあります。

彼らに法改正を促すような影響力を持つためには、日常的に行政官僚と会うかどうか、つまり行政との日常的な関わりが重要であるという指摘があります。[14] 政策もまた人と人との信頼関係の中で作られていくものであり、関係性の構築はルールを変えていくためにも重要です。

注意いただきたいのは、ロビイングとは単に希望を伝えるものではない、ということです。それでは単なる夢物語や陳情で

13 平成 26 年度　厚生労働白書
https://www.mhlw.go.jp/wp/hakusyo/kousei/14/dl/1-01.pdf
14 後房雄、坂本治也『現代日本の市民社会――サードセクター調査による実証分析』（法律文化社、2019）

しかありません。ロビイングの際には希望する状況を実現する方法も一緒に提示することが求められます。

ロビイングというと、小さな会食等を通した特定の企業・業界への利益誘導を想像する人も多いでしょう。実際、これまでのロビイング活動といえば利益団体によるものが中心でした。しかし近年、ＮＰＯやＮＧＯの世界では、より市民に寄り添った社会課題解決のためのロビイングが行われ始めています。また民間企業でも、従来のやり方を超えたロビイング活動やガバメントリレーションズ活動が増えてきています。

たとえば先進的な技術動向の研究会などを自ら開催して、担当の行政官僚とのコミュニケーションを強くしていくことができます。マネーフォワードのFintech研究所は、イベントなどを通して情報提供を行っていました。

メルカリが運営しているメルポリ（merpoli）というブログでは、メルカリの政策企画分野の活動を対外的に公開しています。行政機関だけではなくユーザーやパートナー企業を含む幅広いステークホルダーに対して活動内容や情報発信を行うことで、単に自社利益のためにガバメントリレーションズ活動をしているわけではないことを示し、透明性を担保しているわけです。

政治家や官僚は多忙で、現場の情報をなかなか手に入れることができません。彼らに対して、公益のためになる情報をインプットしたり、示唆したりすることは、正しい意思決定を行ってもらうために大切な活動です。政治家や官僚が自主的に情報を取りに行けないのであれば、相互作用であるガバナンスを民間企業や市民の側から変えていかなければならないでしょう。

また、政治家や官僚への伝手がない場合はパブリックコメントへの応答から始めてみるのも一つの手でしょう。パブリックコメントの制度は１９９３年に始まり、行政機関が政令や省令などを決める際、あらかじめその案を公表し、意見や情報を募ることが義務付けられています。パブリックコメントが募集された際に適切な情報提供や意見提出を行うのも一つのガバメントリレーションズ活動だと言えます。

これからの企業には、インベスターリレーションズ（ＩＲ）、パブリックリレーションズ（ＰＲ）に加えて、ガバメントリレーションズ（ＧＲ）が定着していくでしょう。ただし、それには良い面と悪い面があります。企業のガバメントリレーションズ活動によって、隠れたところで利益誘導が起こってしまっては公益が損なわれるからです。

こうした懸念から米国では1995年に「ロビー活動公開法」が作られており、ロビイストの登録が義務化されています。EUでもトランスペアレンシー・レジスターという類似の仕組みがあります。もし今後、民間企業のロビイングやガバメントリレーションズ活動が活性化してくるのであれば、日本でもそうしたルールを定め、より企業のロビイング活動の透明性を高くしていく必要があるでしょう。

こうした活動はスタートアップや事業会社1社には難しいかもしれません。業界団体を作ることなどを通して対応を図るのも一つの手です。業界団体については、ツール9で紹介しています。

民間で政策案を練る

ロビイングには実現方法の提示が重要であることをお伝えしました。

しかし一方で、民間企業が持ってくるルール変更の政策の素案は、官僚側からしてみれば、「生肉を持ってこられているようだ」という話を聞きます。どういう意味かというと、その素材自体がどんなに美味しい肉だとしても、生肉のままだと調理する手間暇がかかってしまい、官僚や政治家側にはそれを美味しく調理する時間的余裕がない場合が多い、ということです。

もちろん、その調理をするのが政治家や官僚の仕事という考えもあるでしょう。しかし政治家や官僚にもリソースの限界があり、そのリソースの範囲内で行わなければなりません。たとえばキャリア官僚と呼ばれる約1・5万人の職員の人数は減っていく一方であるにもかかわらず、その業務は年々増えており、国家公務員の労働環境の悪化はメディアにも頻繁に取り上げられるようになるほど過酷になっています。官僚がメンタルの不調が原因で休職する率は民間の3倍と、酷い状況です。また年間で審議可能な法案はそれほど多くありません。多くの変更案を持ってこられても、それを一気に処理することができるわけではありません。

こうした状態を変化させるためには、政治の意思決定として官僚のリソースを増やすか、あるいは民間側の努力を増やす必要があるでしょう。日本は小さな政府になりつつあり、官僚のリソースを増やすのは難しい状況です。そうした中で政治家や官僚が働かないと嘆いていても仕方ありません。官僚がガバナンスの変化のボトルネックになっているのであれば、民間側でうまく素材を調理して持っていくことが、インパクトを達成するためには効率的でしょう。

幸か不幸か、過酷な労働環境を忌避した中央官僚が転職して民間企業へと移ることも増えてきています。官僚出身のビジネスパーソンが増えることによって、民間側でより官僚に受け入れられやすい法案を作りこむことも可能になるでしょう。またソーシャルセクターにも提案のノウハウを蓄積しつつある団体がいくつもあります。そうしたソーシャルセクターの団体や元官僚と組んで、より良い政策を作る土壌を民間側で培っていくことが、大きく社会を変えるための有効な方法だと言えます。

しかしその際には、本ツールの中の「法をアップデートする方向性」で解説した通り、事業者側は関係する個別の論点ではなく、理論や根拠を持っていかなくてはなりません。そうした重い作業も民間側がやることになる点を承知のうえで進めていきましょう。

また国内の動きがどうしても遅い場合、グローバルで先に議論してしまって、その動きを国内に持ってくるというやり方もあるでしょう。たとえばシェアリングエコノミーについては、2019年1月に国際標準のISO規格を作るための委員会（ISO/TC 324）の設立が決定されましたが、これは日本の提案によるもので、一般社団法人シェアリングエコノミー協会、関係省庁、一般財団法人日本規格協会（JSA）が数年取り組んだ末に実現しました。

こうしてグローバルでの動きが起こってくると、国内もその動きに追随する機運が高まります。特にデジタルの領域はグローバルとの関係性も深いため、最初からグローバルに働きかけたり、国内の機運を高める活動と並行しながらグローバルでの動きを作ったりする、というのも日本の規制を変えていくうえで有効な一つの手だと言えます。

研究会や有識者委員会、議連への貢献

自分たちの意見を伝えていくうえで、官庁や自治体で行われる研究会や勉強会などに参加することも一つの有効な方法です。

官僚の多くも最新の情報や現場の知見を欲しがっているため、研究会や勉強会がしばしば行われます。そうした場所で自分たちの意見を伝えていくのです。有識者委員会には大学関係者や関連産業の著名人などが呼ばれます。

ただ一方で、有識者の選定には民間企業が主体的に関与できるものではありません。そこで日ごろからメディアでの露出やイベントでの登壇などを通してパブリックアフェアーズ（社会性や公共性のあるテーマに関するステークホルダーとの関係構築や広報活動。詳しくはツール10「アドボカシー活動とパブリックアフェアーズ」を参照）の活動を行うなど、その領域で積極的に発言しておいて存在感を高めておく必要があります。また前述のガバメントリレーションズ活動などを通して、関係作りをしておくことも効果的です。

政府に頼らず、自分たちで有識者会議を開くのも一つの手です。メルカリでは「マーケットプレイスのあり方に関する有識者会議」を自社で開き、専門家などを招いたうえで議論をして、原則案を提案しています。[15]

複数の党を横断する議員連盟（議連）を作るよう働きかけることもできるでしょう。議連は特定のテーマに沿って組成され、ほぼすべての産業ごとにあると言っても過言ではないぐらいたくさんあります。議連の立ち上げでは、少数の議員が立ち上げメンバーとなり周囲に呼びかけを行い、党派を超えて議員が参加することが一般的です。そのため、民間企業からしてみれば、まずは少数の議員に対して働きかけをするところから始まります。

議連には議論や意見交換などの目的もありますが、議連を作ることにより話題性を上げ、世論を動かしていくという面もあります。議連の一員となれるのは選挙によって選ばれた議員だけですが、行事は公開されることも多く、集会などに参加することが可能な場合もあります。そうした場に貢献していくことで、さらに多くの議員を動かすこともできるかもしれません。

議員を出す、新党を作る

これまであくまで議員や官僚を動かして法令を変えることを中心に話してきました。しかしもう一つ手段があります。自分たちが議員や官僚になることです。

議員になるには「地盤、看板、かばん」が必要だと言われ

15.「メルカリ、『マーケットプレイスのあり方に関する有識者会議』第一回議事概要を公開」株式会社メルカリ プレスリリース、2020年8月26日
https://about.mercari.com/press/news/articles/20200826_advisoryboard/

ています。その「かばん」、つまり必要なお金について、いったいどれぐらいかかるか知らない人も多いのではないでしょうか。

『衆議院小選挙区選出議員選挙における公職の候補者の選挙運動に関する収支報告書の要旨』によれば、衆議院選挙にかかった候補者の費用は数百万円から2千万円前後のようです。市議会議員の場合は数百万円、市長選であれば1千万円強というのが相場のようです。こうした選挙費用は人件費や選挙事務所の賃貸料に加えて、通信費、チラシ代やポスティングに使われます。法定選挙費用には上限があり、衆議院の小選挙区の場合は1910万円に名簿登録者数×15円を加えた額となっています。また参議院の比例代表だと5200万円が上限です。ただしこれらは選挙活動に使ってよいお金であり、選挙前の政治活動については含んでいません。

この金額を大きいとみるか小さいとみるかは人それぞれです。ただ、スタートアップの業界を見てみると、それぐらいの金額をエンジェル投資で集める起業家はそれなりの数います。特にデジタル領域の起業で財産を作り、現在はエンジェル投資家や篤志家となった人たちが近年増えてきていることを考えると、デジタル技術に興味関心の強い篤志家たちから個人献金を集めて、起業家ではなく、政治家として名乗りを上げればお金も十分に集まるかもしれません。すでに地場にそれなりの支持母体がある政治家候補であればなおさらです。

なお、個人名での献金は、政治家個人には年間150万円まで、政党や政治資金団体なら2000万円まで認められています。また企業名での献金は、資本金に応じて年間750万円から1億円以内となっています。

お金で政治を動かすことについて、忌避感を持つ人もいるかもしれません。しかし公共性のあるインパクトを目指している起業家に投資することと同様に、公共性のあるインパクトを目指している政治家に投資をすることは、決して悪いことではないはずです。また、前述のような金額制限がついているため、単独の企業や個人が大きな影響力を持つことはできない仕組みにもなっています。

政治家には国会議員もいれば、都道府県議会議員、市区町村議会議員、あるいは地方自治体の首長もいます。大きな規制を変える場合は国会議員による議員立法が必要ですが、まずは地元を変えていきたいという人は自治体の首長や自治体の議会を支援し、大きく法を変えていきたい場合は国会議員を支援することも方法として挙げられるでしょう。

　ただし国会議員の場合、1人の議員だけでは立法に影響を与えることはなかなかできません。前述したように発議の要件として、衆議院では20名以上、参議院では10名以上の賛同がないと提案することができないとされています。議連などを作ることで人数要件を満たすよう動くことになるでしょう。

　集団を作るという意味では、新たに政党を作ることも一つの手段として挙げられるでしょう。政党交付金を受け取れる国政政党の新党の立ち上げには、（1）国会議員5人以上の参加、もしくは（2）直近の国政選挙で2％以上の得票が必要で、費用としては数億円から数十億円程度かかると言われていますが、これもベンチャーキャピタルの投資額などと比較すれば非現実的な額ではありません。

　デジタル技術の社会実装を進められるガバナンス構造を作るためには、テクノロジーに理解があり、志ある国会議員や都道府県議会議員、市区町村議会議員を支援し、その取り組みの輪を政府（ガバメント）側に広げていく取り組みも必要です。２０２０年に新型コロナウィルスの対策でも有名になった台湾のオードリー・タン氏のように、諸外国ではデジタルに知見のある新しい政治家が台頭しつつあり、日本でもそうした動きへの期待が高まっています。

　議員ではなく官僚というルートもあります。近年、民間企業から国家公務員へと転職する人が増えており、２０２０年現在では約５９００人と12年前の2・5倍程度となっています。そのうち出向などの期限付きで働いている人は約２２００人とされています。さらに官僚から民間企業への転職だけではなく、民間企業に出向する事例も増えてきています。この背景には官庁の人手不足や民間の知見を活かしたいという政府側の意向があり、おそらくこれからも人材の交流は増えていくでしょう。

　どんなにアドボカシー活動を行っても、それは間接的な影響力の行使でしかありません。最後に政策を決めるのは議員や官僚です。そうしたプレイヤーに一度なってみることは、個人のキャリアとしても面白く、意義のあることのように思います。

規制の変更のまとめ

ここまで、規制の変更についての概要をお話ししてきました。規制はルールの大きな部分を占めるものであり、それを変えれば様々なビジネスが可能になります。しかし規制はあくまでルールの一部であり、規制を変えさえすれば社会が変わるというわけではありません。社会規範や慣習などのルールも変えていかなければ、ビジネスはうまくいかないでしょう。そうしたことを認識したうえで、それでもやはり規制を変えることが必要であれば、このツールを活用して規制の変更に取り組んでみてください。

TOOL 8. ソフトローと共同規制

法には2種類あると言われています。ハードローとソフトローです。

ハードローはいわゆる法律です。裁判所などが判断を示し、エンフォースメントは国が行います。つまりガバナンスを進めるにあたり、政府ができることは主にハードローの整備です。ハードローは法的な強制力を持つ社会規範となります。

一方、**ソフトローとは、法的な強制力がないにもかかわらず、現実の社会において人々の行動を規定しているような、様々な規範**のことを指します。[1] 政府がこのソフトローに影響を及ぼすこともできますが、事業者や業界団体も制定することができます。

たとえば日本では会社法によって定められる規則群はハードローですが、コーポレートガバナンスコードやスチュワードシップコードは法的な拘束力を持たないソフトローとして運用されています。東証のコーポレートガバナンスに関する上場規定も法的拘束力を持たないため、ソフトローです。各社が個別に設定する企業倫理や行動規範もソフトローです。それだけではなく、自治体や町内会、マンションの管理組合によるガイドラインや規則、スポーツのルールもソフトローの一種だと言えます。

たとえばAirbnbの場合、単に業法や条例というハードローを変えたとしても、マンション管理組合規約というソフトローがある物件の場合には、貸し出しをすることが難しくなります。なので、私たちはハードローを語るだけではなく、ソフトローについても語る必要があるのです。

ハードローとしての法律は、最終的には国家によるエンフォースメントが行われ、たとえば罰則が科せられたりすることがあるため、それに従うことは道理にかなっています。ただ一般的に、ハードローは悪行の取り締まりに有効ですが、善行を効果的に促すものではありません。一方、ソフトロー

1 中山信弘、藤田友敬『ソフトローの基礎理論』（有斐閣、2008）などに詳しい。

は善行を促すことにも効果を発揮するとされています。たとえば各企業のコーポレートガバナンスコードはソフトローとして機能することを想定されており、その目的も企業価値評価を上げるため、つまりより良いことを行うために設定されています。日本再興戦略[2]の中においても、成長戦略とコーポレートガバナンスの強化がセットで語られていますが、それはソフトローによる善行の促進を狙ってのものだと理解できるでしょう。

ソフトローが重要になってきた背景には、社会が急速に変わり、利益関係者が多様かつ複雑になってきたこと、そしてその価値判断を含めた尺度自体も多様化していることが挙げられます。[3]これまでのように国家が法令を作って画一的な実施をしようとすると、多様な在り方との調整が難しくなりますし、社会の変化の速度に追いつくことができません。またハードローによる規律は、政府側もモニタリングコストを負うことになり、それ相応の金銭的・社会的コストを社会全体で負担しなければなりません。

法令で各プレイヤーを律する場合、一度法令が制定されてしまえばなかなか変えることができないという面もあります。特に新しい技術の社会実装に対して、ハードローで規定されてしまうと、技術の新しい活用方法が出てきたときにそれを阻害してしまう可能性があります。たとえばＡＩのような現在変化が激しい技術に対して、特定の時点でハードローが必要以上に厳しく設定されてしまうと、その技術がさらに発展したときにハードローが邪魔をしてしまい、その技術の可能性を潰してしまうことにつながりかねません。

つまりハードローは強力ではあるものの、政府にとっても民間にとっても一度法令で定められることのデメリットもある、ということです。そこでソフトローによる民間事業者側の自己規律が相対的に重要になってきています。

たとえば業界全体で業界団体を作り、ソフトローを制定して、各社がソフトローに従って行動していれば、健全な業界を保つことができます（ツール９「業界団体」参照）。そうなれば政府側はハードローによって規制をするようなことはしないでしょう。またソフトローの場合、変更に際してもハードローの変更手続きほどの重いプロセスにはなりません。そのため状況に合わせて柔軟にソフトローを変更して、業界全体の足並みをそろえることも可能になります。

2 第 2 次安倍内閣による成長戦略。2013 年に閣議決定され 2016 年まで計 4 回改訂された。
3 「拠点リーダー 岩村正彦先生と藤田友敬先生に訊く　国家と市場の相互関係におけるソフトロー――私的秩序形成に関する教育研究拠点形成」東京大学グローバル COE、2008 年
https://www.u-tokyo.ac.jp/coe/japanese/list/category4/base12/interview.html

もちろんソフトローにもそれなりのコストが発生します。行政側がハードローの運用でコストをかけている、モニタリング（監視）やサンクション（賞賛や制裁）のコストを、ソフトローを制定した人たちが持たなければ、そのソフトローに従うインセンティブが生まれません。たとえば業界団体が行えるサンクションの例として、冷遇措置（業界内での村八分を行うなど）がありますが、これは足並みそろえて行う必要があり、相応のコストがかかります。

つまり、ソフトローの部分を増やした場合、自由度は増すものの、自分たちの責任でガバナンスをしていく責任とコストが発生する、ということになります。規制緩和をするということは、ハードローによる縛りを少なくし、民間企業への自己責任の枠を広げることにほかなりません。

この数十年、**共同規制**（co-regulation）という考え方が出てきています。[4]ハードローは**直接規制**（direct-regulation）を行い、ソフトローは**自主規制**（self-regulation）といった分け方をする場合、共同規制はその中間に当たります。つまり、自主規制の持つ柔軟性と国による確実な規制とを組み合わせ、柔軟かつ確実なルールの枠組みを考えていくという方法論です。

これまでは制度を作ることは政府の役目でした。しかし制度についてもイノベーションの当事者が自主的に関わっていくことで、当事者側はより敏捷に動くことができます。そこで民間による自主規制だけではなく、民間と行政とで共同規制をしていくことが提案されたのです。共同規制により、民間事業者と政府の両者ともに柔軟な規制の在り方が模索できるようになることが期待されているのです。

日本でのこうした共同規制は、業界の自主規制と政府側の法律やガイドラインなどを組み合わせて実施されることになります。つまり、業界の自主規制だけでは弱すぎて律することのできなかった部分を、政府側がガイドラインなどを発行して補強することで、それなりの強制力を持つような規制を作り上げることができます。さらに法律ではなくガイドラインでよければ、法律の立法などとは異なるため、政府側も素早く動くことができます（ツール7「規制の変更」参照）。

こうした共同規制の流れはグローバルでも長く議論されています。ＥＵでは２０１３年から２０１７年にかけて「より良い自主規制・共同規制のための実践コミュニティ」プロジェクトが行われ、効果的な自主規制・共同規制（ＳＲＣＲ）に

4　生貝直人『情報社会と共同規制――インターネット政策の国際比較制度研究』（勁草書房、2011）

関する原則がまとめられました。

この動きは日本でも現実のものになりつつあります。たとえば、シェアリングエコノミーでは、政府がガイドラインを出して、それに準ずる形でシェアリングエコノミー認証制度が作られました。これも一つの共同規制の例と言えます。

社会のためにどういうガバナンスが必要なのかを官民の両者が一体となって考えていく動きは、これからも盛んになっていくでしょう。ビジネスの自由度を確保しながら、公益に利するビジネスを行っていくためにも、こうした動きがあることを事業者側も知ったうえでガバナンスに関わっていくことが、最終的に市場の拡大や事業の成功にもつながるはずです。

規制なし	時に規制の必要なく、市場自身が問題の発生を抑止あるいは解決している
自主規制	業界団体等による自主的な規制によって当該問題が適切に解決されている（政府による一般原則の提示は存在し得る）
共同規制	自主規制と政府規制の混合措置により問題が解決されている（政府の自主規制補強装置が存在する）
政府規制	目的とプロセスが政府によって定義されており、政府機関によるエンフォースメントが担保されている

英 Ofcom [2008] Identifying appropriate regulatory solutions: principles for analysing self- and co-regulation. より作成

出典：生貝直人「シェアリングエコノミーと自主的ルール整備」首相官邸 シェアリングエコノミー検討会議第 1 回、2016 年 7 月 8 日
https://www.kantei.go.jp/jp/singi/it2/senmon_bunka/shiearingu1/dai1/siryou1_7.pdf

TOOL 9. 業界団体

新興産業の場合、「業界全体が怪しい」と思われることがあります。そして業界としての信頼を作っていくのは、一企業だけではなかなか難しいものです。また政府との折衝が必要な場合も、一企業が個別に行おうとすると数が多くなってしまうため、政府側としては対応ができなくなってしまい、対応が遅れてしまう可能性があります。

こうした課題を解決するために、**民間企業同士で業界団体やコンソーシアムを作ること**は、一つの有効な手法です。

日本では大きな経済団体として、日本経済団体連合会（経団連）や経済同友会、新経済連盟があります。日本機械輸出組合や社団法人電子情報技術産業協会（JEITA）、日本自動車工業会（JAMA）なども利益団体として有名です。こうした団体は古くからロビイング活動やパブリックアフェアーズの活動などを行ってきていました。

近年ではFintech協会や日本医療ベンチャー協会など、スタートアップを中心とした団体もできつつあります。特に規制との関係性が強く、社会との摩擦が起きそうな領域においてはそのような活動が活発です。

また、複数の業界をまたがって、特定のゴールを目指して連盟（coalition）を作る場合もあります。ナイトタイムエコノミー振興の事例では「ナイトタイムエコノミー推進協議会」が複数の業界にまたがって開かれていました。

業界団体や連盟を作るメリットは、個別の企業ではなく業界の代表として政府との関係性を構築できるという点にあります。**一社の利益ではなく、業界全体の振興を目的とする立ち位置をとることで、政府との折衝をより適切な形で行える**可能性も高まります。資料の作成なども業界全体で行えるため、個社の事務作業が軽減されます。そして業界としての自主規制を行うなどの取り組みができれば、市民からの信認も得やすくなります。

たとえばソーシャルゲームの場合、いわゆるガチャについて問題になったことがあります。特定のアイテムをすべてそろえる（コンプリートする）ことでレアアイテムを入手できるようになるシステム、コンプガチャについて、射幸心をあおり多額の課金が発生することが度々起こり、メディアも多く取り上げて社会問題にもなっていました。そこで消費者庁は2012年5月に景品表示法違反である可能性を示唆します。そのタイミングでソーシャルゲーム会社の株価は暴落し、ソーシャルゲーム会社の経営に大きな影響を与えました。

実は2012年5月の前から、業界大手は協議会を作り、自主規制を作ろうとしていたところでした。しかし消費者センターへの相談が増え、メディアからの批判が高まる中、協議会による効力が働く前に消費者庁が動くことになりました。業界の規律が間に合わず、国からの直接的な介入を招いてしまったため、事業に対して大きな損失が発生した例と言えるでしょう。そしてその背景には、ソーシャルゲーム業界と社会との対話がそれまで少なく、そして遅すぎたこと、またソーシャルゲーム業界という新興業界と官公庁との間で関係性ができていなかったことが一因として語られています。

その後、ソーシャルゲーム業界はソーシャルゲーム協会を発足（その後コンピュータエンターテインメント協会に統合）します。コンプガチャ以外の通常のガチャについても問題が起こっていたため、2016年にはコンピュータエンターテインメント協会と日本オンラインゲーム協会がガチャに関するガイドラインを発表し、実質的な自主規制を行っています。2012年以前にこうしたガイドラインがあり、業界全体でそのガイドラインを守って適切に社会との関係性を結べていれば、株価の暴落なども起こらなかったかもしれません。

ガイドラインのような自主規制を業界一丸となって設けることは、一見不自由のように感じるかもしれません。しかしあまりに野放図な業界になってしまい、社会問題になってしまうと、法律というハードローで規定され、業界全体が不利益を被ることになります。社会との健全な関係を築いていくためにも、自主的な規制は一つの有効な手段です。特に新たな市場を開拓したとき、何が起こるかはわかりません。その市場に内在するリスクを馴致するために、新たな規制を自ら提案していくことは有効でしょう。ある意味でこうした自主規制は、コーポレートガバナンスと同じく、自分たちで「原則」

という形で方針を決めて、それに従うことを宣言するような、業界団体による攻めのガバナンスとも言えます。

市場ではありませんが、加古川市の見守りカメラの事例では、条例によってその利用範囲を定め、目的外用途では使わないことを誓約しています。こうして自らガイドラインを定め、それを守ろうとする姿勢は、市民からの信頼を得ることにもつながっているでしょう。ある研究では、監視と制裁システムを自ら導入することで、信頼を高めることができると言われています。[1]

なお、実務的な面では、その業界団体に所属することで得られるメリットがきちんとあるかなど、インセンティブ構造に気を配ることや、コンソーシアムメンバーの信用をどのように確保・維持していくかが課題となります。

あるいは業界で標準や基準を作るという手段もあります。標準化といえばハードウェアを思い浮かべるかもしれません。しかしデジタル領域でも標準化の試みは行われています。たとえば、オンライン消費者レビューの仕組みはISO20488で標準化されています。品質基準は、作ることでその製品全体の品質を向上することにつながり、受益者の便益にもつながります。

日本でもシェアリングエコノミー協会が2017年、シェアリングエコノミー認証制度の運用を開始しました。この制度を通ったサービスには、シェアリングエコノミー認証マークが与えられます。この制度は、内閣官房のシェアリングエコノミー促進室が作成した「シェアリングエコノミー・モデルガイドライン」を基に、協会が設定した自主ルールを加えて運用されており、認証を受けた事業者には専用の保険商品が割引価格で受けられるなどのメリットもあります。

インパクト評価の標準化も業界団体で可能な一つの活動です。たとえば武田薬品はデューク大学と共同でインパクト測定フレームワークの構築に取り組んでいます。[2]武田薬品ではこのフレームワークをヘルスケア業界のツールとして公開する予定で進めているそうです。業界で統一的なフレームワークを用意して、自分たちの業界のインパクトを数値化することも、今後業界団体に求められる一つの役目だと言えそうです。

業界団体をつくるというと、古いやり方のように聞こえてしまうかもしれません。利益誘導を行うための団体であったり、標準規格を通すために徒党を組む、という印象もあるでしょう。

1　中谷内一也『信頼学の教室』（講談社、2015）
2　武田薬品工業株式会社「2019 SUSTAINABLE VALUE REPORT」
https://www.takeda.com/siteassets/system/csr/sustainable-value-report/svr2019_en.pdf

企業利益や業界利益が社会的利益より優先されて談合が起こる可能性も否定できません。

しかしここで述べてきたように、社会へのインパクトや社会との調和を中心とした業界団体やコンソーシアムを組むことも現在は増えてきています。それぞれの製品や施策の実現性を高めるためのアドボカシー活動を行ったり、自分たちが関わる領域の公益性や透明性を担保していったりすることも可能なのです。

日本はこうした企業間の調整機能が他国に比べて優れていると言われています。そうした強みを活かして、日本ならではの業界団体によるマーケットガバナンスを作り上げていくことが、日本において社会実装を進めていく上での武器となるかもしれません。

TOOL 10. アドボカシー活動とパブリックアフェアーズ

アドボカシー活動とは「**公共政策や世論、人々の意識や行動などに一定の影響を与えるために、政府や社会に対して行われる主体的な働きかけ**」のことです。[1] その活動は広範にわたり、法律や政府予算に影響を与えるための活動全般だけではなく、課題広報や政策提言活動全般も含まれます。

一般的にアドボカシーの方法としては、以下のような手段が用いられます。[2]

・議員や行政官僚への直接的なロビイング
・デモや署名活動などの草の根ロビイング
・新聞やテレビなどメディアを通したアピール
・シンポジウムやセミナー、書籍出版などの一般向け啓発活動
・裁判闘争

さらに日本におけるアドボカシー活動の実践者からは以下のような活動も紹介されています。[3]

・概念を作る（言葉を作る）
・データを取る（民間白書を作るなど）
・議員連盟を作る（特定の社会問題に関心のある議員を超党派でつなぎ勉強会を実施する）
・メディアを持つ

こうした活動を組み合わせていき、政策や世論に影響を与えていく活動がアドボカシー活動です。

これを見ていただいてもわかるように、アドボカシー活動とは政府に対する活動以外の活動も多く含んでいます。消費者やメディアの人たちの意識を変え、関係性を変えていくこともアドボカシー活動であり、公共政策やガバナンスを変えることに

1　坂本治也「市民社会論の現在——なぜ市民社会が重要なのか」、坂本治也編『市民社会論——理論と実証の最前線』（法律文化社、2017）所収
2　同上
3　荻上チキ「いじめ対策のためのロビイング」、明智カイト『誰でもできるロビイング入門——社会を変える技術』（光文社、2015）所収

つながります。

こうしたアドボカシー活動の中で、特に昨今注目が集まっていて、社会実装にも関連してくる手法が**パブリックアフェアーズ（公共戦略コミュニケーション）**です。パブリックアフェアーズとは「**企業など民間団体が政府や世論に対して行う、社会の機運醸成やルール形成のための働きかけ**[4]」のことを指すとされます。

昨今、日本でもパブリックアフェアーズを専門にコンサルティングする会社も増え、また協会や連盟なども増加傾向にあります。そしてこれまでの民間企業で成功した社会実装の例を見ていると、パブリックアフェアーズに類する活動を企業としてうまく行ってきているようです。

一般的に、政策に影響を与える活動といえば、ロビイングなどのガバメントリレーションズが想起されがちです。ガバメントリレーションズとパブリックアフェアーズはどう異なるのでしょうか。しばしば混同される両者の違いについて少し解説してから、詳細な議論に移りましょう。

端的にはガバメントリレーションズはパブリックアフェアーズの一手法です。ロビイングと聞くと、利益団体による特定の集団への利益誘導など、ダーティなイメージが強い人もいるかもしれません。実際にそうした面も強く、狭義のロビイング活動は主にクローズな場所で行われます。対象も主に政治家か官僚に限られます。

一方、パブリックアフェアーズはよりオープンな場で、公正かつ透明性を保ちながら、広くコミュニケーションを行う活動も含む、という点が大きく異なります。またコミュニケーションの対象も、政治家や官僚だけではなく、有識者や消費者団体、環境団体、NPOなど、マルチステークホルダーを前提にしています。[5]ガバナンスや政策作りに関わる人が増えた結果、議員や官僚のみならず多くの人たちに自社の事業の公益性を理解してもらうことが必要となったため、パブリックアフェアーズのような活動の重要性が増してきたのだと言えます。

ではパブリックアフェアーズはパブリックリレーション（PR）と何が違うのか、と思われるかもしれません。

広義のPRは、ステークホルダー全般との関係を構築するものです。その中には製品利用者も含まれます。たとえば製品利用者や利用候補者に向けて情報発信をしていくことはPR活動

4　一般社団法人パブリックアフェアーズジャパンのウェブサイト等を参照。
https://pajapan.or.jp/
5　西谷武夫『パブリック・アフェアーズ戦略——ルールを制する者が市場を制す』（東洋経済新報社、2011）

の一種です。広くリーチするための方法としてメディアを使うことが頻繁にあるため、ＰＲはより狭義にはメディアとの関係を構築する活動として認識されていることもあります。

一方、パブリックアフェアーズは、主に政府、ＮＰＯ、業界団体などを対象として、そうしたステークホルダーとの関係構築をしていくための活動や、社会性や公共性が高い課題への世論の醸成を行っていくための活動を指しています。手法としては、政府関係者へのロビイングもあれば、行政の行う諮問委員会や公聴会での発言、市民団体を巻き込んだ形でのオープンな討論会、技術に対する講演会やセミナー、調査や論文の発表など様々です。もちろん、世論を育てるためにメディアや書籍を使う場合もあるでしょう。パブリックアフェアーズの実態としては、おおよそ半分がロビイングや討論会などの地上戦で、もう半分がＰＲやマーケティングに近い空中戦になります。

つまりパブリックアフェアーズは、**ときにはマーケティングなどの空中戦を使い、ときには地道なロビイングや参加型の活動といった地上戦を使いながら、特定の課題や解決策に対するオープンな形での議論を促進して、社会の目指すべきインパクトに対するデマンドを形作っていく活動**だとも言えます。

これまでの日本を見てみると、世論形成やロビイングは特定の企業への利益誘導を引き起こす取り組みとして嫌われる傾向がありました。しかし社会課題に取り組もうとしたとき、特にその課題がまだ顕在化していないとき、課題を多くの人に認識してもらい、人々にとっての重要度を上げてもらったり、世論を形成していったりする取り組みがどうしても必要になってきます。社会実装に取り組むにあたって、それが社会の役に立つということを知ってもらう活動は必要不可欠です。

そしてそれが課題であると広く認識され、解決が望まれるということになれば、その領域はビジネス上でも大きなホワイトスペースとなりえます。

たとえば気候変動や環境問題は大きな課題となっており、ビジネス領域としても年々大きくなっていますが、その背景には、気候変動が課題である、という認識を広めるためのアドボカシー活動がありました。その中には単に自社への利益誘導につなげたいという人たちもいたかもしれません。しかし気候変動が本当に人類にとっての課題である以上、その解決に関わる人たちを増やすために、解決のための取り組みがビジネスとして成立するような状況にしていくことに問題はないはずです。そうしたマーケットを作ることができれば、多くの企業や個人がその領域に関わることができます（第6章の「インパクトに基づく市場と社会規範を作る」も参照）。

さらに、自分たちの事業が社会貢献につながっていることをパブリックにアピールすることは、ESG投資の文脈での企業評価にも反映されていきます。そのため、パブリックアフェアーズのようなアドボカシー活動は、従来の単なる政府との関係性作り（ガバメントリレーションズ）以上のものになりつつあるのです。

従来から企業が行ってきたCSR活動も、自社の社会貢献をアピールしているという点から見れば、アドボカシー活動の一種と捉えられます。違いがあるとすれば、CSRは守りのアドボカシー活動であり、パブリックアフェアーズは攻めのアドボカシー活動と整理できるかもしれません。

過去の日本での研究からは、実効的なアドボカシー活動として、専門知識と団体間ネットワーク[6]、政策起業家の存在[7]、インサイド戦術とアウトサイド戦術の併用[8]などが挙げられています。インサイド戦術は直接的なロビイング、訴訟、選挙のこと、アウトサイド戦術はマスメディアを通じた世論へのアピールや草の根での活動、署名活動、大衆集会、デモやストライキといった手段のことです。

このように、アドボカシー活動やパブリックアフェアーズは、社会のガバナンスの在り方に影響を与えつつ、関係者のセンスメイキングを行う、という両面の性質を持つものです。特に今後、民間事業者が公益性のある事業領域に参入するにあたって、こうしたアドボカシー活動を政府だけではなくパブリックに向けて行っていく戦略上の重要性は、高まっていくことでしょう。

マスメディアとオウンドメディア

こうしたアドボカシー活動の対象となるのは、基本的にはその社会実装に直接的に関わる関係者です。ただし関係者が広い場合、直接的にコミュニケーションできる相手は限られてしまうため、直接メッセージを届ける以上のことが必要です。

6　坂本治也「NPO- 行政間の協働の規定要因分析――市区町村データからの検討」、『年報政治学』63 巻 2 号（2012）所収
https://www.jstage.jst.go.jp/article/nenpouseijigaku/63/2/63_2_202/_article/-char/ja/
7　勝田美穂『市民立法の研究』（法律文化社、2017）
8　原田峻『ロビイングの政治社会学 ――NPO 法制定・改正をめぐる政策過程と社会運動』（有斐閣、2020）

そこで活用するのがメディアです。

テレビや新聞、書籍といった従来型のメディアを通して、自社の取り組みや目指しているインパクトについて語ることで、より広いステークホルダーへとメッセージを届けることができます。特にメディアはアジェンダセッティングで効果を発揮するとされています。たとえば選挙においては、マスメディアコミュニケーションはすでに支持先を決めている人たちの意見を変えることは難しいものの、中間層の人たちの意見を変えるには十分な効果を発揮する傾向にあります。

インターネットの登場によって、ブログやユーチューブなど様々なメディアが乱立していますが、既存のテレビや新聞といったメディアの影響力も２０２０年現在はまだまだ大きいというのが実情です。

こうしたマスメディアを使うことのメリットは、多くの人たちにリーチできることです。場合によっては、これまで関係性のなかった人たちの目に留まるかもしれません。

しかしマスメディアを経由する場合、自分たちの言葉は記者やメディアによって加工されて届けられることになります。場合によっては、伝えたいインパクトの議論などを掲載してくれないこともあるでしょう。

そこで自社のメディアを育てていくことも一つの方法です。たとえば自社のブログやユーチューブなど、オウンドメディアを育てていくことで、自分たちの言葉で、自分たちのペースで情報発信をしていくことが可能になります。そこには介在者もおらず、自分たちの言葉を直接そのまま伝えることができます。

またオウンドメディアではターゲットを絞ることも可能です。マスメディアはあくまで多くの人たちにリーチするためのものです。オウンドメディアであれば、特定の領域に深い関心を持っている人に継続的につながることができます。

コロナ禍においては、ドイツ政府がオウンドメディアをうまく使い、市民向けとメディア向けで、情報の出し方を変えつつ、迅速に情報を提供していきました。これが可能となった理由の一つは、ドイツ政府が従来からオウンドメディアを使ったコミュニケーションを行ってきたことです。また、そうしたオウンドメディアを運用できるぐらいに政府の戦略や方針が明確だった、つまり目指すべきインパクトが定まっていて、ステークホルダー間で共有されていたという面も大きいでしょう。

スタートアップでもオウンドメディアを使う例は増えています。マネーフォワード社では、自社のブログやFintech研究所を通して、FinTechに関しての情報提供を継続的に行うことをきっかけに、金融庁の勉強会へと呼ばれ、そこから様々な政策へのアドバイスをするに至っています。

こうした形で自社のブランドを高めつつ、公共のために情報発信をしていくことで、特定の領域における思想的リーダーとなっていくことができます。もし市場におけるリーダー的なポジションを取ることができれば、自社のオウンドメディアだけではなく、ほかのメディアから取材を受けたりする副次的な効果も見込めます。

またオウンドメディアは人材採用にもつなげることができます。それ自体で新しい人たちにリーチをすることは難しいかもしれませんが、すでに興味を持ってくれた採用候補者の興味をさらに喚起する上で、オウンドメディアは高い効果を持つ手法だと言えるでしょう。

初期のスタートアップには早すぎるかもしれませんが、オウンドメディアを通して自社のインパクトレポートをきちんと出していくのも一つの方法です。実際、スタートアップでも自社でインパクトレポートを出す企業が現れています。[9] また、ベンチャーキャピタルが投資先企業のインパクトレポートをロジックモデルとともに公開するなどの取り組みは日本でも始まっています。[10]

コミュニティを作り、ムーブメントを作る

ここまで、主に情報発信という観点での方法について解説してきました。しかしコミュニケーションは本来双方向のものです。パブリックアフェアーズについても、単に情報発信だけではなく、世論の声を聴く活動も考えなければなりません。

そこで活用できるのがコミュニティです。

たとえば事業者がユーザー会のようなコミュニティを自ら開き、現在のユーザーや将来のユーザー、パートナーやその他のステークホルダーの声を聴くことが一つの方法として挙げられます。実際、多くのスタートアップや企業では自社製品や自社サービスを使うユーザーによるコミュニティを運営し始めています。自社製品の拡販のためにコミュニティを作っているケースもありますが、ユーザーの意見を聞き改善して

9 「五常・アンド・カンパニー、初めてのインパクトレポートを発行」五常・アンド・カンパニー株式会社プレスリリース、2020年7月10日
https://gojo.co/gojo-publishes-its-first-ever-impact-report-jp
10 ヘルスケア＆メディカル投資法人、ヘルスケアアセットマネジメント株式会社「インパクトレポート」、2019年12月
http://www.hcm3455.co.jp/file/news-17c282f504107380d54ed92990eb0b10b80883bf.pdf

いくためのコミュニティ活動という観点もあります。そしてその中で、本当にユーザーが困っていることを新機能で解決したり、あるいはガバナンスの形を変えることで解決したりすることを考えます。マネーフォワードがFintech研究所でイベントを開催することで、最新情報の提供をしたり、関係者と直接やり取りしたりしていたのが好例です。

特にスタートアップが取り組むような最先端のテーマは、最初から多くの人（マス）に向けて訴えるにはまだ早すぎる場合も多々あります。たとえば、シェアリングエコノミーについて、Airbnbの事業が始まったばかりの2008年に広く社会へ訴えたとしても、多くの場合は無視されるだけだったでしょう。単なる無視だけならまだましかもしれません。もしそのメッセージに対して反発があり、さらに反発が強ければ、そうしたムーブメント自体が社会的な圧力でつぶれてしまっていた可能性すらあります。

そうしたことを考えると、まずは熱量の高い小さなコミュニティを作ることから始めていくほうが得策です。どんなに大きなムーブメントも、最初は小さいものから始まります。それに、最初の小さなコミュニティの段階であれば様々な試行錯誤もできます。試行錯誤の中で、自分たちが求めているインパクトと社会が求めているものとの妥協点なども見つかっていくことが多いようです。最初から目立ち、多くの人を巻き込むことが必ずしも良いこととは限りません。

コミュニティという観点では、自治体を巻き込んで進めていくことも一つの手です。地方自治体は地域コミュニティの構築で大きな役目を果たします。地方自治体の役割は今後コミュニティマネジメント的なものへと変化すると言われており[11]、社会実装のプロジェクトで有名な自治体ほど、コミュニティ活動に長けている傾向にあるようです。たとえば、どのような社会実装やイノベーションが地域に求められているかを聞く活動などを積極的に行い、地域のニーズを把握している自治体も出てきています。そうしたコミュニティの基盤を作れている自治体では、住民たちも新しい取り組みに理解があるため、社会実装や実証実験が進みやすい傾向にあります。そうした自治体と一緒に取り組むことで、既存のコミュニティをうまく使うこともできるかもしれません。

より緩いコミュニティという意味では、インターネットを使うこともできるでしょう。たとえば他の取り組み同士で情

11 経済産業省商務情報政策局総務課・情報プロジェクト室「21世紀の『公共』の設計図」（2019）
https://www.meti.go.jp/press/2019/08/20190806002/20190806002-2.pdf

報交換をすることもできます。一時的なムーブメントであれば、ツイッターを使って特定の政策を支援したり、反対するムーブメントを作ったりすることもできます。近年では、違法ダウンロード規制拡大法案や検察庁法改正案などに対する反対運動がツイッターで起こり、メディアがそれを取り上げて、政府側が方針を転換した事例などがあります。

人と直接話す

そして最後に、アドボカシー活動やパブリックアフェアーズを進めていくうえで、ステークホルダーの一人ひとりと話すことの重要性も強調させてください。

パブリックアフェアーズのパブリック（Public）という言葉の語源はラテン語の publicus（人々）だと言われています。パブリックは、あくまで一人ひとりの人間のことです。パブリックアフェアーズという活動は人々のための活動であり、人々と関わる活動です。パブリックアフェアーズに取り組んでいくうえで、パブリックの構成員である目の前にいる一人ひとりと話すという活動は、基本でありながらも忘れられがちな、人々を変えていくための強力なツールです。私たちの調査においても、パブリックアフェアーズをしてきた方々は、地道に人と話すことの重要性を語っていました。

人と話し、人から学び、共に理想を作りあげていくことが、最終的に大きな動きへとつながっていきます。アドボカシー活動やパブリックアフェアーズがメディアで取り上げられるときは、煌びやかなマーケティングの成功例が注目されがちですが、多くのパブリックアフェアーズの実践者は人と話すことを地道に続けています。コミュニティを作り、人と話す活動も忘れずに続けるようにしてみてください。

おわりに

本書では、スタートアップの領域を中心としたテクノロジーの社会実装の現場から上がってきた知見を整理してまとめることで、これから大きな課題に対する社会実装を目指す皆さんが、社会との実装を行っていくための素案を提示しました。

デジタル技術というテクノロジーの社会実装を進めていくための考え方として、個人のデマンドがまず重要であるという指摘から本書の議論は始まりました。そしてデマンドを顕在化したり人々の協力を得たりするために、インパクトという長期的な理想を提示して、そこに至るための道筋を示すことが大事だと説明しました。インパクトは以降の議論のすべての土台となっています。さらにテクノロジーの持つリスクというダウンサイドに対処することや、テクノロジーを適切に扱うための倫理の大切さを説き、目指すべきインパクトを基にガバナンスという社会の仕組みを考えて、そのうえで個人のセンスメイキングを行っていくための方法論を描写してきたつもりです。そして実装されるデジタル技術自体が、ガバナンスやセンスメイキングの方法に対しても大きな影響を与えうることも示してきました。

新たなテクノロジーが導入されるタイミングは、労働人口の減少による高賃金化が主な要因だと言われています。[1] 今後急速な労働人口の減少が見込まれる日本で、労働力不足による高賃金化が起

1 カール・B・フレイ『テクノロジーの世界経済史 ビル・ゲイツのパラドックス』（村井章子、大野一訳、日経BP社、2020）

これば、テクノロジーの社会実装が他国に比べてやりやすい環境になる可能性もあるでしょう。そしてそのタイミングまでに適切な方法論が広がっていれば、社会実装の試みがよりスムーズに進むはずです。

そのためには、現在の社会実装における困難を把握したうえで、これまで以上に人々との実装を意識していく必要があるでしょう。コレクティブインパクトを目指していくことについてインパクトの章で触れましたが、このコレクティブインパクトという言葉にあやかるのであれば、本書ではコレクティブインパクトに対応するようなコレクティブガバナンスを作り出す方法と、人々をコレクティブにしていくためのセンスメイキングの手法について解説してきたつもりです。

本書にまとめた方法論はまだまだ粗いものです。最前線の現場でこれらの手法を実施するには、より深い知識や技能が必要でしょう。それに社会の状況が変われば、社会実装の方法も変わっていくと思われます。そのため、本書の内容は今後も絶え間ないアップデートを要するものだと思っています。そのアップデートは一人の手で行われるものではなく、多くの人の手やコミュニティによって行われていくはずです。

これまで解説してきたとおり、ガバナンスの在り方は今まさにより開かれたものに変わろうとしています。社会的インパクトを語る人たちも増えつつあります。そしてそうした人たちが集まるコミュニティが日本でも次々に生まれています。ですので、もしインパクトやガバナンスに興味があるのなら、インパクトやガバナンスを議論するコミュニティに入ることをお勧めします。

かつては政経塾や私的勉強会などがその役目の一部を担っていたのかもしれません。そうした政経塾は主に政治家になるためには今でも有用でしょう。しかし今や、政治家でなくてもガバナンスに関わる時代になりつつあり、それに応じたガバナンスを論じるコミュニティも生まれつつあります。そのいくつかに属することで、最新のガバナンスの動向やネットワークを得られるようになるはずです。たとえば、政策起業家プラットフォーム（PEP）やパブリックアフェアーズジャパン、Public Meets Innovation などがあります。

社会実装に携わる一人のビジネスパーソンとしてそのコミュニティに入るだけではなく、新たな社会実装を受け入れる一人の市民として参加することもできるでしょう。社会実装を進めるのも阻むのも、インパクトやガバナンスを作り上げるのも受け入れるのも、他の誰でもない私たち一人ひとりです。民主主義（democracy）が demos（民衆）による統治（cracy）、すなわち自治であるように、結局は私たち一人ひとりが、未来を実装する担い手であり、かつ、新たな未来を選び、受容する担い手であるとも言えます。

本書の議論が個人のデマンドに始まり、インパクト、リスク、ガバナンスという社会全体に関わる議論をしたあと、最後にセンスメイキングという個人の中で起こる活動に戻ってきたように、テクノロジーの社会実装で重要なのは、理想とするインパクトやガバナンスという全体像について考えつつも、結局は自分の目の前にいる「○○さん」という顔の見える一人の欲望や行動を少しだけ変える活動であり、それと同時に、私たち一人ひとりが変わるための活動だと認識することなのではないかと思います。未来の社会の在り方について対話しながら、たとえばスマートフォンの使い方が分からずに困っている人に少しだけ優しく使い方を教えてあげることや、そのやり取りを通して相手のことを知ること、ふと思い立って休日にプログラミングを少しだけ勉強し始めて自ら変わろうと試みたり、誰かのために何かを作ってあげたりすることも、一つのテクノロジーの社会実装であり、私たちができる「未来を実装する」ことでもあるのでしょう。

こうした「社会実装」や「未来を実装する」というコンセプトを社会実装するには、情報を伝えるだけではうまくいきません。本書ではインパクトとそこに至る道筋を少し示しただけであり、これからこの内容についてのガバナンスやセンスメイキングを実施していく必要があるでしょう。それは著者の宿題です。しかしそれもまた、思考は大きなインパクトからはじめながらも実行は小さくはじめて進めていくこと、そしてコミュニティを通して成し遂げていくことなのかなと思っています。

著者自身、こうした社会実装の様々な面に触れられたのも、コミュニティに参加することがきっかけでした。

最後になりますが、このような機会を提供していただいた一般財団法人アジア・パシフィック・イニシアティブの船橋洋一氏、また本プロジェクトを支えていただいた向山淳氏、ワーキンググループに参加いただいたプロジェクトメンバーの皆様、アルバイトとしてワーキンググループに貢献いただいた皆様、講演やインタビュー、ファクトチェックに快く応えていただいた皆様、編集者として的確なフィードバックをいただいた英治出版の高野達成氏、安村侑希子氏、そして本プロジェクト以外において日々様々な洞察を与えていただいている皆様に厚く御礼申し上げます。

謝辞

本プロジェクトは、非営利・独立系のシンクタンクである一般財団法人アジア・パシフィック・イニシアティブで2019年4月から1年半にわたり研究が行われたプログラム「社会実装」の成果物です。著者は本プログラムの座長を務めました。このプロジェクトに対しては、公益財団法人小笠原敏晶記念財団の助成を得ました。深く感謝いたします。

プロジェクトメンバー（敬称略、五十音順、役職当時）
馬田隆明（座長）（東京大学産学協創推進本部 FoundX ディレクター）
川原圭博（東京大学大学院工学系研究科教授）
須賀千鶴（世界経済フォーラム第四次産業革命日本センター長）
宮坂学（東京都副知事）
諸藤周平（REAPRA グループ CEO）
安田洋祐（大阪大学大学院経済学研究科准教授）

事務局（敬称略、役職当時）
船橋洋一（一般財団法人アジア・パシフィック・イニシアティブ理事長）

向山淳（同主任研究員）
Adam Barton（同客員研究員）
瀧野俊太（同リサーチ・アシスタント）

インターン（敬称略、五十音順）
小島一輝
加納寛之
佐々木彩乃
田村允
山崎舞以

著者

馬田隆明

Takaaki Umada

東京大学産学協創推進本部 FoundX
および本郷テックガレージ ディレクター

University of Toronto 卒業後、日本マイクロソフトでの Visual Studio のプロダクトマネージャーを経て、テクニカルエバンジェリストとしてスタートアップ支援を行う。2016 年 6 月より現職。 スタートアップ向けのスライド、ブログなどの情報提供を行う。著書に『逆説のスタートアップ思考』（中央公論新社）、『成功する起業家は居場所を選ぶ』（日経 BP 社）。

本書特設サイト

https://implementing-the-future.com/

英治出版からのお知らせ

本書に関するご意見・ご感想を E-mail（editor@eijipress.co.jp）で受け付けています。また、英治出版ではメールマガジン、ブログ、ツイッターなどで新刊情報やイベント情報を配信しております。ぜひ一度、アクセスしてみてください。

メールマガジン　：会員登録はホームページにて
ブログ　：www.eijipress.co.jp/blog
ツイッター ID　：@eijipress
フェイスブック　：www.facebook.com/eijipress
Web メディア　：eijionline.com

未来を実装する
テクノロジーで社会を変革する4つの原則

発行日　2021年　1月29日　第1版　第1刷
　　　　2021年　2月　8日　第1版　第2刷
著者　馬田隆明（うまだ・たかあき）
発行人　原田英治
発行　英治出版株式会社
〒150-0022 東京都渋谷区恵比寿南 1-9-12
ピトレスクビル 4F
電話　03-5773-0193
FAX　03-5773-0194
http://www.eijipress.co.jp/
プロデューサー　高野達成　安村侑希子
スタッフ　藤竹賢一郎　山下智也　鈴木美穂　下田理
田中三枝　平野貴裕　上村悠也　桑江リリー
石﨑優木　山本有子　渡邉吏佐子
中西さおり　関紀子　片山実咲
印刷・製本　中央精版印刷株式会社
装丁　小口翔平＋阿部早紀子（tobufune）
校正　株式会社ヴェリタ

ISBN978-4-86276-304-4　C0034　Printed in Japan